RosettaStone®

Language Learning · Success

Curriculum Text

Mandarin **Chinese** | Level 2

TRS-CHI2-2.0

ISBN 1-58022-017-7

Printed in the United States of America

Fairfield Language Technologies
135 West Market Street
Harrisonburg, Virginia 22801 USA

Telephone: 540-432-6166 or 800-788-0822 in U.S. and Canada
Fax: 540-432-0953
E-mail: info@RosettaStone.com
Web site: www.RosettaStone.com

目录

第十部分

第十一部分

第十二部分

第十三部分

第十四部分

第十五部分

第十六部分

第十七部分

第十八部分

第十九部分

課文

9-01

对比：相同、不同，一样、不一样

01 这些花的颜色相同。
    这些花的颜色不同。
    这些是同一种鱼。
    这些是两种不同的鱼。

02 孩子们同时跳起。
    孩子们没有同时跳起。
    这两件衣服是用同一种料做的。
    这两件衣服是用不同种料做的。

03 这些金属块的形状相同。
    这些金属块的形状不同。
    这些动物的种类不同。
    这些动物的种类相同。

04 这两个人的身高相同，她们都是一米七。
    这两个人的身高不同，一个比另一个高。
    这些车的类型相同。
    这些车的类型不同。

05 这些人眼睛的颜色一样。
    这些人眼睛的颜色不一样。
    这些轮子一样大。
    这些轮子不一样大。

06 这些人的性别相同，他们都是男的。
    这俩人的性别不同，一个是男的，另一个是女的。
    这些容器里的水位相同。
    这些容器里的水位不同。

07 这些书一样厚。
    这些书不一样厚。
    这两个容器里的水不一样多。
    这两个容器里的水一样多。

08 这些人往同一方向走。
    这些人往不同方向走。
    这些是同一种液体。
    这些是两种不同的液体。

09 这两个人的年龄相同，她们都是二十岁。
    这两个人的年龄不同，一个比另一个大。
    这些液体装在相同类型的容器里。
    这些液体装在不同类型的容器里。

10 哪些人的年龄相同，性别相同，身高也相同？
    哪些人的年龄和性别相同，而身高不同？
    哪些人的身高和性别相同，而年龄不同？
    哪些人的性别相同，而年龄和身高不同？

9-01

對比：相同、不同，一樣、不一樣

01 這些花的顏色相同。
    這些花的顏色不同。
    這些是同一種魚。
    這些是兩種不同的魚。

02 孩子們同時跳起。
    孩子們沒有同時跳起。
    這兩件衣服是用同一種料做的。
    這兩件衣服是用不同種料做的。

03 這些金屬塊的形狀相同。
    這些金屬塊的形狀不同。
    這些動物的種類不同。
    這些動物的種類相同。

04 這兩個人的身高相同，她們都是一米七。
    這兩個人的身高不同，一個比另一個高。
    這些車的類型相同。
    這些車的類型不同。

05 這些人眼睛的顏色一樣。
    這些人眼睛的顏色不一樣。
    這些輪子一樣大。
    這些輪子不一樣大。

06 這些人的性別相同，他們都是男的。
    這倆人的性別不同，一個是男的，另一個是女的。
    這些容器裡的水位相同。
    這些容器裡的水位不同。

07 這些書一樣厚。
    這些書不一樣厚。
    這兩個容器裡的水不一樣多。
    這兩個容器裡的水一樣多。

08 這些人往同一方向走。
    這些人往不同方向走。
    這些是同一種液體。
    這些是兩種不同的液體。

09 這兩個人的年齡相同，她們都是二十歲。
    這兩個人的年齡不同，一個比另一個大。
    這些液體裝在相同類型的容器裡。
    這些液體裝在不同類型的容器裡。

10 哪些人的年齡相同，性別相同，身高也相同？
    哪些人的年齡和性別相同，而身高不同？
    哪些人的身高和性別相同，而年齡不同？
    哪些人的性別相同，而年齡和身高不同？

9-01

duì bǐ: xiāng tóng, bù tóng, yī yàng, bù yī yàng

01   zhè xiē huā de yán sè xiāng tóng.
      zhè xiē huā de yán sè bù tóng.
      zhè xiē shì tóng yī zhǒng yú.
      zhè xiē shì liǎng zhǒng bù tóng de yú.

02   hái zi men tóng shí tiào qǐ.
      hái zi men méi yǒu tóng shí tiào qǐ.
      zhè liǎng jiàn yī fu shì yòng tóng yī zhǒng liào zuò de.
      zhè liǎng jiàn yī fu shì yòng bù tóng zhǒng liào zuò de.

03   zhè xiē jīn shǔ kuài de xíng zhuàng xiāng tóng.
      zhè xiē jīn shǔ kuài de xíng zhuàng bù tóng.
      zhè xiē dòng wù de zhǒng lèi bù tóng.
      zhè xiē dòng wù de zhǒng lèi xiāng tóng.

04   zhè liǎng gè rén de shēn gāo xiāng tóng, tā men dōu shì yī mǐ qī.
      zhè liǎng gè rén de shēn gāo bù tóng, yī gè bǐ lìng yī gè gāo.
      zhè xiē chē de lèi xíng xiāng tóng.
      zhè xiē chē de lèi xíng bù tóng.

05   zhè xiē rén yǎn jing de yán sè yī yàng.
      zhè xiē rén yǎn jing de yán sè bù yī yàng.
      zhè xiē lún zi yī yàng dà.
      zhè xiē lún zi bù yī yàng dà.

06   zhè xiē rén de xìng bié xiāng tóng, tā men dōu shì nán de.
      zhè liǎ rén de xìng bié bù tóng, yī gè shì nán de, lìng yī gè shì nǚ de.
      zhè xiē róng qì lǐ de shuǐ wèi xiāng tóng.
      zhè xiē róng qì lǐ de shuǐ wèi bù tóng.

07   zhè xiē shū yī yàng hòu.
      zhè xiē shū bù yī yàng hòu.
      zhè liǎng gè róng qì lǐ de shuǐ bù yī yàng duō.
      zhè liǎng gè róng qì lǐ de shuǐ yī yàng duō.

08   zhè xiē rén wǎng tóng yī fāng xiàng zǒu.
      zhè xiē rén wǎng bù tóng fāng xiàng zǒu.
      zhè xiē shì tóng yī zhǒng yè tǐ.
      zhè xiē shì liǎng zhǒng bù tóng de yè tǐ.

09   zhè liǎng gè rén de nián líng xiāng tóng, tā men dōu shì èr shí suì.
      zhè liǎng gè rén de nián líng bù tóng, yī gè bǐ lìng yī gè dà.
      zhè xiē yè tǐ zhuāng zài xiāng tóng lèi xíng de róng qì lǐ.
      zhè xiē yè tǐ zhuāng zài bù tóng lèi xíng de róng qì lǐ.

10   nǎ xiē rén de nián líng xiāng tóng, xìng bié xiāng tóng, shēn gāo yě xiāng tóng?
      nǎ xiē rén de nián líng hé xìng bié xiāng tóng, ér shēn gāo bù tóng?
      nǎ xiē rén de shēn gāo hé xìng bié xiāng tóng, ér nián líng bù tóng?
      nǎ xiē rén de xìng bié xiāng tóng, ér nián líng hé shēn gāo bù tóng?

提问：什么、谁、为什么、哪儿、哪边？

01 那是什么？
那是一座桥。

那是什么？
那是一辆汽车。

这是什么？
这是一条香蕉。

这是什么？
这是一张纸。

02 那是谁？
那是苏茜。

那是谁？
那是张浩。

我的笔记本呢？
在这儿。

我的大衣呢？
在这儿。

03 那是谁？
我不知道。

我们在哪儿？
我不知道。

我们该往哪边走？
我不知道。她说这边，他说那边。

这是什么？
我不知道。

04 她身上为什么湿了？
因为她刚才在游泳池里。

她为什么在床上？
因为她在睡觉。

她为什么在床上？
因为她病了。

她为什么在叫喊？
因为她痛。

05 她为什么在床上呢？
谁知道呢？

那叫什么？
那叫自行车。

这叫什么？
谁知道呢？

我该往哪边走？
你该往那边走。

9-02

提問：什麼、誰、為什麼、哪兒、哪邊？

01 那是什麼？
那是一座橋。

那是什麼？
那是一輛汽車。

這是什麼？
這是一條香蕉。

這是什麼？
這是一張紙。

02 那是誰？
那是蘇蒨。

那是誰？
那是張浩。

我的筆記本呢？
在這兒。

我的大衣呢？
在這兒。

03 那是誰？
我不知道。

我們在哪兒？
我不知道。

我們該往哪邊走？
我不知道。她說這邊，他說那邊。

這是什麼？
我不知道。

04 她身上為什麼濕了？
因為她剛纔在游泳池裡。

她為什麼在床上？
因為她在睡覺。

她為什麼在床上？
因為她病了。

她為什麼在叫喊？
因為她痛。

05 她為什麼在床上？
誰知道呢？

那叫什麼？
那叫自行車。

這叫什麼？
誰知道呢？

我該往哪邊走？
你該往那邊走。

（继续）

9-02

tí wèn: shén me, shuí, wèi shén me, nǎr, nǎ biān?

01 nà shì shén me?
   nà shì yī zuò qiáo.

   nà shì shén me?
   nà shì yī liàng qì chē.

   zhè shì shén me?
   zhè shì yī tiáo xiāng jiāo.

   zhè shì shén me?
   zhè shì yī zhāng zhǐ.

02 nà shì shuí?
   nà shì sū qiàn.

   nà shì shuí?
   nà shì zhāng hào.

   wǒ de bǐ jì běn ne?
   zài zhèr.

   wǒ de dà yī ne?
   zài zhèr.

03 nà shì shuí?
   wǒ bù zhī dào.

   wǒ men zài nǎr?
   wǒ bù zhī dào.

   wǒ men gāi wǎng nǎ biān zǒu?
   wǒ bù zhī dào. tā shuō zhè biān, tā shuō nà biān.

   zhè shì shén me?
   wǒ bù zhī dào.

04 tā shēn shàng wèi shén me shī le?
   yīn wéi tā gāng cái zài yóu yǒng chí lǐ.

   tā wèi shén me zài chuáng shàng?
   yīn wéi tā zài shuì jiào.

   tā wèi shén me zài chuáng shàng?
   yīn wéi tā bìng le.

   tā wèi shén me zài jiào hǎn?
   yīn wéi tā tòng.

05 tā wèi shén me zài chuáng shàng?
   shuí zhī dào ne?

   nà jiào shén me?
   nà jiào zì xíng chē.

   zhè jiào shén me?
   shuí zhī dào ne?

   wǒ gāi wǎng nǎ biān zǒu?
   nǐ gāi wǎng nà biān zǒu.

(jì xù)

06 你叫什么名字？
我叫罗莉。

你叫什么名字？
我叫张新生。

你去哪儿？
我去买东西。

你去哪儿？
我去开车。

07 这是谁的汽车？
这是他的汽车。

这是谁的汽车？
这是我的汽车。

这是谁的书？
这是我的书。

这是谁的书？
我不知道。

08 我们该往哪儿走？
我们该往那儿走。

你喜欢哪件衬衫？
我喜欢白衬衫。

你要哪块？
我要这块。

你选哪只手？
我选这只。

09 这个叫什么？
鸟

这个叫什么？
狗

这个叫什么？
汽车

这个叫什么？
女孩

10 人们什么时候吃早饭？
人们早上七点半吃早饭。

人们什么时候吃午饭？
人们中午十二点吃午饭。

人们什么时候吃晚饭？
人们晚上七点吃晚饭。

人们什么时候睡觉？
人们夜里十一点睡觉。

06 你叫什麼名字？
我叫羅莉。

你叫什麼名字？
我叫張新生。

你去哪兒？
我去買東西。

你去哪兒？
我去開車。

07 這是誰的汽車？
這是他的汽車。

這是誰的汽車？
這是我的汽車。

這是誰的書？
這是我的書。

這是誰的書？
我不知道。

08 我們該往哪兒走？
我們該往那兒走。

你喜歡哪件襯衫？
我喜歡白襯衫。

你要哪塊？
我要這塊。

你選哪隻手？
我選這隻。

09 這個叫什麼？
鳥

這個叫什麼？
狗

這個叫什麼？
汽車

這個叫什麼？
女孩

10 人們什麼時候喫早飯？
人們早上七點半喫早飯。

人們什麼時候喫午飯？
人們中午十二點喫午飯。

人們什麼時候喫晚飯？
人們晚上七點喫晚飯。

人們什麼時候睡覺？
人們夜裡十一點睡覺。

06 nǐ jiào shén me míng zì?
wǒ jiào luó lì.

nǐ jiào shén me míng zì?
wǒ jiào zhāng xīn shēng.

nǐ qù nǎr?
wǒ qù mǎi dōng xi.

nǐ qù nǎr?
wǒ qù kāi chē.

07 zhè shì shuí de qì chē?
zhè shì tā de qì chē.

zhè shì shuí de qì chē?
zhè shì wǒ de qì chē.

zhè shì shuí de shū?
zhè shì wǒ de shū.

zhè shì shuí de shū?
wǒ bù zhī dào.

08 wǒ men gāi wǎng nǎr zǒu?
wǒ men gāi wǎng nàr zǒu.

nǐ xǐ huān nǎ jiàn chèn shān?
wǒ xǐ huān bái chèn shān.

nǐ yào nǎ kuài?
wǒ yào zhè kuài.

nǐ xuǎn nǎ zhī shǒu?
wǒ xuǎn zhè zhī.

09 zhè gè jiào shén me?
niǎo

zhè gè jiào shén me?
gǒu

zhè gè jiào shén me?
qì chē

zhè gè jiào shén me?
nǚ hái

10 rén men shén me shí hou chī zǎo fàn?
rén men zǎo shàng qī diǎn bàn chī zǎo fàn.

rén men shén me shí hou chī wǔ fàn?
rén men zhōng wǔ shí èr diǎn chī wǔ fàn.

rén men shén me shí hou chī wǎn fàn?
rén men wǎn shàng qī diǎn chī wǎn fàn.

rén men shén me shí hou shuì jiào?
rén men yè lǐ shí yī diǎn shuì jiào.

正常的、不正常的，普通的、不寻常的

01 马的大小是不正常的。
马的大小是正常的。
公共汽车在正常的地方。
公共汽车不在正常的地方。

02 男人头发的长度是正常的。
男人头发的长度是不正常的。
这条船在正常的地方。
这条船不在正常的地方。

03 头发的颜色是常见的。
头发的颜色是不常见的。
羊的颜色是常见的。
羊的颜色是不常见的。

04 这是一种普通的交通工具。
这是一种不寻常的交通工具。
一座普通的建筑
一座不寻常的建筑

05 人们的脸通常像这样。
人们的脸通常不像这样。
这曾是人们旅行的普通方法。
这是现在人们旅行的普通方法。

06 这是普通的动物。
这是稀有的动物。
这是绝种的动物。
这是想象的动物。

07 这是稀有的石头。
这是普通的石头。
这是稀有的动物。
这是普通的动物。

08 这是普通的工作场所。
这是不寻常的工作场所。
这条狗没穿着衣服，这是正常的。
这条狗穿着衣服，这是不常见的。

09 他穿着适合在办公室工作的衣服。
他穿着不适合在办公室工作的衣服。
他穿着适合在月球上的衣服。
他穿着不适合在月球上的衣服。

10 这是一种普通的工具，可是不合适。
这是一种普通的工具，是合适的。
这是正常的学习场所。
这是不正常的学习场所。

正常的、不正常的，普通的、不尋常的

01 馬的大小是不正常的。
馬的大小是正常的。
公共汽車在正常的地方。
公共汽車不在正常的地方。

02 男人頭髮的長度是正常的。
男人頭髮的長度是不正常的。
這條船在正常的地方。
這條船不在正常的地方。

03 頭髮的顏色是常見的。
頭髮的顏色是不常見的。
羊的顏色是常見的。
羊的顏色是不常見的。

04 這是一種普通的交通工具。
這是一種不尋常的交通工具。
一座普通的建築
一座不尋常的建築

05 人們的臉通常像這樣。
人們的臉通常不像這樣。
這曾是人們旅行的普通方法。
這是現在人們旅行的普通方法。

06 這是普通的動物。
這是稀有的動物。
這是絕種的動物。
這是想象的動物。

07 這是稀有的石頭。
這是普通的石頭。
這是稀有的動物。
這是普通的動物。

08 這是普通的工作場所。
這是不尋常的工作場所。
這條狗沒穿著衣服，這是正常的。
這條狗穿著衣服，這是不常見的。

09 他穿著適合在辦公室工作的衣服。
他穿著不適合在辦公室工作的衣服。
他穿著適合在月球上的衣服。
他穿著不適合在月球上的衣服。

10 這是一種普通的工具，可是不合適。
這是一種普通的工具，是合適的。
這是正常的學習場所。
這是不正常的學習場所。

9-03

zhèng cháng de, bù zhèng cháng de, pǔ tōng de, bù xún cháng de

01 mǎ de dà xiǎo shì bù zhèng cháng de.
    mǎ de dà xiǎo shì zhèng cháng de.
    gōng gòng qì chē zài zhèng cháng de dì fāng.
    gōng gòng qì chē bù zài zhèng cháng de dì fāng.

02 nán rén tóu fà de cháng dù shì zhèng cháng de.
    nán rén tóu fà de cháng dù shì bù zhèng cháng de.
    zhè tiáo chuán zài zhèng cháng de dì fāng.
    zhè tiáo chuán bù zài zhèng cháng de dì fāng.

03 tóu fà de yán sè shì cháng jiàn de.
    tóu fà de yán sè shì bù cháng jiàn de.
    yáng de yán sè shì cháng jiàn de.
    yáng de yán sè shì bù cháng jiàn de.

04 zhè shì yī zhǒng pǔ tōng de jiāo tōng gōng jù.
    zhè shì yī zhǒng bù xún cháng de jiāo tōng gōng jù.
    yī zuò pǔ tōng de jiàn zhù
    yī zuò bù xún cháng de jiàn zhù

05 rén men de liǎn tōng cháng xiàng zhè yàng.
    rén men de liǎn tōng cháng bù xiàng zhè yàng.
    zhè céng shì rén men lǚ xíng de pǔ tōng fāng fǎ.
    zhè shì xiàn zài rén men lǚ xíng de pǔ tōng fāng fǎ.

06 zhè shì pǔ tōng de dòng wù.
    zhè shì xī yǒu de dòng wù.
    zhè shì jué zhǒng de dòng wù.
    zhè shì xiǎng xiàng de dòng wù.

07 zhè shì xī yǒu de shí tou.
    zhè shì pǔ tōng de shí tou.
    zhè shì xī yǒu de dòng wù.
    zhè shì pǔ tōng de dòng wù.

08 zhè shì pǔ tōng de gōng zuò chǎng suǒ.
    zhè shì bù xún cháng de gōng zuò chǎng suǒ.
    zhè tiáo gǒu méi chuān zhe yī fu, zhè shì zhèng cháng de.
    zhè tiáo gǒu chuān zhe yī fu, zhè shì bù cháng jiàn de.

09 tā chuān zhe shì hé zài bàn gōng shì gōng zuò de yī fu.
    tā chuān zhe bù shì hé zài bàn gōng shì gōng zuò de yī fu.
    tā chuān zhe shì hé zài yuè qiú shàng de yī fu.
    tā chuān zhe bù shì hé zài yuè qiú shàng de yī fu.

10 zhè shì yī zhǒng pǔ tōng de gōng jù, kě shì bù hé shì.
    zhè shì yī zhǒng pǔ tōng de gōng jù, shì hé shì de.
    zhè shì zhèng cháng de xué xí chǎng suǒ.
    zhè shì bù zhèng cháng de xué xí chǎng suǒ.

9-04

正式和非正式的称呼：您、你；礼貌用语：
请、劳驾

01 魏先生，请来看这个。
请进，孙夫人。
请问，这是您的吗？
史夫人，您没事吧？

02 来看这个。
进来。
这是你的吗？
你没事吧？

03 来看这个。
进来。
这些是你们的吗？
你们没事吧？

04 请来看这个。
请进。
这些是你们的吗？
您没事吧，罗太太？

05 小心！
看这个！
等等我！
扔给我！

06 小心！
看这个。
汤先生，等等我！
请问，现在几点啦？

07 夫人，您要点菜吗？
请给我一盘沙拉。
何利，你要胡椒粉吗？
要，请把胡椒粉递给我，罗蓓。

08 别碰这个，烫！
小心，这很锋利！
你们能帮我一下吗？
请问，洗手间在哪儿？

09 劳驾，先生。
劳驾，妈妈。
妈妈，您能帮我拿那个吗？
安先生，您能帮我拿那个吗？

10 冬冬，你能帮我吗？
很高兴见到您。
这边请。
苏静，我能帮你吗？

9-04

正式和非正式的稱呼：您、你；禮貌用語：
請、勞駕

01 魏先生，請來看這個。
請進，孫夫人。
請問，這是您的嗎？
史夫人，您沒事吧？

02 來看這個。
進來。
這是你的嗎？
你沒事吧？

03 來看這個。
進來。
這些是你們的嗎？
你們沒事吧？

04 請來看這個。
請進。
這些是你們的嗎？
您沒事吧，羅太太？

05 小心！
看這個！
等等我！
扔給我！

06 小心！
看這個。
湯先生，等等我！
請問，現在幾點啦？

07 夫人，您要點菜嗎？
請給我一盤沙拉。
何利，你要胡椒粉嗎？
要，請把胡椒粉遞給我，羅蓓。

08 別碰這個，燙！
小心，這很鋒利！
你們能幫我一下嗎？
請問，洗手間在哪兒？

09 勞駕，先生。
勞駕，媽媽。
媽媽，您能幫我拿那個嗎？
安先生，您能幫我拿那個嗎？

10 冬冬，你能幫我嗎？
很高興見到您。
這邊請。
蘇靜，我能幫你嗎？

9-04

zhèng shì hé fēi zhèng shì de chēng hu: nín, nǐ; lǐ mào yòng yǔ: qǐng, láo jià

01　wèi xiān sheng, qǐng lái kàn zhè gè.
　　qǐng jìn, sūn fū rén.
　　qǐng wèn, zhè shì nín de ma?
　　shǐ fū rén, nín méi shì ba?

02　lái kàn zhè gè.
　　jìn lái.
　　zhè shì nǐ de ma?
　　nǐ méi shì ba?

03　lái kàn zhè gè.
　　jìn lái.
　　zhè xiē shì nǐ men de ma?
　　nǐ men méi shì ba?

04　qǐng lái kàn zhè gè.
　　qǐng jìn.
　　zhè xiē shì nǐ men de ma?
　　nín méi shì ba, luó tài tài?

05　xiǎo xīn!
　　kàn zhè gè!
　　děng děng wǒ!
　　rēng gěi wǒ!

06　xiǎo xīn!
　　kàn zhè gè.
　　tāng xiān sheng, děng děng wǒ!
　　qǐng wèn, xiàn zài jǐ diǎn la?

07　fū rén, nín yào diǎn cài ma?
　　qǐng gěi wǒ yī pán shā lā.
　　hé lì, nǐ yào hú jiāo fěn ma?
　　yào, qǐng bǎ hú jiāo fěn dì gěi wǒ, luó bèi.

08　bié pèng zhè gè, tàng!
　　xiǎo xīn, zhè hěn fēng lì!
　　nǐ men néng bāng wǒ yī xià ma?
　　qǐng wèn, xǐ shǒu jiān zài nǎr?

09　láo jià, xiān sheng.
　　láo jià, mā ma.
　　mā ma, nín néng bāng wǒ ná nà gè ma?
　　ān xiān sheng, nín néng bāng wǒ ná nà gè ma?

10　dōng dōng, nǐ néng bāng wǒ ma?
　　hěn gāo xìng jiàn dào nín.
　　zhè biān qǐng.
　　sū jìng, wǒ néng bāng nǐ ma?

9-05

死、活，睡觉、做梦、想

01 树叶活着。
树叶死了。
活着的大象
死的大象

02 大象是真的，可是死了。
大象是活的，也是真的。
鸟不是死的，也不是活的，鸟不是真的。
鸟是真的，也是活的。

03 男人在读书。
男人在想一本书。
女人在吃苹果。
女人在想一个苹果。

04 她在睡觉，她不在做梦。
女人在做梦。
他在想。
男人在做梦。

05 男人在想吗？是的，他正在想。
男人在做梦吗？是的，他正在做梦。
这些人活着吗？是的，他们活着。
这些人死了吗？是的，他们死了。

06 男人在想一道数学题。
男人在想一盘棋赛。
女人在想。
女人在说话。

07 男人在想什么？他在想钓鱼。

女人在想什么？她在想骑马。

你在想什么？
我在想骑马。

你在想什么？
我在想钓鱼。

08 他在想。
他在工作。
他在做梦。
他在睡觉，但不在做梦。

09 这些人活着吗？是的，他们活着。
这些树叶活着吗？不，它们死了。
这些人活着吗？不，他们死了。
这些树叶活着吗？是的，它们是活的。

10 她在伸懒腰。
她在打呵欠。
她在睡觉，但不在做梦。
她在做梦。

9-05

死、活，睡覺、做夢、想

01 樹葉活着。
樹葉死了。
活着的大象
死的大象

02 大象是真的，可是死了。
大象是活的，也是真的。
鳥不是死的，也不是活的，鳥不是真的。
鳥是真的，也是活的。

03 男人在讀書。
男人在想一本書。
女人在喫蘋果。
女人在想一個蘋果。

04 她在睡覺，她不在做夢。
女人在做夢。
他在想。
男人在做夢。

05 男人在想嗎？是的，他正在想。
男人在做夢嗎？是的，他正在做夢。
這些人活着嗎？是的，他們活着。
這些人死了嗎？是的，他們死了。

06 男人在想一道數學題。
男人在想一盤棋賽。
女人在想。
女人在説話。

07 男人在想什麼？他在想釣魚。

女人在想什麼？她在想騎馬。

你在想什麼？
我在想騎馬。

你在想什麼？
我在想釣魚。

08 他在想。
他在工作。
他在做夢。
他在睡覺，但不在做夢。

09 這些人活着嗎？是的，他們活着。
這些樹葉活着嗎？不，它們死了。
這些人活着嗎？不，他們死了。
這些樹葉活着嗎？是的，它們是活的。

10 她在伸懶腰。
她在打呵欠。
她在睡覺，但不在做夢。
她在做夢。

9-05

sǐ, huó, shuì jiào, zuò mèng, xiǎng

01 shù yè huó zhe.
shù yè sǐ le.
huó zhe de dà xiàng
sǐ de dà xiàng

02 dà xiàng shì zhēn de, kě shì sǐ le.
dà xiàng shì huó de, yě shì zhēn de.
niǎo bù shì sǐ de, yě bù shì huó de, niǎo bù shì zhēn de.
niǎo shì zhēn de, yě shì huó de.

03 nán rén zài dú shū.
nán rén zài xiǎng yī běn shū.
nǚ rén zài chī píng guǒ.
nǚ rén zài xiǎng yī gè píng guǒ.

04 tā zài shuì jiào, tā bù zài zuò mèng.
nǚ rén zài zuò mèng.
tā zài xiǎng.
nán rén zài zuò mèng.

05 nán rén zài xiǎng ma? shì de, tā zhèng zài xiǎng.
nán rén zài zuò mèng ma? shì de, tā zhèng zài zuò mèng.
zhè xiē rén huó zhe ma? shì de, tā men huó zhe.
zhè xiē rén sǐ le ma? shì de, tā men sǐ le.

06 nán rén zài xiǎng yī dào shù xué tí.
nán rén zài xiǎng yī pán qí sài.
nǚ rén zài xiǎng.
nǚ rén zài shuō huà.

07 nán rén zài xiǎng shén me? tā zài xiǎng diào yú.

nǚ rén zài xiǎng shén me? tā zài xiǎng qí mǎ.

nǐ zài xiǎng shén me?
wǒ zài xiǎng qí mǎ.

nǐ zài xiǎng shén me?
wǒ zài xiǎng diào yú.

08 tā zài xiǎng.
tā zài gōng zuò.
tā zài zuò mèng.
tā zài shuì jiào, dàn bù zài zuò mèng.

09 zhè xiē rén huó zhe ma? shì de, tā men huó zhe.
zhè xiē shù yè huó zhe ma? bù, tā men sǐ le.
zhè xiē rén huó zhe ma? bù, tā men sǐ le.
zhè xiē shù yè huó zhe ma? shì de, tā men shì huó de.

10 tā zài shēn lǎn yāo.
tā zài dǎ hē qian.
tā zài shuì jiào, dàn bù zài zuò mèng.
tā zài zuò mèng.

13

9-06
人称代词: 你、我、他、她，你们、我们、他们、她们

01　我穿着红色的 T 恤衫，你穿着蓝色的 T 恤衫。
　　你穿着红色的 T 恤衫，他穿着绿色的 T 恤衫。
　　我们穿着红色的 T 恤衫，他们穿着绿色的 T 恤衫。
　　他们穿着红色的 T 恤衫。

02　我穿着红色的 T 恤衫。
　　你穿着红色的 T 恤衫。
　　我们穿着红色的 T 恤衫。
　　他们穿着红色的 T 恤衫。

03　他们在跳舞。
　　你在跳舞。
　　我们在跳舞。
　　她在跳舞。

04　我在给你书。
　　我在给她书。
　　他们在给她书。
　　他们在给我们书。

05　我正走进商店。
　　你正走进商店。
　　我们正走进商店。
　　他们正走进商店。

06　我在给他大衣。
　　你在给他大衣。
　　她们在给他大衣。
　　我们在给他大衣。

07　我在给你盒子。
　　你在给她们盒子。
　　他在给我们盒子。
　　我们在给你们盒子。

08　他们正从女人那里拿咖啡。
　　他们正从男人手里拿咖啡。
　　她在给男人衬衫。
　　她在给女人衬衫。

09　你在给我钱。
　　我在给你钱。
　　我们在给你钱。
　　你在给我们钱。

10　你比我高。
　　你比她高。
　　你们一样高。
　　她比他高。

9-06
人稱代詞：你、我、他、她，你們、我們、他們、她們

01　我穿着紅色的 T 恤衫，你穿着藍色的 T 恤衫。
　　你穿着紅色的 T 恤衫，他穿着綠色的 T 恤衫。
　　我們穿着紅色的 T 恤衫，他們穿着綠色的 T 恤衫。
　　他們穿着紅色的 T 恤衫。

02　我穿着紅色的 T 恤衫。
　　你穿着紅色的 T 恤衫。
　　我們穿着紅色的 T 恤衫。
　　他們穿着紅色的 T 恤衫。

03　他們在跳舞。
　　你在跳舞。
　　我們在跳舞。
　　她在跳舞。

04　我在給你書。
　　我在給她書。
　　他們在給她書。
　　他們在給我們書。

05　我正走進商店。
　　你正走進商店。
　　我們正走進商店。
　　他們正走進商店。

06　我在給他大衣。
　　你在給他大衣。
　　她們在給他大衣。
　　我們在給他大衣。

07　我在給你盒子。
　　你在給她們盒子。
　　他在給我們盒子。
　　我們在給你們盒子。

08　他們正從女人那裡拿咖啡。
　　他們正從男人手裡拿咖啡。
　　她在給男人襯衫。
　　她在給女人襯衫。

09　你在給我錢。
　　我在給你錢。
　　我們在給你錢。
　　你在給我們錢。

10　你比我高。
　　你比她高。
　　你們一樣高。
　　她比他高。

9-06

rén chēng dài cí: nǐ, wǒ, tā, tā, nǐ men, wǒ men, tā men, tā men

01 wǒ chuān zhe hóng sè de T xù shān, nǐ chuān zhe lán sè de T xù shān.
   nǐ chuān zhe hóng sè de T xù shān, tā chuān zhe lǜ sè de T xù shān.
   wǒ men chuān zhe hóng sè de T xù shān, tā men chuān zhe lǜ sè de T xù shān.
   tā men chuān zhe hóng sè de T xù shān.

02 wǒ chuān zhe hóng sè de T xù shān.
   nǐ chuān zhe hóng sè de T xù shān.
   wǒ men chuān zhe hóng sè de T xù shān.
   tā men chuān zhe hóng sè de T xù shān.

03 tā men zài tiào wǔ.
   nǐ zài tiào wǔ.
   wǒ men zài tiào wǔ.
   tā zài tiào wǔ.

04 wǒ zài gěi nǐ shū.
   wǒ zài gěi tā shū.
   tā men zài gěi tā shū.
   tā men zài gěi wǒ men shū.

05 wǒ zhèng zǒu jìn shāng diàn.
   nǐ zhèng zǒu jìn shāng diàn.
   wǒ men zhèng zǒu jìn shāng diàn.
   tā men zhèng zǒu jìn shāng diàn.

06 wǒ zài gěi tā dà yī.
   nǐ zài gěi tā dà yī.
   tā men zài gěi tā dà yī.
   wǒ men zài gěi tā dà yī.

07 wǒ zài gěi nǐ hé zi.
   nǐ zài gěi tā men hé zi.
   tā zài gěi wǒ men hé zi.
   wǒ men zài gěi nǐ men hé zi.

08 tā men zhèng cóng nǚ rén nà lǐ ná kā fēi.
   tā men zhèng cóng nán rén shǒu lǐ ná kā fēi.
   tā zài gěi nán rén chèn shān.
   tā zài gěi nǚ rén chèn shān.

09 nǐ zài gěi wǒ qián.
   wǒ zài gěi nǐ qián.
   wǒ men zài gěi nǐ qián.
   nǐ zài gěi wǒ men qián.

10 nǐ bǐ wǒ gāo.
   nǐ bǐ tā gāo.
   nǐ men yī yàng gāo.
   tā bǐ tā gāo.

想要、需要

01　她想要咖啡。
　　她不要咖啡。
　　他想要苹果。
　　他不要苹果。

02　我需要衬衫。
　　我需要鞋。
　　我需要帮忙。
　　你需要吃药。

03　火箭
　　护照
　　钱
　　拐杖

04　你需要用这个去太空旅行。
　　你需要用这个去外国旅行。
　　你需要用这个买东西。
　　当你老了，你需要这个。

05　人们想要珠宝，但并不需要珠宝。
　　人们想要食物，也需要食物。
　　人们有时需要吃药，但不总想吃药。
　　人们不需要垃圾，也不想要垃圾。

06　这是人们想要、但不需要的东西。
　　这是人们想要也需要的东西。
　　这是人们有时需要、但不总想要的东西。
　　这是人们不需要也不想要的东西。

07　他们在给他书。
　　我们在给她护照。
　　她在给我们护照。
　　他在给他们书。

08　我不要这些玩具。
　　他们想要玩具。
　　你们想要这些玩具吗？
　　我们想要这些玩具。

09　她需要梯子才能够到窗户。
　　她不需要梯子就能够到窗户。
　　她愿意给他浴巾。
　　她不愿意给他浴巾。

10　请把大衣给我。
　　抱我。
　　把球扔给我。
　　把球扔给他。

9-07

想要、需要

01　她想要咖啡。
　　她不要咖啡。
　　他想要蘋果。
　　他不要蘋果。

02　我需要襯衫。
　　我需要鞋。
　　我需要幫忙。
　　你需要喫藥。

03　火箭
　　護照
　　錢
　　拐杖

04　你需要用這個去太空旅行。
　　你需要用這個去外國旅行。
　　你需要用這個買東西。
　　當你老了，你需要這個。

05　人們想要珠寶，但並不需要珠寶。
　　人們想要食物，也需要食物。
　　人們有時需要喫藥，但不總想喫藥。
　　人們不需要垃圾，也不想要垃圾。

06　這是人們想要、但不需要的東西。
　　這是人們想要也需要的東西。
　　這是人們有時需要、但不總想要的東西。
　　這是人們不需要也不想要的東西。

07　他們在給他書。
　　我們在給她護照。
　　她在給我們護照。
　　他在給他們書。

08　我不要這些玩具。
　　他們想要玩具。
　　你們想要這些玩具嗎？
　　我們想要這些玩具。

09　她需要梯子才能夠到窗戶。
　　她不需要梯子就能夠到窗戶。
　　她願意給他浴巾。
　　她不願意給他浴巾。

10　請把大衣給我。
　　抱我。
　　把球扔給我。
　　把球扔給他。

9-07

xiǎng yào, xū yào

01 tā xiǎng yào kā fēi.
   tā bù yào kā fēi.
   tā xiǎng yào píng guǒ.
   tā bù yào píng guǒ.

02 wǒ xū yào chèn shān.
   wǒ xū yào xié.
   wǒ xū yào bāng máng.
   nǐ xū yào chī yào.

03 huǒ jiàn
   hù zhào
   qián
   guǎi zhàng

04 nǐ xū yào yòng zhè gè qù tài kōng lǚ xíng.
   nǐ xū yào yòng zhè gè qù wài guó lǚ xíng.
   nǐ xū yào yòng zhè gè mǎi dōng xi.
   dāng nǐ lǎo le, nǐ xū yào zhè gè.

05 rén men xiǎng yào zhū bǎo, dàn bìng bù xū yào zhū bǎo.
   rén men xiǎng yào shí wù, yě xū yào shí wù.
   rén men yǒu shí xū yào chī yào, dàn bù zǒng xiǎng chī yào.
   rén men bù xū yào lā jī, yě bù xiǎng yào lā jī.

06 zhè shì rén men xiǎng yào, dàn bù xū yào de dōng xi.
   zhè shì rén men xiǎng yào yě xū yào de dōng xi.
   zhè shì rén men yǒu shí xū yào, dàn bù zǒng xiǎng yào de dōng xi.
   zhè shì rén men bù xū yào yě bù xiǎng yào de dōng xi.

07 tā men zài gěi tā shū.
   wǒ men zài gěi tā hù zhào.
   tā zài gěi wǒ men hù zhào.
   tā zài gěi tā men shū.

08 wǒ bù yào zhè xiē wán jù.
   tā men xiǎng yào wán jù.
   nǐ men xiǎng yào zhè xiē wán jù ma?
   wǒ men xiǎng yào zhè xiē wán jù.

09 tā xū yào tī zi cái néng gòu dào chuāng hu.
   tā bù xū yào tī zi jiù néng gòu dào chuāng hu.
   tā yuàn yì gěi tā yù jīn.
   tā bù yuàn yì gěi tā yù jīn.

10 qǐng bǎ dà yī gěi wǒ.
   bào wǒ.
   bǎ qiú rēng gěi wǒ.
   bǎ qiú rēng gěi tā.

喜欢、选、猜、给

01 男孩喜欢糖果。
　　女孩喜欢糖果。
　　男孩不喜欢糖果。
　　女孩不喜欢糖果。

02 男孩不喜欢帽子。
　　男孩喜欢帽子。
　　女人不喜欢连衣裙。
　　女人喜欢连衣裙。

03 男人正在点菜。
　　男人正在选件衣服穿。
　　男人正在选本书读。
　　男人正在选购东西。

04 男人正在给别人东西。
　　男人正在拿东西。
　　女人正在给别人东西。
　　女人正在拿东西。

05 男人正在给女人一杯饮料。
　　她决定要那杯饮料。
　　她决定不要那杯饮料。
　　女人正在给男人一杯饮料。

06 有三顶帽子。
　　男人把一粒豌豆藏在黑色的帽子下面。
　　男孩猜想豌豆在棕色的帽子下面，他正指着那顶帽子。
　　豌豆不在棕色的帽子下面。

07 男孩猜想豌豆在粉红色的帽子下面。
　　男孩猜想豌豆在棕色的帽子下面。
　　男孩猜想豌豆在黑色的帽子下面。
　　男孩在想该选哪顶帽子。

08 男孩可以选一种水果吃。
　　男孩没有选水果的余地。
　　男孩可以选一本书读。
　　男孩没有选书的余地。

09 男孩和女孩彼此喜欢。
　　男孩和女孩彼此不喜欢。
　　男孩正从托盘里选东西。
　　男孩没有从托盘里选东西。

10 男人在猜。
　　男人在选一本书。
　　男人在给她看一件衬衫。
　　男人在选一件衬衫。

9-08

喜歡、選、猜、給

01 男孩喜歡糖果。
　　女孩喜歡糖果。
　　男孩不喜歡糖果。
　　女孩不喜歡糖果。

02 男孩不喜歡帽子。
　　男孩喜歡帽子。
　　女人不喜歡連衣裙。
　　女人喜歡連衣裙。

03 男人正在點菜。
　　男人正在選件衣服穿。
　　男人正在選本書讀。
　　男人正在選購東西。

04 男人正在給別人東西。
　　男人正在拿東西。
　　女人正在給別人東西。
　　女人正在拿東西。

05 男人正在給女人一盃飲料。
　　她決定要那盃飲料。
　　她決定不要那盃飲料。
　　女人正在給男人一盃飲料。

06 有三頂帽子。
　　男人把一粒豌豆藏在黑色的帽子下面。
　　男孩猜想豌豆在棕色的帽子下面，他正指着那頂帽子。
　　豌豆不在棕色的帽子下面。

07 男孩猜想豌豆在粉紅色的帽子下面。
　　男孩猜想豌豆在棕色的帽子下面。
　　男孩猜想豌豆在黑色的帽子下面。
　　男孩在想該選哪頂帽子。

08 男孩可以選一種水果喫。
　　男孩沒有選水果的餘地。
　　男孩可以選一本書讀。
　　男孩沒有選書的餘地。

09 男孩和女孩彼此喜歡。
　　男孩和女孩彼此不喜歡。
　　男孩正從托盤裡選東西。
　　男孩沒有從托盤裡選東西。

10 男人在猜。
　　男人在選一本書。
　　男人在給她看一件襯衫。
　　男人在選一件襯衫。

9-08

xǐ huān, xuǎn, cāi, gěi

01 nán hái xǐ huān táng guǒ.
    nǔ hái xǐ huān táng guǒ.
    nán hái bù xǐ huān táng guǒ.
    nǔ hái bù xǐ huān táng guǒ.

02 nán hái bù xǐ huān mào zi.
    nán hái xǐ huān mào zi.
    nǔ rén bù xǐ huān lián yī qún.
    nǔ rén xǐ huān lián yī qún.

03 nán rén zhèng zài diǎn cài.
    nán rén zhèng zài xuǎn jiàn yī fu chuān.
    nán rén zhèng zài xuǎn běn shū dú.
    nán rén zhèng zài xuǎn gòu dōng xi.

04 nán rén zhèng zài gěi bié rén dōng xi.
    nán rén zhèng zài ná dōng xi.
    nǔ rén zhèng zài gěi bié rén dōng xi.
    nǔ rén zhèng zài ná dōng xi.

05 nán rén zhèng zài gěi nǔ rén yī bēi yǐn liào.
    tā jué dìng yào nà bēi yǐn liào.
    tā jué dìng bù yào nà bēi yǐn liào.
    nǔ rén zhèng zài gěi nán rén yī bēi yǐn liào.

06 yǒu sān dǐng mào zi.
    nán rén bǎ yī lì wān dòu cáng zài hēi sè de mào zi xià miàn.
    nán hái cāi xiǎng wān dòu zài zōng sè de mào zi xià miàn, tā zhèng zhǐ zhe nà dǐng mào zi.
    wān dòu bù zài zōng sè de mào zi xià miàn.

07 nán hái cāi xiǎng wān dòu zài fěn hóng sè de mào zi xià miàn.
    nán hái cāi xiǎng wān dòu zài zōng sè de mào zi xià miàn.
    nán hái cāi xiǎng wān dòu zài hēi sè de mào zi xià miàn.
    nán hái zài xiǎng gāi xuǎn nǎ dǐng mào zi.

08 nán hái kě yǐ xuǎn yī zhǒng shuǐ guǒ chī.
    nán hái méi yǒu xuǎn shuǐ guǒ de yú dì.
    nán hái kě yǐ xuǎn yī běn shū dú.
    nán hái méi yǒu xuǎn shū de yú dì.

09 nán hái hé nǔ hái bǐ cǐ xǐ huān.
    nán hái hé nǔ hái bǐ cǐ bù xǐ huān.
    nán hái zhèng cóng tuō pán lǐ xuǎn dōng xi.
    nán hái méi yǒu cóng tuō pán lǐ xuǎn dōng xi.

10 nán rén zài cāi.
    nán rén zài xuǎn yī běn shū.
    nán rén zài gěi tā kàn yī jiàn chèn shān.
    nán rén zài xuǎn yī jiàn chèn shān.

办公室用语和活动

01 她在用电脑打字。
她在用打字机打字。
她在把一张软盘插进电脑里。
她把一张纸扔进废纸篓里。

02 她在用鼠标。
她把一些纸钉在一起。
她用曲别针把纸夹在一起。
她把纸放进复印机里。

03 电话在响。
她接了电话。
她记下留言。
她挂了电话。

04 朱丽在复印。
她在发传真。
朱丽把纸放进打印机里。
她在打字。

05 她把包裹放到秤上。
她在量包裹。
朱丽在舔邮票。
她把文件放进文件柜里。

06 她在称东西。
她在量东西。
朱丽把邮票贴在包裹上。
朱丽在归档。

07 盒子重一公斤。
盒子重二十公斤。
盒子长六十厘米。
盒子宽四十厘米。

08 我在查一个电话号码。
我在字典上查一个字。
她在看屏幕。
她在书桌下面找东西。

09 朱丽在打电话。
朱丽在挂电话。
朱丽在拨电话。
她正要接电话。

10 她在开支票。
她在拆信。
朱丽在封盒子。
朱丽把盒子打开。

9-09

辦公室用語和活動

01 她在用電腦打字。
她在用打字機打字。
她在把一張軟盤插進電腦裡。
她把一張紙扔進廢紙簍裡。

02 她在用鼠標。
她把一些紙釘在一起。
她用曲別針把紙夾在一起。
她把紙放進復印機裡。

03 電話在響。
她接了電話。
她記下留言。
她掛了電話。

04 朱麗在復印。
她在發傳真。
朱麗把紙放進打印機裡。
她在打字。

05 她把包裹放到秤上。
她在量包裹。
朱麗在舔郵票。
她把文件放進文件櫃裡。

06 她在稱東西。
她在量東西。
朱麗把郵票貼在包裹上。
朱麗在歸檔。

07 盒子重一公斤。
盒子重二十公斤。
盒子長六十釐米。
盒子寬四十釐米。

08 我在查一個電話號碼。
我在字典上查一個字。
她在看屏幕。
她在書桌下面找東西。

09 朱麗在打電話。
朱麗在掛電話。
朱麗在撥電話。
她正要接電話。

10 她在開支票。
她在拆信。
朱麗在封盒子。
朱麗把盒子打開。

9-09

bàn gōng shì yòng yǔ hé huó dòng

01 tā zài yòng diàn nǎo dǎ zì.
tā zài yòng dǎ zì jī dǎ zì.
tā zài bǎ yī zhāng ruǎn pán chā jìn diàn nǎo lǐ.
tā bǎ yī zhāng zhǐ rēng jìn fèi zhǐ lǒu lǐ.

02 tā zài yòng shǔ biāo.
tā bǎ yī xiē zhǐ dìng zài yī qǐ.
tā yòng qū bié zhēn bǎ zhǐ jiā zài yī qǐ.
tā bǎ zhǐ fàng jìn fù yìn jī lǐ.

03 diàn huà zài xiǎng.
tā jiē le diàn huà.
tā jì xià liú yán.
tā guà le diàn huà.

04 zhū lì zài fù yìn.
tā zài fā chuán zhēn.
zhū lì bǎ zhǐ fàng jìn dǎ yìn jī lǐ.
tā zài dǎ zì.

05 tā bǎ bāo guǒ fàng dào chèng shàng.
tā zài liáng bāo guǒ.
zhū lì zài tiǎn yóu piào.
tā bǎ wén jiàn fàng jìn wén jiàn guì lǐ.

06 tā zài chēng dōng xi.
tā zài liáng dōng xi.
zhū lì bǎ yóu piào tiē zài bāo guǒ shàng.
zhū lì zài guī dàng.

07 hé zi zhòng yī gōng jīn.
hé zi zhòng èr shí gōng jīn.
hé zi cháng liù shí lí mǐ.
hé zi kuān sì shí lí mǐ.

08 wǒ zài chá yī gè diàn huà hào mǎ.
wǒ zài zì diǎn shàng chá yī gè zì.
tā zài kàn píng mù.
tā zài shū zhuō xià miàn zhǎo dōng xi.

09 zhū lì zài dǎ diàn huà.
zhū lì zài guà diàn huà.
zhū lì zài bō diàn huà.
tā zhèng yào jiē diàn huà.

10 tā zài kāi zhī piào.
tā zài chāi xìn.
zhū lì zài fēng hé zi.
zhū lì bǎ hé zi dǎ kāi.

9-10

能、不能，帮助

01　这个女人能看见。
　　这个女人看不见。
　　这个男人能谈话。
　　这个男人不能谈话。

02　男人能听见。
　　男人听不见。
　　女人能闻到。
　　女人闻不到。

03　姑娘在帮她的朋友站起来。
　　姑娘没有帮她的朋友站起来。
　　姑娘在帮她的朋友抬沙发。
　　姑娘没有帮她的朋友抬沙发。

04　姑娘自己把椅子抬起来。
　　因为自己抬不动，所以姑娘叫人帮她抬椅子。
　　姑娘试图自己搬柜子。
　　因为自己搬不动，所以姑娘叫人帮她搬柜子。

05　张蓉能把门打开。
　　张蓉打不开门。
　　马克能帮张蓉把门打开，他有钥匙。
　　马克不能帮张蓉把门打开，他没有钥匙。

06　请帮我站起来。
　　请帮我抬这架钢琴。
　　请帮我扛这块地毯。
　　请帮我拿玩具。

07　男孩自己够不到太阳镜，但如果有人帮他，他就能够到。
　　男孩自己扛不起地毯，但当女人帮他时，他就能扛起来。
　　男人自己能扛起地毯。
　　男孩自己能够到太阳镜。

08　男孩正在帮女孩站起来。
　　女孩正在帮男孩站起来。
　　女孩没有帮男孩站起来。
　　男孩没有帮女孩站起来。

09　她正试图自己抬沙发。
　　她在叫人帮她抬沙发。
　　有人在帮她抬沙发。
　　她在叫人帮她抬柜子。

10　我需要帮忙。
　　我不需要帮忙。
　　你需要帮忙吗？
　　对不起，我不能帮你。

9-10

能、不能，幫助

01　這個女人能看見。
　　這個女人看不見。
　　這個男人能談話。
　　這個男人不能談話。

02　男人能聽見。
　　男人聽不見。
　　女人能聞到。
　　女人聞不到。

03　姑孃在幫她的朋友站起來。
　　姑孃沒有幫她的朋友站起來。
　　姑孃在幫她的朋友抬沙發。
　　姑孃沒有幫她的朋友抬沙發。

04　姑孃自己把椅子抬起來。
　　因為自己抬不動，所以姑孃叫人幫她抬椅子。
　　姑孃試圖自己搬櫃子。
　　因為自己搬不動，所以姑孃叫人幫她搬櫃子。

05　張蓉能把門打開。
　　張蓉打不開門。
　　馬克能幫張蓉把門打開，他有鑰匙。
　　馬克不能幫張蓉把門打開，他沒有鑰匙。

06　請幫我站起來。
　　請幫我抬這架鋼琴。
　　請幫我扛這塊地毯。
　　請幫我拿玩具。

07　男孩自己夠不到太陽鏡，但如果有人幫他，他就能夠到。
　　男孩自己扛不起地毯，但當女人幫他時，他就能扛起來。
　　男人自己能扛起地毯。
　　男孩自己能夠到太陽鏡。

08　男孩正在幫女孩站起來。
　　女孩正在幫男孩站起來。
　　女孩沒有幫男孩站起來。
　　男孩沒有幫女孩站起來。

09　她正試圖自己抬沙發。
　　她在叫人幫她抬沙發。
　　有人在幫她抬沙發。
　　她在叫人幫她抬櫃子。

10　我需要幫忙。
　　我不需要幫忙。
　　你需要幫忙嗎？
　　對不起，我不能幫你。

9-10

néng, bù néng, bāng zhù

01   zhè gè nǚ rén néng kàn jiàn.
      zhè gè nǚ rén kàn bù jiàn.
      zhè gè nán rén néng tán huà.
      zhè gè nán rén bù néng tán huà.

02   nán rén néng tīng jiàn.
      nán rén tīng bù jiàn.
      nǚ rén néng wén dào.
      nǚ rén wén bù dào.

03   gū niang zài bāng tā de péng yǒu zhàn qǐ lái.
      gū niang méi yǒu bāng tā de péng yǒu zhàn qǐ lái.
      gū niang zài bāng tā de péng yǒu tái shā fā.
      gū niang méi yǒu bāng tā de péng yǒu tái shā fā.

04   gū niang zì jǐ bǎ yǐ zi tái qǐ lái.
      yīn wéi zì jǐ tái bù dòng, suǒ yǐ gū niang jiào rén bāng tā tái yǐ zi.
      gū niang shì tú zì jǐ bān guì zi.
      yīn wéi zì jǐ bān bù dòng, suǒ yǐ gū niang jiào rén bāng tā bān guì zi.

05   zhāng róng néng bǎ mén dǎ kāi.
      zhāng róng dǎ bù kāi mén.
      mǎ kè néng bāng zhāng róng bǎ mén dǎ kāi, tā yǒu yào shi.
      mǎ kè bù néng bāng zhāng róng bǎ mén dǎ kāi, tā méi yǒu yào shi.

06   qǐng bāng wǒ zhàn qǐ lái.
      qǐng bāng wǒ tái zhè jià gāng qín.
      qǐng bāng wǒ káng zhè kuài dì tǎn.
      qǐng bāng wǒ ná wán jù.

07   nán hái zì jǐ gòu bù dào tài yáng jìng, dàn rú guǒ yǒu rén bāng tā, tā jiù néng gòu dào.
      nán hái zì jǐ káng bù qǐ dì tǎn, dàn dāng nǚ rén bāng tā shí, tā jiù néng káng qǐ lái.
      nán rén zì jǐ néng káng qǐ dì tǎn.
      nán hái zì jǐ néng gòu dào tài yáng jìng.

08   nán hái zhèng zài bāng nǚ hái zhàn qǐ lái.
      nǚ hái zhèng zài bāng nán hái zhàn qǐ lái.
      nǚ hái méi yǒu bāng nán hái zhàn qǐ lái.
      nán hái méi yǒu bāng nǚ hái zhàn qǐ lái.

09   tā zhèng shì tú zì jǐ tái shā fā.
      tā zài jiào rén bāng tā tái shā fā.
      yǒu rén zài bāng tā tái shā fā.
      tā zài jiào rén bāng tā tái guì zi.

10   wǒ xū yào bāng máng.
      wǒ bù xū yào bāng máng.
      nǐ xū yào bāng máng ma?
      duì bù qǐ, wǒ bù néng bāng nǐ.

复习第九部分

01 哪些人的年龄相同，性别相同，身高也相同？
    哪些人的年龄和性别相同，而身高不同？
    哪些人的身高和性别相同，而年龄不同？
    哪些人的性别相同，而年龄和身高不同？

02 她为什么在床上？
    谁知道呢？

    那叫什么？
    那叫自行车。

    这叫什么？
    谁知道呢？

    我该往哪边走？
    你该往那边走。

03 这是一种普通的工具，可是不合适。
    这是一种普通的工具，是合适的。
    这是正常的学习场所。
    这是不正常的学习场所。

04 冬冬，你能帮我吗？
    很高兴见到您。
    这边请。
    苏静，我能帮你吗？

05 男人在想什么？他在想钓鱼。

    女人在想什么？她在想骑马。

    你在想什么？
    我在想骑马。

    你在想什么？
    我在想钓鱼。

06 男人在想吗？是的，他正在想。
    男人在做梦吗？是的，他正在做梦。
    这些人活着吗？是的，他们活着。
    这些人死了吗？是的，他们死了。

07 我在给他大衣。
    你在给他大衣。
    她们在给他大衣。
    我们在给他大衣。

08 男人在猜。
    男人在选一本书。
    男人在给她看一件衬衫。
    男人在选一件衬衫。

09 朱丽在打电话。
    朱丽在挂电话。
    朱丽在拨电话。
    她正要接电话。

9-11

復習第九部分

01 哪些人的年齡相同，性別相同，身高也相同？
    哪些人的年齡和性別相同，而身高不同？
    哪些人的身高和性別相同，而年齡不同？
    哪些人的性別相同，而年齡和身高不同？

02 她為什麼在床上？
    誰知道呢？

    那叫什麼？
    那叫自行車。

    這叫什麼？
    誰知道呢？

    我該往哪邊走？
    你該往那邊走。

03 這是一種普通的工具，可是不合適。
    這是一種普通的工具，是合適的。
    這是正常的學習場所。
    這是不正常的學習場所。

04 冬冬，你能幫我嗎？
    很高興見到您。
    這邊請。
    蘇靜，我能幫你嗎？

05 男人在想什麼？他在想釣魚。

    女人在想什麼？她在想騎馬。

    你在想什麼？
    我在想騎馬。

    你在想什麼？
    我在想釣魚。

06 男人在想嗎？是的，他正在想。
    男人在做夢嗎？是的，他正在做夢。
    這些人活着嗎？是的，他們活着。
    這些人死了嗎？是的，他們死了。

07 我在給他大衣。
    你在給他大衣。
    她們在給他大衣。
    我們在給他大衣。

08 男人在猜。
    男人在選一本書。
    男人在給她看一件襯衫。
    男人在選一件襯衫。

09 朱麗在打電話。
    朱麗在掛電話。
    朱麗在撥電話。
    她正要接電話。

（继续）

9-11

fù xí dì jiǔ bù fèn

01 nǎ xiē rén de nián líng xiāng tóng, xìng bié xiāng tóng, shēn gāo yě xiāng tóng?
    nǎ xiē rén de nián líng hé xìng bié xiāng tóng, ér shēn gāo bù tóng?
    nǎ xiē rén de shēn gāo hé xìng bié xiāng tóng, ér nián líng bù tóng?
    nǎ xiē rén de xìng bié xiāng tóng, ér nián líng hé shēn gāo bù tóng?

02 tā wèi shén me zài chuáng shàng?
    shuí zhī dào ne?

    nà jiào shén me?
    nà jiào zì xíng chē.

    zhè jiào shén me?
    shuí zhī dào ne?

    wǒ gāi wǎng nǎ biān zǒu?
    nǐ gāi wǎng nà biān zǒu.

03 zhè shì yī zhǒng pǔ tōng de gōng jù, kě shì bù hé shì.
    zhè shì yī zhǒng pǔ tōng de gōng jù, shì hé shì de.
    zhè shì zhèng cháng de xué xí chǎng suǒ.
    zhè shì bù zhèng cháng de xué xí chǎng suǒ.

04 dōng dōng, nǐ néng bāng wǒ ma?
    hěn gāo xìng jiàn dào nín.
    zhè biān qǐng.
    sū jìng, wǒ néng bāng nǐ ma?

05 nán rén zài xiǎng shén me? tā zài xiǎng diào yú.

    nǚ rén zài xiǎng shén me? tā zài xiǎng qí mǎ.

    nǐ zài xiǎng shén me?
    wǒ zài xiǎng qí mǎ.

    nǐ zài xiǎng shén me?
    wǒ zài xiǎng diào yú.

06 nán rén zài xiǎng ma? shì de, tā zhèng zài xiǎng.
    nán rén zài zuò mèng ma? shì de, tā zhèng zài zuò mèng.
    zhè xiē rén huó zhe ma? shì de, tā men huó zhe.
    zhè xiē rén sǐ le ma? shì de, tā men sǐ le.

07 wǒ zài gěi tā dà yī.
    nǐ zài gěi tā dà yī.
    tā men zài gěi tā dà yī.
    wǒ men zài gěi tā dà yī.

08 nán rén zài cāi.
    nán rén zài xuǎn yī běn shū.
    nán rén zài gěi tā kàn yī jiàn chèn shān.
    nán rén zài xuǎn yī jiàn chèn shān.

09 zhū lì zài dǎ diàn huà.
    zhū lì zài guà diàn huà.
    zhū lì zài bō diàn huà.
    tā zhèng yào jiē diàn huà.

(jì xù)

10　她正试图自己抬沙发。
　　她在叫人帮她抬沙发。
　　有人在帮她抬沙发。
　　她在叫人帮她抬柜子。

10　她正試圖自己抬沙發。
　　她在叫人幫她抬沙發。
　　有人在幫她抬沙發。
　　她在叫人幫她抬櫃子。

10   tā zhèng shì tú zì jǐ tái shā fā.
      tā zài jiào rén bāng tā tái shā fā.
      yǒu rén zài bāng tā tái shā fā.
      tā zài jiào rén bāng tā tái guì zi.

10-01

系列动作：写、吃、洗

01 张萍想给鲁欣写封信。
    张萍拿出一张纸。
    张萍拿出一个信封。
    张萍拿出一支笔。

02 张萍写了一封信。
    张萍把信折起来。
    她把信装进信封。
    她在信封上写地址。

03 张萍拿出一张邮票。
    张萍舔了邮票。
    她把邮票贴在信封上。
    她舔了信封。

04 张萍封好信封。
    她把信封和其它信封放在一起。
    她打开信箱。
    她把信放进信箱。

05 我饿了。
    张萍走近冰箱并把门打开。
    这里有些食物。
    张萍拿出食物。

06 张萍关上冰箱。
    张萍把微波炉打开。
    她把食物放进微波炉。
    她关上微波炉。

07 张萍开了微波炉。
    张萍拿出食物。
    她在切东西。
    她在吃东西。

08 金玉的脸脏了。
    金玉走进洗手间。
    她拿了一块小毛巾。
    她拿了肥皂。

09 金玉打开水龙头。
    金玉把小毛巾弄湿。
    她往小毛巾上抹肥皂。
    她在洗脸。

10 金玉把小毛巾上的肥皂洗掉。
    金玉把脸上的肥皂洗掉。
    她用毛巾把脸擦干。
    她把毛巾挂起来。

10-01

系列動作：寫、喫、洗

01 張萍想給魯欣寫封信。
    張萍拿出一張紙。
    張萍拿出一個信封。
    張萍拿出一支筆。

02 張萍寫了一封信。
    張萍把信折起來。
    她把信裝進信封。
    她在信封上寫地址。

03 張萍拿出一張郵票。
    張萍舔了郵票。
    她把郵票貼在信封上。
    她舔了信封。

04 張萍封好信封。
    她把信封和其它信封放在一起。
    她打開信箱。
    她把信放進信箱。

05 我餓了。
    張萍走近冰箱並把門打開。
    這裡有些食物。
    張萍拿出食物。

06 張萍關上冰箱。
    張萍把微波爐打開。
    她把食物放進微波爐。
    她關上微波爐。

07 張萍開了微波爐。
    張萍拿出食物。
    她在切東西。
    她在喫東西。

08 金玉的臉髒了。
    金玉走進洗手間。
    她拿了一塊小毛巾。
    她拿了肥皂。

09 金玉打開水龍頭。
    金玉把小毛巾弄濕。
    她往小毛巾上抹肥皂。
    她在洗臉。

10 金玉把小毛巾上的肥皂洗掉。
    金玉把臉上的肥皂洗掉。
    她用毛巾把臉擦乾。
    她把毛巾掛起來。

10-01

xì liè dòng zuò: xiě, chī, xǐ

01   zhāng píng xiǎng gěi lǔ xīn xiě fēng xìn.
      zhāng píng ná chū yī zhāng zhǐ.
      zhāng píng ná chū yī gè xìn fēng.
      zhāng píng ná chū yī zhī bǐ.

02   zhāng píng xiě le yī fēng xìn.
      zhāng píng bǎ xìn zhé qǐ lái.
      tā bǎ xìn zhuāng jìn xìn fēng.
      tā zài xìn fēng shàng xiě dì zhǐ.

03   zhāng píng ná chū yī zhāng yóu piào.
      zhāng píng tiǎn le yóu piào.
      tā bǎ yóu piào tiē zài xìn fēng shàng.
      tā tiǎn le xìn fēng.

04   zhāng píng fēng hǎo xìn fēng.
      tā bǎ xìn fēng hé qí tā xìn fēng fàng zài yī qǐ.
      tā dǎ kāi xìn xiāng.
      tā bǎ xìn fàng jìn xìn xiāng.

05   wǒ è le.
      zhāng píng zǒu jìn bīng xiāng bìng bǎ mén dǎ kāi.
      zhè lǐ yǒu xiē shí wù.
      zhāng píng ná chū shí wù.

06   zhāng píng guān shàng bīng xiāng.
      zhāng píng bǎ wēi bō lú dǎ kāi.
      tā bǎ shí wù fàng jìn wēi bō lú.
      tā guān shàng wēi bō lú.

07   zhāng píng kāi le wēi bō lú.
      zhāng píng ná chū shí wù.
      tā zài qiē dōng xi.
      tā zài chī dōng xi.

08   jīn yù de liǎn zāng le.
      jīn yù zǒu jìn xǐ shǒu jiān.
      tā ná le yī kuài xiǎo máo jīn.
      tā ná le féi zào.

09   jīn yù dǎ kāi shuǐ lóng tóu.
      jīn yù bǎ xiǎo máo jīn nòng shī.
      tā wǎng xiǎo máo jīn shàng mǒ féi zào.
      tā zài xǐ liǎn.

10   jīn yù bǎ xiǎo máo jīn shàng de féi zào xǐ diào.
      jīn yù bǎ liǎn shàng de féi zào xǐ diào.
      tā yòng máo jīn bǎ liǎn cā gān.
      tā bǎ máo jīn guà qǐ lái.

10-02

常用社交用语

01 你好。

再见。

你好吗？
很好，你呢？

你的电话。
谢谢。

02 我叫赵明。
我的地址是西市场街四百八十六号。
我的电话号码是５５５－７８９１。
我的生日是一九七五年六月二十八日。

03 你的电话号码是多少？
多谢。
再见！
劳驾。

04 不要等我。
你的电话号码是多少？
进来。
对不起。

05 不，谢谢。
好，谢谢。
我能帮你吗？
劳驾，你能帮我吗？

06 站在那儿的是谁？

在那儿？那是苏静。

苏静，这是德华；德华，这是苏静。

见到你很高兴，德华。
见到你很高兴，苏静。

07 你叫什么名字？
我叫李江。

你叫什么名字？
我叫马丽。

这是给你的，尹芳。

谢谢你，戴伟。

08 你好，罗蓓。
闻森，你好吗？
我很好，罗蓓，你呢？
我很好，闻森，谢谢。

10-02

常用社交用語

01 你好。

再見。

你好嗎？
很好，你呢？

你的電話。
謝謝。

02 我叫趙明。
我的地址是西市場街四百八十六號。
我的電話號碼是555-7891。
我的生日是一九七五年六月二十八日。

03 你的電話號碼是多少？
多謝。
再見！
勞駕。

04 不要等我。
你的電話號碼是多少？
進來。
對不起。

05 不，謝謝。
好，謝謝。
我能幫你嗎？
勞駕，你能幫我嗎？

06 站在那兒的是誰？

在那兒？那是蘇靜。

蘇靜，這是德華；德華，這是蘇靜。

見到你很高興，德華。
見到你很高興，蘇靜。

07 你叫什麼名字？
我叫李江。

你叫什麼名字？
我叫馬麗。

這是給你的，尹芳。

謝謝你，戴偉。

08 你好，羅蓓。
聞森，你好嗎？
我很好，羅蓓，你呢？
我很好，聞森，謝謝。

（继续）

10-02

cháng yòng shè jiāo yòng yǔ

01 nǐ hǎo.

zài jiàn.

nǐ hǎo ma?
hěn hǎo, nǐ ne?

nǐ de diàn huà.
xiè xiè.

02 wǒ jiào zhào míng.
wǒ de dì zhǐ shì xī shì chǎng jiē sì bǎi bā shí liù hào.
wǒ de diàn huà hào mǎ shì wǔ wǔ wǔ-&qī bā jiǔ yī.
wǒ de shēng ri shì yī jiǔ qī wǔ nián liù yuè èr shí bā rì.

03 nǐ de diàn huà hào mǎ shì duō shǎo?
duō xiè.
zài jiàn!
láo jià.

04 bù yào děng wǒ.
nǐ de diàn huà hào mǎ shì duō shǎo?
jìn lái.
duì bù qǐ.

05 bù, xiè xiè.
hǎo, xiè xiè.
wǒ néng bāng nǐ ma?
láo jià, nǐ néng bāng wǒ ma?

06 zhàn zài nàr de shì shuí?

zài nàr? nà shì sū jìng.

sū jìng, zhè shì dé huá; dé huá, zhè shì sū jìng.

jiàn dào nǐ hěn gāo xìng, dé huá.
jiàn dào nǐ hěn gāo xìng, sū jìng.

07 nǐ jiào shén me míng zì?
wǒ jiào lǐ jiāng.

nǐ jiào shén me míng zì?
wǒ jiào mǎ lì.

zhè shì gěi nǐ de, yǐn fāng.

xiè xiè nǐ, dài wěi.

08 nǐ hǎo, luó bèi.
wén sēn, nǐ hǎo ma?
wǒ hěn hǎo, luó bèi, nǐ ne?
wǒ hěn hǎo, wén sēn, xiè xiè.

(jì xù)

09 生日快乐！
　　请坐。
　　喂！
　　请把那个递给我。

10 对不起。
　　再见。
　　谢谢。
　　别客气。

09 生日快樂！
　　請坐。
　　喂！
　　請把那個遞給我。

10 對不起。
　　再見。
　　謝謝。
　　別客氣。

10-02

09 shēng ri kuài lè!
  qǐng zuò.
  wèi!
  qǐng bǎ nà gè dì gěi wǒ.

10 duì bù qǐ.
  zài jiàn.
  xiè xiè.
  bié kè qì.

10-03

旅游和交通

01 这是机场。
    这是行李。
    这些是票。
    男人在柜台托运行李。

02 火车几点到？
    火车十点到。
    这列火车几点开？
    这列火车十点一刻开。

03 飞机在起飞。
    飞机在降落。
    飞机在跑道上滑行。
    飞机在登机门口。

04 这是停车场。
    这是出租车。
    这个人是行李员。
    这个人是飞行员。

05 他需要个假期。
    他们不在度假，他们在工作。
    他在度假。
    他们在度假。

06 这是火车站。
    这些人在排队买票。
    这个人提着行李。
    这是公共汽车站。

07 火车正进站。
    火车正离开车站。
    公共汽车正进站。
    公共汽车正离开车站。

08 这些人在食品杂货店里排队。
    这些人在排队上车。
    这些人不用再等公共汽车了。
    这个人没有排队。

09 很多人在等公共汽车。
    这些乘客坐着。
    这是汽车司机。
    这是地铁乘客。

10 飞行员
    司机
    乘客
    行李

10-03

旅遊和交通

01 這是機場。
    這是行李。
    這些是票。
    男人在櫃臺託運行李。

02 火車幾點到？
    火車十點到。
    這列火車幾點開？
    這列火車十點一刻開。

03 飛機在起飛。
    飛機在降落。
    飛機在跑道上滑行。
    飛機在登機門口。

04 這是停車場。
    這是出租車。
    這個人是行李員。
    這個人是飛行員。

05 他需要個假期。
    他們不在度假，他們在工作。
    他在度假。
    他們在度假。

06 這是火車站。
    這些人在排隊買票。
    這個人提着行李。
    這是公共汽車站。

07 火車正進站。
    火車正離開車站。
    公共汽車正進站。
    公共汽車正離開車站。

08 這些人在食品雜貨店裡排隊。
    這些人在排隊上車。
    這些人不用再等公共汽車了。
    這個人沒有排隊。

09 很多人在等公共汽車。
    這些乘客坐着。
    這是汽車司機。
    這是地鐵乘客。

10 飛行員
    司機
    乘客
    行李

10-03

lǔ yóu hé jiāo tōng

01 zhè shì jī chǎng.
    zhè shì xíng li.
    zhè xiē shì piào.
    nán rén zài guì tái tuō yùn xíng li.

02 huǒ chē jǐ diǎn dào?
    huǒ chē shí diǎn dào.
    zhè liè huǒ chē jǐ diǎn kāi?
    zhè liè huǒ chē shí diǎn yī kè kāi.

03 fēi jī zài qǐ fēi.
    fēi jī zài jiàng luò.
    fēi jī zài pǎo dào shàng huá xíng.
    fēi jī zài dēng jī mén kǒu.

04 zhè shì tíng chē chǎng.
    zhè shì chū zū chē.
    zhè gè rén shì xíng li yuán.
    zhè gè rén shì fēi xíng yuán.

05 tā xū yào gè jià qī.
    tā men bù zài dù jià, tā men zài gōng zuò.
    tā zài dù jià.
    tā men zài dù jià.

06 zhè shì huǒ chē zhàn.
    zhè xiē rén zài pái duì mǎi piào.
    zhè gè rén tí zhe xíng li.
    zhè shì gōng gòng qì chē zhàn.

07 huǒ chē zhèng jìn zhàn.
    huǒ chē zhèng lí kāi chē zhàn.
    gōng gòng qì chē zhèng jìn zhàn.
    gōng gòng qì chē zhèng lí kāi chē zhàn.

08 zhè xiē rén zài shí pǐn zá huò diàn lǐ pái duì.
    zhè xiē rén zài pái duì shàng chē.
    zhè xiē rén bù yòng zài děng gōng gòng qì chē le.
    zhè gè rén méi yǒu pái duì.

09 hěn duō rén zài děng gōng gòng qì chē.
    zhè xiē chéng kè zuò zhe.
    zhè shì qì chē sī jī.
    zhè shì dì tiě chéng kè.

10 fēi xíng yuán
    sī jī
    chéng kè
    xíng li

35

10-04

洗衣服的过程

01　包波想去洗衣服。
　　包波把衣服放进洗衣筐里。
　　他把衣服拿到洗衣机那儿。
　　他把衣服放在洗衣机旁。

02　包波把洗衣机盖打开。
　　包波把衣服放进洗衣机里。
　　他把洗衣粉放进洗衣机里。
　　他把洗衣机盖盖上。

03　包波开动洗衣机。
　　包波把洗衣机盖打开。
　　包波把湿衣服从洗衣机里拿出来。
　　包波把湿衣服放进洗衣筐里。

04　这是烘干机。
　　这是衣服夹。
　　包波用衣服夹把衬衫挂在晒衣绳上。
　　包波用衣服夹把裤子挂在晒衣绳上。

05　包波把烘干机门打开。
　　包波把湿衣服放进烘干机里。
　　包波把烘干机门关上。
　　包波把干衣服放进洗衣筐里。

06　这些袜子相配。
　　这些袜子不配。
　　这些衣服相配。
　　这些衣服不配。

07　包波在叠小毛巾。
　　包波在叠浴巾。
　　包波在配袜子。
　　包波在叠袜子。

08　包波在熨衬衫。
　　包波在衬衫上钉钮扣。
　　包波在挂衬衫。
　　包波把衬衫放进衣柜。

09　这件衬衫穿倒了。
　　这件衬衫穿反了。
　　这件衬衫前后穿反了。
　　这件衬衫穿对了。

10　他穿着合身的便服。
　　他穿着不合身的礼服。
　　他穿着不合身的便服。
　　他穿着合身的礼服。

10-04

洗衣服的過程

01　包波想去洗衣服。
　　包波把衣服放進洗衣筐裡。
　　他把衣服拿到洗衣機那兒。
　　他把衣服放在洗衣機旁。

02　包波把洗衣機蓋打開。
　　包波把衣服放進洗衣機裡。
　　他把洗衣粉放進洗衣機裡。
　　他把洗衣機蓋蓋上。

03　包波開動洗衣機。
　　包波把洗衣機蓋打開。
　　包波把濕衣服從洗衣機裡拿出來。
　　包波把濕衣服放進洗衣筐裡。

04　這是烘乾機。
　　這是衣服夾。
　　包波用衣服夾把襯衫掛在曬衣繩上。
　　包波用衣服夾把褲子掛在曬衣繩上。

05　包波把烘乾機門打開。
　　包波把濕衣服放進烘乾機裡。
　　包波把烘乾機門關上。
　　包波把乾衣服放進洗衣筐裡。

06　這些襪子相配。
　　這些襪子不配。
　　這些衣服相配。
　　這些衣服不配。

07　包波在疊小毛巾。
　　包波在疊浴巾。
　　包波在配襪子。
　　包波在疊襪子。

08　包波在熨襯衫。
　　包波在襯衫上釘鈕扣。
　　包波在掛襯衫。
　　包波把襯衫放進衣櫃。

09　這件襯衫穿倒了。
　　這件襯衫穿反了。
　　這件襯衫前後穿反了。
　　這件襯衫穿對了。

10　他穿着合身的便服。
　　他穿着不合身的禮服。
　　他穿着不合身的便服。
　　他穿着合身的禮服。

10-04

xǐ yī fu de guò chéng

01 bāo bō xiǎng qù xǐ yī fu.
  bāo bō bǎ yī fu fàng jìn xǐ yī kuāng lǐ.
  tā bǎ yī fu ná dào xǐ yī jī nàr.
  tā bǎ yī fu fàng zài xǐ yī jī páng.

02 bāo bō bǎ xǐ yī jī gài dǎ kāi.
  bāo bō bǎ yī fu fàng jìn xǐ yī jī lǐ.
  tā bǎ xǐ yī fěn fàng jìn xǐ yī jī lǐ.
  tā bǎ xǐ yī jī gài gài shàng.

03 bāo bō kāi dòng xǐ yī jī.
  bāo bō bǎ xǐ yī jī gài dǎ kāi.
  bāo bō bǎ shī yī fu cóng xǐ yī jī lǐ ná chū lái.
  bāo bō bǎ shī yī fu fàng jìn xǐ yī kuāng lǐ.

04 zhè shì hōng gān jī.
  zhè shì yī fu jiā.
  bāo bō yòng yī fu jiā bǎ chèn shān guà zài shài yī shéng shàng.
  bāo bō yòng yī fu jiā bǎ kù zi guà zài shài yī shéng shàng.

05 bāo bō bǎ hōng gān jī mén dǎ kāi.
  bāo bō bǎ shī yī fu fàng jìn hōng gān jī lǐ.
  bāo bō bǎ hōng gān jī mén guān shàng.
  bāo bō bǎ gān yī fu fàng jìn xǐ yī kuāng lǐ.

06 zhè xiē wà zi xiāng pèi.
  zhè xiē wà zi bù pèi.
  zhè xiē yī fu xiāng pèi.
  zhè xiē yī fu bù pèi.

07 bāo bō zài dié xiǎo máo jīn.
  bāo bō zài dié yù jīn.
  bāo bō zài pèi wà zi.
  bāo bō zài dié wà zi.

08 bāo bō zài yùn chèn shān.
  bāo bō zài chèn shān shàng dìng niǔ kòu.
  bāo bō zài guà chèn shān.
  bāo bō bǎ chèn shān fàng jìn yī guì.

09 zhè jiàn chèn shān chuān dào le.
  zhè jiàn chèn shān chuān fǎn le.
  zhè jiàn chèn shān qián hòu chuān fǎn le.
  zhè jiàn chèn shān chuān duì le.

10 tā chuān zhe hé shēn de biàn fú.
  tā chuān zhe bù hé shēn de lǐ fú.
  tā chuān zhe bù hé shēn de biàn fú.
  tā chuān zhe hé shēn de lǐ fú.

被动语态: 过去、现在和将来发生的动作

01 女人被女孩拉着。
   女人拉着女孩。
   男人的头发被女人梳着。
   男人梳着女人的头发。

02 女人的头发被女孩梳着。
   女孩的头发被女人梳着。
   男人的头发被女人梳着。
   女人的头发被男人梳着。

03 男人被女人亲吻。
   女人被男人亲吻。
   马被女人亲吻。
   男人和女人在接吻。

04 男人就要被男孩拉了。
   男人被男孩拉着。
   男人拉着男孩。
   男人就要拉男孩了。

05 男人被吻着。
   男人没有被吻，马被吻着。
   男人被吻了。
   男人没有被吻。

06 盘子打破了。
   盘子没有打破。
   女人被吻了。
   女人没有被吻。

07 男孩就要被扔出去了。
   男孩正被扔出去。
   男孩被扔出去了。
   男孩就要扔东西了。

08 盘子不会掉下。
   盘子就要掉下了。
   盘子正在掉下。
   盘子掉下了。

09 这块布就要被撕开了。
   这块布正被撕开。
   这块布被撕开了。
   这块布不会被撕开。

10 男人的头发被女人剪着。
   女人的头发被男人剪着。
   洗衣机盖正被男人打开。
   洗衣机盖正被男人盖上。

10-05

被動語態：過去、現在和將來發生的動作

01 女人被女孩拉着。
   女人拉着女孩。
   男人的頭髮被女人梳着。
   男人梳着女人的頭髮。

02 女人的頭髮被女孩梳着。
   女孩的頭髮被女人梳着。
   男人的頭髮被女人梳着。
   女人的頭髮被男人梳着。

03 男人被女人親吻。
   女人被男人親吻。
   馬被女人親吻。
   男人和女人在接吻。

04 男人就要被男孩拉了。
   男人被男孩拉着。
   男人拉着男孩。
   男人就要拉男孩了。

05 男人被吻着。
   男人沒有被吻，馬被吻着。
   男人被吻了。
   男人沒有被吻。

06 盤子打破了。
   盤子沒有打破。
   女人被吻了。
   女人沒有被吻。

07 男孩就要被扔出去了。
   男孩正被扔出去。
   男孩被扔出去了。
   男孩就要扔東西了。

08 盤子不會掉下。
   盤子就要掉下了。
   盤子正在掉下。
   盤子掉下了。

09 這塊布就要被撕開了。
   這塊布正被撕開。
   這塊布被撕開了。
   這塊布不會被撕開。

10 男人的頭髮被女人剪着。
   女人的頭髮被男人剪着。
   洗衣機蓋正被男人打開。
   洗衣機蓋正被男人蓋上。

10-05

bèi dòng yǔ tài: guò qù, xiàn zài hé jiāng lái fā shēng de dòng zuò

01 nǚ rén bèi nǚ hái lā zhe.
    nǚ rén lā zhe nǚ hái.
    nán rén de tóu fà bèi nǚ rén shū zhe.
    nán rén shū zhe nǚ rén de tóu fà.

02 nǚ rén de tóu fà bèi nǚ hái shū zhe.
    nǚ hái de tóu fà bèi nǚ rén shū zhe.
    nán rén de tóu fà bèi nǚ rén shū zhe.
    nǚ rén de tóu fà bèi nán rén shū zhe.

03 nán rén bèi nǚ rén qīn wěn.
    nǚ rén bèi nán rén qīn wěn.
    mǎ bèi nǚ rén qīn wěn.
    nán rén hé nǚ rén zài jiē wěn.

04 nán rén jiù yào bèi nán hái lā le.
    nán rén bèi nán hái lā zhe.
    nán rén lā zhe nán hái.
    nán rén jiù yào lā nán hái le.

05 nán rén bèi wěn zhe.
    nán rén méi yǒu bèi wěn, mǎ bèi wěn zhe.
    nán rén bèi wěn le.
    nán rén méi yǒu bèi wěn.

06 pán zi dǎ pò le.
    pán zi méi yǒu dǎ pò.
    nǚ rén bèi wěn le.
    nǚ rén méi yǒu bèi wěn.

07 nán hái jiù yào bèi rēng chū qù le.
    nán hái zhèng bèi rēng chū qù.
    nán hái bèi rēng chū qù le.
    nán hái jiù yào rēng dōng xi le.

08 pán zi bù huì diào xià.
    pán zi jiù yào diào xià le.
    pán zi zhèng zài diào xià.
    pán zi diào xià le.

09 zhè kuài bù jiù yào bèi sī kāi le.
    zhè kuài bù zhèng bèi sī kāi.
    zhè kuài bù bèi sī kāi le.
    zhè kuài bù bù huì bèi sī kāi.

10 nán rén de tóu fà bèi nǚ rén jiǎn zhe.
    nǚ rén de tóu fà bèi nán rén jiǎn zhe.
    xǐ yī jī gài zhèng bèi nán rén dǎ kāi.
    xǐ yī jī gài zhèng bèi nán rén gài shàng.

厨房用品，家务

01　他们还没有开始吃饭。
　　她们在吃饭。
　　她们吃完饭了。
　　桌子上没有饭。

02　还没有人吃饭。
　　女人不在吃饭，她在吃小吃。
　　她们在吃饭。
　　男人不在吃饭，他在吃小吃。

03　王玲把盘子放进洗碗池。
　　王玲在用海绵洗盘子。
　　王玲在冲洗盘子。
　　王玲把盘子擦干。

04　她把牛奶倒进量杯。
　　她把牛奶倒进玻璃杯。
　　她在热牛奶。
　　她把牛奶洒了。

05　水开了。
　　土豆正烤着。
　　洋葱正炒着。
　　西红柿没有煮。

06　土豆正煮着。
　　土豆正炒着。
　　土豆正烤着。
　　土豆没有烤。

07　她把牛奶放进冰箱。
　　她把土豆放进烤箱。
　　他把牛奶倒进锅里。
　　他把土豆放进微波炉。

08　她把食物放进食品橱。
　　她把锅放在炉子上。
　　她把烤盘放进烤箱。
　　她把食物放进冰箱。

09　有人在搅拌东西。
　　有人在切东西。
　　有人在洗东西。
　　有人在把东西擦干。

10　小张在用勺。
　　小张在用毛巾。
　　小张在用刀。
　　小张在用叉。

10-06

廚房用品，家務

01　他們還沒有開始喫飯。
　　她們在喫飯。
　　她們喫完飯了。
　　桌子上沒有飯。

02　還沒有人喫飯。
　　女人不在喫飯，她在喫小喫。
　　她們在喫飯。
　　男人不在喫飯，他在喫小喫。

03　王玲把盤子放進洗碗池。
　　王玲在用海綿洗盤子。
　　王玲在沖洗盤子。
　　王玲把盤子擦乾。

04　她把牛奶倒進量盃。
　　她把牛奶倒進玻璃盃。
　　她在熱牛奶。
　　她把牛奶灑了。

05　水開了。
　　土豆正烤着。
　　洋蔥正炒着。
　　西紅柿沒有煮。

06　土豆正煮着。
　　土豆正炒着。
　　土豆正烤着。
　　土豆沒有烤。

07　她把牛奶放進冰箱。
　　她把土豆放進烤箱。
　　他把牛奶倒進鍋裡。
　　他把土豆放進微波爐。

08　她把食物放進食品櫥。
　　她把鍋放在爐子上。
　　她把烤盤放進烤箱。
　　她把食物放進冰箱。

09　有人在攪拌東西。
　　有人在切東西。
　　有人在洗東西。
　　有人在把東西擦乾。

10　小張在用勺。
　　小張在用毛巾。
　　小張在用刀。
　　小張在用叉。

10-06

chú fáng yòng pǐn, jiā wù

01 tā men hái méi yǒu kāi shǐ chī fàn.
    tā men zài chī fàn.
    tā men chī wán fàn le.
    zhuō zi shàng méi yǒu fàn.

02 hái méi yǒu rén chī fàn.
    nǚ rén bù zài chī fàn, tā zài chī xiǎo chī.
    tā men zài chī fàn.
    nán rén bù zài chī fàn, tā zài chī xiǎo chī.

03 wáng líng bǎ pán zi fàng jìn xǐ wǎn chí.
    wáng líng zài yòng hǎi mián xǐ pán zi.
    wáng líng zài chōng xǐ pán zi.
    wáng líng bǎ pán zi cā gān.

04 tā bǎ niú nǎi dào jìn liáng bēi.
    tā bǎ niú nǎi dào jìn bō li bēi.
    tā zài rè niú nǎi.
    tā bǎ niú nǎi sǎ le.

05 shuǐ kāi le.
    tǔ dòu zhèng kǎo zhe.
    yáng cōng zhèng chǎo zhe.
    xī hóng shì méi yǒu zhǔ.

06 tǔ dòu zhèng zhǔ zhe.
    tǔ dòu zhèng chǎo zhe.
    tǔ dòu zhèng kǎo zhe.
    tǔ dòu méi yǒu kǎo.

07 tā bǎ niú nǎi fàng jìn bīng xiāng.
    tā bǎ tǔ dòu fàng jìn kǎo xiāng.
    tā bǎ niú nǎi dào jìn guō lǐ.
    tā bǎ tǔ dòu fàng jìn wēi bō lú.

08 tā bǎ shí wù fàng jìn shí pǐn chú.
    tā bǎ guō fàng zài lú zi shàng.
    tā bǎ kǎo pán fàng jìn kǎo xiāng.
    tā bǎ shí wù fàng jìn bīng xiāng.

09 yǒu rén zài jiǎo bàn dōng xi.
    yǒu rén zài qiē dōng xi.
    yǒu rén zài xǐ dōng xi.
    yǒu rén zài bǎ dōng xi cā gān.

10 xiǎo zhāng zài yòng sháo.
    xiǎo zhāng zài yòng máo jīn.
    xiǎo zhāng zài yòng dāo.
    xiǎo zhāng zài yòng chā.

10-07

洗漱，穿着打扮

01 他在刮胡子。
他在淋浴。
他在洗澡。
他在洗手。

02 她在吹头发。
她在洗澡。
她在淋浴。
她在化妆。

03 男孩在擦水池。
男孩在擦浴缸。
男孩在擦地。
男孩在擦桌子。

04 有人在熨裤子。
她在钉钮扣。
他在补衬衫。
有人在熨衬衫。

05 她在用小毛巾，她在洗脸。
她在用扫帚，她在扫地。
男人在用刮胡刀，他在刮胡子。
男人在用肥皂，他在洗手。

06 她穿着浴衣。
他穿着便鞋。
他穿着睡衣裤。
她穿着睡衣。

07 男孩在用小毛巾洗脸。
男孩在用牙刷刷牙。
她在用梳子梳头发。
她在对着镜子化妆。

08 她在涂指甲油。
她在把牙膏挤在牙刷上。
她在刷牙。
她在抹口红。

09 他在抹须后液。
他在熨衣服。
她在喷香水。
她在剪指甲。

10 她在用扫帚。
他在用刮胡刀。
他穿着睡衣裤。
她穿着浴衣。

10-07

洗漱，穿着打扮

01 他在刮鬍子。
他在淋浴。
他在洗澡。
他在洗手。

02 她在吹頭髮。
她在洗澡。
她在淋浴。
她在化妝。

03 男孩在擦水池。
男孩在擦浴缸。
男孩在擦地。
男孩在擦桌子。

04 有人在熨褲子。
她在釘鈕扣。
他在補襯衫。
有人在熨襯衫。

05 她在用小毛巾，她在洗臉。
她在用掃帚，她在掃地。
男人在用刮鬍刀，他在刮鬍子。
男人在用肥皂，他在洗手。

06 她穿着浴衣。
他穿着便鞋。
他穿着睡衣褲。
她穿着睡衣。

07 男孩在用小毛巾洗臉。
男孩在用牙刷刷牙。
她在用梳子梳頭髮。
她在對着鏡子化妝。

08 她在塗指甲油。
她在把牙膏擠在牙刷上。
她在刷牙。
她在抹口紅。

09 他在抹鬚後液。
他在熨衣服。
她在噴香水。
她在剪指甲。

10 她在用掃帚。
他在用刮鬍刀。
他穿着睡衣褲。
她穿着浴衣。

10-07

xǐ shù, chuān zhuó dǎ bàn

01 tā zài guā hú zi.
   tā zài lín yù.
   tā zài xǐ zǎo.
   tā zài xǐ shǒu.

02 tā zài chuī tóu fà.
   tā zài xǐ zǎo.
   tā zài lín yù.
   tā zài huà zhuāng.

03 nán hái zài cā shuǐ chí.
   nán hái zài cā yù gāng.
   nán hái zài cā dì.
   nán hái zài cā zhuō zi.

04 yǒu rén zài yùn kù zi.
   tā zài dìng niǔ kòu.
   tā zài bǔ chèn shān.
   yǒu rén zài yùn chèn shān.

05 tā zài yòng xiǎo máo jīn, tā zài xǐ liǎn.
   tā zài yòng sào zhou, tā zài sǎo dì.
   nán rén zài yòng guā hú dāo, tā zài guā hú zi.
   nán rén zài yòng féi zào, tā zài xǐ shǒu.

06 tā chuān zhe yù yī.
   tā chuān zhe biàn xié.
   tā chuān zhe shuì yī kù.
   tā chuān zhe shuì yī.

07 nán hái zài yòng xiǎo máo jīn xǐ liǎn.
   nán hái zài yòng yá shuā shuā yá.
   tā zài yòng shū zi shū tóu fà.
   tā zài duì zhe jìng zi huà zhuāng.

08 tā zài tú zhǐ jiǎ yóu.
   tā zài bǎ yá gāo jǐ zài yá shuā shàng.
   tā zài shuā yá.
   tā zài mǒ kǒu hóng.

09 tā zài mǒ xū hòu yè.
   tā zài yùn yī fu.
   tā zài pēn xiāng shuǐ.
   tā zài jiǎn zhǐ jiǎ.

10 tā zài yòng sào zhou.
   tā zài yòng guā hú dāo.
   tā chuān zhe shuì yī kù.
   tā chuān zhe yù yī.

称重量，测量长度、距离、温度和体积

01 尺
地图
速度表
体温表

02 秤
钟
里程表
量杯

03 尺用来测量长度。
地图用来测量城市间的距离。
速度表用来测量速度。
体温表用来测量体温。

04 秤用来称重量。
钟用来计时。
里程表用来计量距离。
量杯用来测量体积。

05 这是用来称重量的。
这些都是用来计时的。
这是用来测量距离的。
这些都是用来测量体积的。

06 这是用来测量温度的。
这是用来测量速度的。
这只是用来测量体积的。
这是用来测量体积并计算价格的。

07 左边的铅笔比右边的短。
左边的铅笔比右边的长。
上面的面包比下面的长。
上面的面包比下面的短。

08 这支铅笔长十五厘米。
这支铅笔长十厘米。
面包长六十厘米。
面包长十二厘米。

09 巴黎离伦敦要比离马德里近。
马德里离伦敦要比离巴黎远。
小硬币比大硬币离得近。
小硬币比大硬币离得远。

10 法国的巴黎离西班牙的巴塞罗那一千零三十公里。
法国的巴黎离瑞士的波恩五百四十五公里。
墨西哥的墨西哥城离秘鲁的利马四千三百七十公里。
东京离北京两千零四十公里。

10-08

稱重量，測量長度、距離、溫度和體積

01 尺
地圖
速度表
體溫表

02 秤
鐘
里程表
量盃

03 尺用來測量長度。
地圖用來測量城市間的距離。
速度表用來測量速度。
體溫表用來測量體溫。

04 秤用來稱重量。
鐘用來計時。
里程表用來計量距離。
量盃用來測量體積。

05 這是用來稱重量的。
這些都是用來計時的。
這是用來測量距離的。
這些都是用來測量體積的。

06 這是用來測量溫度的。
這是用來測量速度的。
這衹是用來測量體積的。
這是用來測量體積並計算價格的。

07 左邊的鉛筆比右邊的短。
左邊的鉛筆比右邊的長。
上面的麵包比下面的長。
上面的麵包比下面的短。

08 這支鉛筆長十五釐米。
這支鉛筆長十釐米。
麵包長六十釐米。
麵包長十二釐米。

09 巴黎離倫敦要比離馬德裡近。
馬德裡離倫敦要比離巴黎遠。
小硬幣比大硬幣離得近。
小硬幣比大硬幣離得遠。

10 法國的巴黎離西班牙的巴塞羅那一千零三十公里。
法國的巴黎離瑞士的波恩五百四十五公里。
墨西哥的墨西哥城離秘魯的利馬四千三百七十公里。
東京離北京兩千零四十公里。

10-08

chēng zhòng liàng, cè liáng cháng dù, jù lí, wēn dù hé tǐ jī

01 chǐ
   dì tú
   sù dù biǎo
   tǐ wēn biǎo

02 chèng
   zhōng
   lǐ chéng biǎo
   liáng bēi

03 chǐ yòng lái cè liáng cháng dù.
   dì tú yòng lái cè liáng chéng shì jiān de jù lí.
   sù dù biǎo yòng lái cè liáng sù dù.
   tǐ wēn biǎo yòng lái cè liáng tǐ wēn.

04 chèng yòng lái chēng zhòng liàng.
   zhōng yòng lái jì shí.
   lǐ chéng biǎo yòng lái jì liáng jù lí.
   liáng bēi yòng lái cè liáng tǐ jī.

05 zhè shì yòng lái chēng zhòng liàng de.
   zhè xiē dōu shì yòng lái jì shí de.
   zhè shì yòng lái cè liáng jù lí de.
   zhè xiē dōu shì yòng lái cè liáng tǐ jī de.

06 zhè shì yòng lái cè liáng wēn dù de.
   zhè shì yòng lái cè liáng sù dù de.
   zhè zhǐ shì yòng lái cè liáng tǐ jī de.
   zhè shì yòng lái cè liáng tǐ jī bìng jì suàn jià gé de.

07 zuǒ biān de qiān bǐ bǐ yòu biān de duǎn.
   zuǒ biān de qiān bǐ bǐ yòu biān de cháng.
   shàng miàn de miàn bāo bǐ xià miàn de cháng.
   shàng miàn de miàn bāo bǐ xià miàn de duǎn.

08 zhè zhī qiān bǐ cháng shí wǔ lí mǐ.
   zhè zhī qiān bǐ cháng shí lí mǐ.
   miàn bāo cháng liù shí lí mǐ.
   miàn bāo cháng shí èr lí mǐ.

09 bā lí lí lún dūn yào bǐ lí mǎ dé lǐ jìn.
   mǎ dé lǐ lí lún dūn yào bǐ lí bā lí yuǎn.
   xiǎo yìng bì bǐ bǐ dà yìng bì lí de jìn.
   xiǎo yìng bì bǐ bǐ dà yìng bì lí de yuǎn.

10 fǎ guó de bā lí lí xī bān yá de bā sài luó nà yī qiān líng sān shí gōng lǐ.
   fǎ guó de bā lí lí ruì shì de bō ēn wǔ bǎi sì shí wǔ gōng lǐ.
   mò xī gē de mò xī gē chéng lí bì lǔ de lì mǎ sì qiān sān bǎi qī shí gōng lǐ.
   dōng jīng lí běi jīng liǎng qiān líng sì shí gōng lǐ.

计算时间，测量温度、速度和距离

01　水的温度高。
　　水的温度低。
　　盒子很重。
　　盒子很轻。

02　水的温度是摄氏一百度。
　　水的温度是摄氏零度。
　　这个盒子重半公斤。
　　这个盒子重三十公斤。

03　这辆汽车的时速是八十公里。
　　这辆汽车的时速是四十公里。
　　这辆汽车开了十四万五千八百九十七公里。
　　这辆汽车开了七万五千一百二十八公里。

04　这辆汽车的时速高于六十、但低于九十公里。
　　这辆汽车的时速低于六十、但高于三十公里。
　　这辆汽车开了十万多公里。
　　这辆汽车开了不到十万公里。

05　秒表显示五秒钟。
　　秒表显示十秒钟。
　　钟显示三点过两小时。
　　钟显示三点过十五分。

06　六点差两小时。
　　六点过两小时。
　　六点差三小时。
　　六点过三小时。

07　这两个钟显示的时间相差一小时。
　　这两个钟显示的时间相差两小时。
　　这两个钟显示的时间相差五十分钟。
　　这两个钟显示的时间相差三十五分钟。

08　这表示十年。
　　这表示二十年。
　　这表示四十年。
　　这表示一百年，是一个世纪。

09　这是一年内的天数。
　　这是一年内的周数。
　　这是一年内的月数。
　　这是一年内的小时数。

10　这表示一个世纪。
　　这表示三个世纪。
　　这表示不到一个世纪。
　　这表示十个世纪，是一千年。

10-09

計算時間，測量溫度、速度和距離

01　水的溫度高。
　　水的溫度低。
　　盒子很重。
　　盒子很輕。

02　水的溫度是攝氏一百度。
　　水的溫度是攝氏零度。
　　這個盒子重半公斤。
　　這個盒子重三十公斤。

03　這輛汽車的時速是八十公里。
　　這輛汽車的時速是四十公里。
　　這輛汽車開了十四萬五千八百九十七公里。
　　這輛汽車開了七萬五千一百二十八公里。

04　這輛汽車的時速高於六十、但低於九十公里。
　　這輛汽車的時速低於六十、但高於三十公里。
　　這輛汽車開了十萬多公里。
　　這輛汽車開了不到十萬公里。

05　秒錶顯示五秒鐘。
　　秒錶顯示十秒鐘。
　　鐘顯示三點過兩小時。
　　鐘顯示三點過十五分。

06　六點差兩小時。
　　六點過兩小時。
　　六點差三小時。
　　六點過三小時。

07　這兩個鐘顯示的時間相差一小時。
　　這兩個鐘顯示的時間相差兩小時。
　　這兩個鐘顯示的時間相差五十分鐘。
　　這兩個鐘顯示的時間相差三十五分鐘。

08　這表示十年。
　　這表示二十年。
　　這表示四十年。
　　這表示一百年，是一個世紀。

09　這是一年內的天數。
　　這是一年內的週數。
　　這是一年內的月數。
　　這是一年內的小時數。

10　這表示一個世紀。
　　這表示三個世紀。
　　這表示不到一個世紀。
　　這表示十個世紀，是一千年。

10-09

jì suàn shí jiān, cè liáng wēn dù, sù dù hé jù lí

01 shuǐ de wēn dù gāo.
shuǐ de wēn dù dī.
hé zi hěn zhòng.
hé zi hěn qīng.

02 shuǐ de wēn dù shì shè shì yī bǎi dù.
shuǐ de wēn dù shì shè shì líng dù.
zhè gè hé zi zhòng bàn gōng jīn.
zhè gè hé zi zhòng sān shí gōng jīn.

03 zhè liàng qì chē de shí sù shì bā shí gōng lǐ.
zhè liàng qì chē de shí sù shì sì shí gōng lǐ.
zhè liàng qì chē kāi le shí sì wàn wǔ qiān bā bǎi jiǔ shí qī gōng lǐ.
zhè liàng qì chē kāi le qī wàn wǔ qiān yī bǎi èr shí bā gōng lǐ.

04 zhè liàng qì chē de shí sù gāo yú liù shí, dàn dī yú jiǔ shí gōng lǐ.
zhè liàng qì chē de shí sù dī yú liù shí, dàn gāo yú sān shí gōng lǐ.
zhè liàng qì chē kāi le shí wàn duō gōng lǐ.
zhè liàng qì chē kāi le bù dào shí wàn gōng lǐ.

05 miǎo biǎo xiǎn shì wǔ miǎo zhōng.
miǎo biǎo xiǎn shì shí miǎo zhōng.
zhōng xiǎn shì sān diǎn guò liǎng xiǎo shí.
zhōng xiǎn shì sān diǎn guò shí wǔ fēn.

06 liù diǎn chà liǎng xiǎo shí.
liù diǎn guò liǎng xiǎo shí.
liù diǎn chà sān xiǎo shí.
liù diǎn guò sān xiǎo shí.

07 zhè liǎng gè zhōng xiǎn shì de shí jiān xiāng chà yī xiǎo shí.
zhè liǎng gè zhōng xiǎn shì de shí jiān xiāng chà liǎng xiǎo shí.
zhè liǎng gè zhōng xiǎn shì de shí jiān xiāng chà wǔ shí fēn zhōng.
zhè liǎng gè zhōng xiǎn shì de shí jiān xiāng chà sān shí wǔ fēn zhōng.

08 zhè biǎo shì shí nián.
zhè biǎo shì èr shí nián.
zhè biǎo shì sì shí nián.
zhè biǎo shì yī bǎi nián, shì yī gè shì jì.

09 zhè shì yī nián nèi de tiān shù.
zhè shì yī nián nèi de zhōu shù.
zhè shì yī nián nèi de yuè shù.
zhè shì yī nián nèi de xiǎo shí shù.

10 zhè biǎo shì yī gè shì jì.
zhè biǎo shì sān gè shì jì.
zhè biǎo shì bù dào yī gè shì jì.
zhè biǎo shì shí gè shì jì, shì yī qiān nián.

10-10

打招呼，打电话，社交习惯

01 谢谢。
　　劳驾。
　　你好。
　　再见。

02 你好！董娜。
　　你好！周明。
　　再见！董娜。
　　再见！周明。

03 嘿，你好吗？
　　张丰，请把那本杂志递给我。
　　谢谢你，张丰。
　　别客气，马丽。

04 小王看不见前面的路。
　　小王撞了女人。
　　对不起！
　　没关系。

05 请问，现在几点了？
　　三点。
　　谢谢。
　　别客气。

06 孙平，你见过我的朋友周明吗？
　　孙平和周明在握手。
　　你好，周明，很高兴见到你。
　　我也很高兴见到你。
　　再见！

07 凌飞将要打电话。
　　喂！我是丁娜。
　　喂！我是凌飞。李莎在吗？
　　丁娜把电话递给李莎。

08 喂！我是丁娜。
　　喂！我是凌飞。你有戴宁的电话号码吗？
　　有，他的电话号码是７３８－５５５－２４９０。
　　谢谢，我把它写下来。

09 这看上去很好吃。
　　你想尝一尝吗？
　　就尝一点。
　　给你！

10 我们需要些信封。
　　你现在能去商店吗？
　　能，可是我需要钱。
　　谢谢，我就回来。

10-10

打招呼，打電話，社交習慣

01 謝謝。
　　勞駕。
　　你好。
　　再見。

02 你好！董娜。
　　你好！周明。
　　再見！董娜。
　　再見！周明。

03 嘿，你好嗎？
　　張豐，請把那本誌遞給我。
　　謝謝你，張豐。
　　別客氣，馬麗。

04 小王看不見前面的路。
　　小王撞了女人。
　　對不起！
　　沒關係。

05 請問，現在幾點了？
　　三點。
　　謝謝。
　　別客氣。

06 孫平，你見過我的朋友周明嗎？
　　孫平和周明在握手。
　　你好，周明，很高興見到你。
　　我也很高興見到你。
　　再見！

07 凌飛將要打電話。
　　喂！我是丁娜。
　　喂！我是凌飛。李莎在嗎？
　　丁娜把電話遞給李莎。

08 喂！我是丁娜。
　　喂！我是凌飛。你有戴寧的電話號碼嗎？
　　有，他的電話號碼是738-555-2490。
　　謝謝，我把它寫下來。

09 這看上去很好喫。
　　你想嚐一嚐嗎？
　　就嚐一點。
　　給你！

10 我們需要些信封。
　　你現在能去商店嗎？
　　能，可是我需要錢。
　　謝謝，我就回來。

10-10

dǎ zhāo hu, dǎ diàn huà, shè jiāo xí guàn

01 xiè xiè.
    láo jià.
    nǐ hǎo.
    zài jiàn.

02 nǐ hǎo! dǒng nà.
    nǐ hǎo! zhōu míng.
    zài jiàn! dǒng nà.
    zài jiàn! zhōu míng.

03 hēi, nǐ hǎo ma?
    zhāng fēng, qǐng bǎ nà běn zá zhì dì gěi wǒ.
    xiè xiè nǐ, zhāng fēng.
    bié kè qì, mǎ lì.

04 xiǎo wáng kàn bù jiàn qián miàn de lù.
    xiǎo wáng zhuàng le nǚ rén.
    duì bù qǐ!
    méi guān xì.

05 qǐng wèn, xiàn zài jǐ diǎn le?
    sān diǎn.
    xiè xiè.
    bié kè qì.

06 sūn píng, nǐ jiàn guò wǒ de péng yǒu zhōu míng ma?

    sūn píng hé zhōu míng zài wò shǒu.

    nǐ hǎo, zhōu míng, hěn gāo xìng jiàn dào nǐ.
    wǒ yě hěn gāo xìng jiàn dào nǐ.

    zài jiàn!

07 líng fēi jiāng yào dǎ diàn huà.
    wèi! wǒ shì dīng nà.
    wèi! wǒ shì líng fēi. lǐ shā zài ma?
    dīng nà bǎ diàn huà dì gěi lǐ shā.

08 wèi! wǒ shì dīng nà.
    wèi! wǒ shì líng fēi. nǐ yǒu dài níng de diàn huà hào mǎ ma?
    yǒu, tā de diàn huà hào mǎ shì qī sān bā - wǔ wǔ wǔ - èr sì jiǔ líng.
    xiè xiè, wǒ bǎ tā xiě xià lái.

09 zhè kàn shàng qù hěn hǎo chī.
    nǐ xiǎng cháng yī cháng ma?
    jiù cháng yī diǎn.
    gěi nǐ!

10 wǒ men xū yào xiē xìn fēng.
    nǐ xiàn zài néng qù shāng diàn ma?
    néng, kě shì wǒ xū yào qián.
    xiè xiè, wǒ jiù huí lái.

复习第十部分

01 张萍写了一封信。
张萍把信折起来。
她把信装进信封。
她在信封上写地址。

02 你好，罗蓓。
闻森，你好吗？
我很好，罗蓓，你呢？
我很好，闻森，谢谢。

03 火车几点到？
火车十点到。
这列火车几点开？
这列火车十点一刻开。

04 包波把洗衣机盖打开。
包波把衣服放进洗衣机里。
他把洗衣粉放进洗衣机里。
他把洗衣机盖盖上。

05 男人被女人亲吻。
女人被男人亲吻。
马被女人亲吻。
男人和女人在接吻。

06 王玲把盘子放进洗碗池。
王玲在用海绵洗盘子。
王玲在冲洗盘子。
王玲把盘子擦干。

07 男孩在用小毛巾洗脸。
男孩在用牙刷刷牙。
她在用梳子梳头发。
她在对着镜子化妆。

08 尺用来测量长度。
地图用来测量城市间的距离。
速度表用来测量速度。
体温表用来测量体温。

09 这两个钟显示的时间相差一小时。
这两个钟显示的时间相差两小时。
这两个钟显示的时间相差五十分钟。
这两个钟显示的时间相差三十五分钟。

10 孙平，你见过我的朋友周明吗？

孙平和周明在握手。

你好，周明，很高兴见到你。
我也很高兴见到你。

再见！

10-11

復習第十部分

01 張萍寫了一封信。
張萍把信折起來。
她把信裝進信封。
她在信封上寫地址。

02 你好，羅蓓。
聞森，你好嗎？
我很好，羅蓓，你呢？
我很好，聞森，謝謝。

03 火車幾點到？
火車十點到。
這列火車幾點開？
這列火車十點一刻開。

04 包波把洗衣機蓋打開。
包波把衣服放進洗衣機裡。
他把洗衣粉放進洗衣機裡。
他把洗衣機蓋蓋上。

05 男人被女人親吻。
女人被男人親吻。
馬被女人親吻。
男人和女人在接吻。

06 王玲把盤子放進洗碗池。
王玲在用海綿洗盤子。
王玲在沖洗盤子。
王玲把盤子擦乾。

07 男孩在用小毛巾洗臉。
男孩在用牙刷刷牙。
她在用梳子梳頭髮。
她在對着鏡子化妝。

08 尺用來測量長度。
地圖用來測量城市間的距離。
速度表用來測量速度。
體溫表用來測量體溫。

09 這兩個鐘顯示的時間相差一小時。
這兩個鐘顯示的時間相差兩小時。
這兩個鐘顯示的時間相差五十分鐘。
這兩個鐘顯示的時間相差三十五分鐘。

10 孫平，你見過我的朋友周明嗎？

孫平和周明在握手。

你好，周明，很高興見到你。
我也很高興見到你。

再見！

10-11

fù xí dì shí bù fèn

01 zhāng píng xiě le yī fēng xìn.
    zhāng píng bǎ xìn zhé qǐ lái.
    tā bǎ xìn zhuāng jìn xìn fēng.
    tā zài xìn fēng shàng xiě dì zhǐ.

02 nǐ hǎo, luó bèi.
    wén sēn, nǐ hǎo ma?
    wǒ hěn hǎo, luó bèi, nǐ ne?
    wǒ hěn hǎo, wén sēn, xiè xiè.

03 huǒ chē jǐ diǎn dào?
    huǒ chē shí diǎn dào.
    zhè liè huǒ chē jǐ diǎn kāi?
    zhè liè huǒ chē shí diǎn yī kè kāi.

04 bāo bō bǎ xǐ yī jī gài dǎ kāi.
    bāo bō bǎ yī fu fàng jìn xǐ yī jī lǐ.
    tā bǎ xǐ yī fěn fàng jìn xǐ yī jī lǐ.
    tā bǎ xǐ yī jī gài gài shàng.

05 nán rén bèi nǚ rén qīn wěn.
    nǚ rén bèi nán rén qīn wěn.
    mǎ bèi nǚ rén qīn wěn.
    nán rén hé nǚ rén zài jiē wěn.

06 wáng líng bǎ pán zi fàng jìn xǐ wǎn chí.
    wáng líng zài yòng hǎi mián xǐ pán zi.
    wáng líng zài chōng xǐ pán zi.
    wáng líng bǎ pán zi cā gān.

07 nán hái zài yòng xiǎo máo jīn xǐ liǎn.
    nán hái zài yòng yá shuā shuā yá.
    tā zài yòng shū zi shū tóu fà.
    tā zài duì zhe jìng zi huà zhuāng.

08 chǐ yòng lái cè liáng cháng dù.
    dì tú yòng lái cè liáng chéng shì jiān de jù lí.
    sù dù biǎo yòng lái cè liáng sù dù.
    tǐ wēn biǎo yòng lái cè liáng tǐ wēn.

09 zhè liǎng gè zhōng xiǎn shì de shí jiān xiāng chà yī xiǎo shí.
    zhè liǎng gè zhōng xiǎn shì de shí jiān xiāng chà liǎng xiǎo shí.
    zhè liǎng gè zhōng xiǎn shì de shí jiān xiāng chà wǔ shí fēn zhōng.
    zhè liǎng gè zhōng xiǎn shì de shí jiān xiāng chà sān shí wǔ fēn zhōng.

10 sūn píng, nǐ jiàn guò wǒ de péng yǒu zhōu míng ma?

    sūn píng hé zhōu míng zài wò shǒu.

    nǐ hǎo, zhōu míng, hěn gāo xìng jiàn dào nǐ.
    wǒ yě hěn gāo xìng jiàn dào nǐ.

    zài jiàn!

11-01

打听、询问和回答

01 男人绊了一下。
男人撞了女人。
对不起，小姐，请原谅。
没关系。

02 李思的钥匙丢了。
林慧，请帮我找钥匙。
我找到了！在这儿！
谢谢你帮我。

03 顾客问："请给我拿一杯饮料好吗？"
服务员拿来饮料并说："您的饮料。"
顾客说："谢谢。"
顾客开始喝饮料。

04 女人单独一个人，她搬着一些盒子。
男人问："我能帮你吗？"
男人正在帮女人。
女人说："谢谢你帮我。"

05 女人的手提包掉了。
另一个女人捡起手提包。
第二个女人说："这是你的手提包。"
第一个女人说："噢，谢谢你！"

06 男人在看一张地图。
女人问："我能帮你吗？"
男人问："警察局在哪边？"
女人说："警察局在那边。"

07 女人在公共图书馆，她在找一本书。
她找到了要借的书。
我想借这本书。
给你，两星期后要还。

08 你能帮我把门打开吗？
我很乐意。
男人进了门。
谢谢。

09 你要喝橙汁还是牛奶？
我要喝橙汁。
给你橙汁。
多谢。

10 我背上粘着一条胶带，你能把它拿掉吗？
当然，我乐意把它拿掉。
他把那胶带拿掉。
他把胶带扔进垃圾箱里。

11-01

打聽、詢問和回答

01 男人絆了一下。
男人撞了女人。
對不起，小姐，請原諒。
沒關係。

02 李思的鑰匙丟了。
林慧，請幫我找鑰匙。
我找到了！在這兒！
謝謝你幫我。

03 顧客問："請給我拿一盃飲料好嗎？"
服務員拿來飲料並說："您的飲料。"
顧客說："謝謝。"
顧客開始喝飲料。

04 女人單獨一個人，她搬着一些盒子。
男人問："我能幫你嗎？"
男人正在幫女人。
女人說："謝謝你幫我。"

05 女人的手提包掉了。
另一個女人撿起手提包。
第二個女人說："這是你的手提包。"
第一個女人說："噢，謝謝你！"

06 男人在看一張地圖。
女人問："我能幫你嗎？"
男人問："警察局在哪邊？"
女人說："警察局在那邊。"

07 女人在公共圖書館，她在找一本書。
她找到了要借的書。
我想借這本書。
給你，兩星期後要還。

08 你能幫我把門打開嗎？
我很樂意。
男人進了門。
謝謝。

09 你要喝橙汁還是牛奶？
我要喝橙汁。
給你橙汁。
多謝。

10 我背上粘着一條膠帶，你能把它拿掉嗎？
當然，我樂意把它拿掉。
他把那膠帶拿掉。
他把膠帶扔進垃圾箱裡。

11-01

dǎ tīng, xún wèn hé huí dá

01 nán rén bàn le yī xià.
nán rén zhuàng le nǚ rén.
duì bù qǐ, xiǎo jiě, qǐng yuán liàng.
méi guān xì.

02 lǐ sī de yào shi diū le.
lín huì, qǐng bāng wǒ zhǎo yào shi.
wǒ zhǎo dào le! zài zhèr!
xiè xiè nǐ bāng wǒ.

03 gù kè wèn: "qǐng gěi wǒ ná yī bēi yǐn liào hǎo ma?"
fú wù yuán ná lái yǐn liào bìng shuō: "nín de yǐn liào."
gù kè shuō: "xiè xiè."
gù kè kāi shǐ hē yǐn liào.

04 nǚ rén dān dú yī gè rén, tā bān zhe yī xiē hé zi.
nán rén wèn: "wǒ néng bāng nǐ ma?"
nán rén zhèng zài bāng nǚ rén.
nǚ rén shuō: "xiè xiè nǐ bāng wǒ."

05 nǚ rén de shǒu tí bāo diào le.
lìng yī gè nǚ rén jiǎn qǐ shǒu tí bāo.
dì èr gè nǚ rén shuō: "zhè shì nǐ de shǒu tí bāo."
dì yī gè nǚ rén shuō: "ō, xiè xiè nǐ!"

06 nán rén zài kàn yī zhāng dì tú.
nǚ rén wèn: "wǒ néng bāng nǐ ma?"
nán rén wèn: "jǐng chá jú zài nǎ biān?"
nǚ rén shuō: "jǐng chá jú zài nà biān."

07 nǚ rén zài gōng gòng tú shū guǎn, tā zài zhǎo yī běn shū.
tā zhǎo dào le yào jiè de shū.
wǒ xiǎng jiè zhè běn shū.
gěi nǐ, liǎng xīng qī hòu yào huán.

08 nǐ néng bāng wǒ bǎ mén dǎ kāi ma?
wǒ hěn lè yì.
nán rén jìn le mén.
xiè xiè.

09 nǐ yào hē chéng zhī hái shì niú nǎi?
wǒ yào hē chéng zhī.
gěi nǐ chéng zhī.
duō xiè.

10 wǒ bèi shàng zhān zhe yī tiáo jiāo dài, nǐ néng bǎ tā ná diào ma?
dāng rán, wǒ lè yì bǎ tā ná diào.
tā bǎ nà jiāo dài ná diào.
tā bǎ jiāo dài rēng jìn lā jī xiāng lǐ.

11-02

动词被动式：过去、现在和将来发生的动作

01 旅行用的衣服正被装进箱子。
旅行用的衣服已经被装进箱子。
衣服将要被挂出来晾干。
衣服已经被挂出来晾干。

02 水将要倒出来了。
水正在倒出来。
水已经倒出来了。
水不会倒出来。

03 橙汁将要被喝了。
橙汁正被喝着。
橙汁已经被喝完了。
橙汁被洒了。

04 砖将要被搬上梯子了。
砖正被搬上梯子。
砖已经被搬上梯子了。
这些砖不会被搬到任何地方。

05 这只动物将要被骑了。
这只动物正被骑着。
这只动物刚才被骑着，可是现在没有。
这只动物不能骑。

06 这张纸将要被剪了。
这张纸正被剪着。
这张纸已经被剪开了。
这张纸不会被剪。

07 苹果将要被吃了。
苹果正被吃着。
苹果已经被吃完了。
这个苹果不会被吃。

08 男孩正在扔球。
男孩正被扔出去。
面包已经被切成片了。
面包将要被切成片了。

09 女孩将要用枕头打男孩了。
女孩正用枕头打男孩。
女孩用枕头打了男孩，他倒下了。
男孩将要用枕头打女孩。

10 男孩正用枕头打女孩。
男孩正被女孩用枕头打着。
女孩把男孩拉起来。
女孩正被男孩拉起来。

11-02

動詞被動式：過去、現在和將來發生的動作

01 旅行用的衣服正被裝進箱子。
旅行用的衣服已經被裝進箱子。
衣服將要被掛出來晾乾。
衣服已經被掛出來晾乾。

02 水將要倒出來了。
水正在倒出來。
水已經倒出來了。
水不會倒出來。

03 橙汁將要被喝了。
橙汁正被喝着。
橙汁已經被喝完了。
橙汁被灑了。

04 磚將要被搬上梯子了。
磚正被搬上梯子。
磚已經被搬上梯子了。
這些磚不會被搬到任何地方。

05 這隻動物將要被騎了。
這隻動物正被騎着。
這隻動物剛纔被騎着，可是現在沒有。
這隻動物不能騎。

06 這張紙將要被剪了。
這張紙正被剪着。
這張紙已經被剪開了。
這張紙不會被剪。

07 蘋果將要被喫了。
蘋果正被喫着。
蘋果已經被喫完了。
這個蘋果不會被喫。

08 男孩正在扔球。
男孩正被扔出去。
麵包已經被切成片了。
麵包將要被切成片了。

09 女孩將要用枕頭打男孩了。
女孩正用枕頭打男孩。
女孩用枕頭打了男孩，他倒下了。
男孩將要用枕頭打女孩。

10 男孩正用枕頭打女孩。
男孩正被女孩用枕頭打着。
女孩把男孩拉起來。
女孩正被男孩拉起來。

11-02

dòng cí bèi dòng shì: guò qù, xiàn zài hé jiāng lái fā shēng de dòng zuò

01 lǚ xíng yòng de yī fu zhèng bèi zhuāng jìn xiāng zi.
      lǚ xíng yòng de yī fu yǐ jīng bèi zhuāng jìn xiāng zi.
      yī fu jiāng yào bèi guà chū lái liàng gān.
      yī fu yǐ jīng bèi guà chū lái liàng gān.

02 shuǐ jiāng yào dào chū lái le.
      shuǐ zhèng zài dào chū lái.
      shuǐ yǐ jīng dào chū lái le.
      shuǐ bù huì dào chū lái.

03 chéng zhī jiāng yào bèi hē le.
      chéng zhī zhèng bèi hē zhe.
      chéng zhī yǐ jīng bèi hē wán le.
      chéng zhī bèi sǎ le.

04 zhuān jiāng yào bèi bān shàng tī zi le.
      zhuān zhèng bèi bān shàng tī zi.
      zhuān yǐ jīng bèi bān shàng tī zi le.
      zhè xiē zhuān bù huì bèi bān dào rèn hé dì fāng.

05 zhè zhī dòng wù jiāng yào bèi qí le.
      zhè zhī dòng wù zhèng bèi qí zhe.
      zhè zhī dòng wù gāng cái bèi qí zhe, kě shì xiàn zài méi yǒu.
      zhè zhī dòng wù bù néng qí.

06 zhè zhāng zhǐ jiāng yào bèi jiǎn le.
      zhè zhāng zhǐ zhèng bèi jiǎn zhe.
      zhè zhāng zhǐ yǐ jīng bèi jiǎn kāi le.
      zhè zhāng zhǐ bù huì bèi jiǎn.

07 píng guǒ jiāng yào bèi chī le.
      píng guǒ zhèng bèi chī zhe.
      píng guǒ yǐ jīng bèi chī wán le.
      zhè gè píng guǒ bù huì bèi chī.

08 nán hái zhèng zài rēng qiú.
      nán hái zhèng bèi rēng chū qù.
      miàn bāo yǐ jīng bèi qiē chéng piàn le.
      miàn bāo jiāng yào bèi qiē chéng piàn le.

09 nǚ hái jiāng yào yòng zhěn tou dǎ nán hái le.
      nǚ hái zhèng yòng zhěn tou dǎ nán hái.
      nǚ hái yòng zhěn tou dǎ le nán hái, tā dǎo xià le.
      nán hái jiāng yào yòng zhěn tou dǎ nǚ hái.

10 nán hái zhèng yòng zhěn tou dǎ nǚ hái.
      nán hái zhèng bèi nǚ hái yòng zhěn tou dǎ zhe.
      nǚ hái bǎ nán hái lā qǐ lái.
      nǚ hái zhèng bèi nán hái lā qǐ lái.

11-03

按职业、活动和民族区分服装的种类

01 大人们穿得不一样。
大人们穿得一样。
孩子们穿得一样。
孩子们穿得不一样。

02 他在打领带。
他在系鞋带。
她在拉大衣拉链。
她在扣大衣扣子。

03 男人穿着西装。
人们穿着泳装。
人们穿着工作服。
男人穿着制服。

04 女人们穿着制服。
女人穿着制服。
男人们穿着制服。
男人们没穿制服。

05 女人穿着军装。
女人穿着制服，但不是军装。
女人穿着结婚礼服，她丈夫穿着制服。
女人穿着结婚礼服，她丈夫没穿制服。

06 这些人穿着太空服。
这些人穿着游行服装。
这些人穿着运动服。
这些人穿着结婚礼服。

07 这些人穿着传统的日本服装。
这些人穿着传统的希腊服装。
这个人穿着传统的阿拉伯服装。
这个人穿着现代服装。

08 这些人穿着传统的美国印第安人服装。
这些人穿着特殊的音乐演出服装。
这些人穿着特殊的舞台演出服装。
这些人穿着特殊的手术服装。

09 这些人穿得正式。
这些人穿得随便。
这个人穿得正式。
这个人穿得随便。

10 她在打结。
她在拉拉链。
她在扣扣子。
她穿得正式。

11-03

按職業、活動和民族區分服裝的種類

01 大人們穿得不一樣。
大人們穿得一樣。
孩子們穿得一樣。
孩子們穿得不一樣。

02 他在打領帶。
他在繫鞋帶。
她在拉大衣拉鏈。
她在扣大衣扣子。

03 男人穿着西裝。
人們穿着泳裝。
人們穿着工作服。
男人穿着制服。

04 女人們穿着制服。
女人穿着制服。
男人們穿着制服。
男人們沒穿制服。

05 女人穿着軍裝。
女人穿着制服，但不是軍裝。
女人穿着結婚禮服，她丈夫穿着制服。
女人穿着結婚禮服，她丈夫沒穿制服。

06 這些人穿着太空服。
這些人穿着游行服裝。
這些人穿着運動服。
這些人穿着結婚禮服。

07 這些人穿着傳統的日本服裝。
這些人穿着傳統的希臘服裝。
這個人穿着傳統的阿拉伯服裝。
這個人穿着現代服裝。

08 這些人穿着傳統的美國印第安人服裝。
這些人穿着特殊的音樂演出服裝。
這些人穿着特殊的舞臺演出服裝。
這些人穿着特殊的手術服裝。

09 這些人穿得正式。
這些人穿得隨便。
這個人穿得正式。
這個人穿得隨便。

10 她在打結。
她在拉拉鏈。
她在扣扣子。
她穿得正式。

11-03

àn zhí yè, huó dòng hé mín zú qū fēn fú zhuāng de zhǒng lèi

01 dà rén men chuān de bù yī yàng.
   dà rén men chuān de yī yàng.
   hái zi men chuān de yī yàng.
   hái zi men chuān de bù yī yàng.

02 tā zài dǎ lǐng dài.
   tā zài jì xié dài.
   tā zài lā dà yī lā liàn.
   tā zài kòu dà yī kòu zi.

03 nán rén chuān zhe xī zhuāng.
   rén men chuān zhe yǒng zhuāng.
   rén men chuān zhe gōng zuò fú.
   nán rén chuān zhe zhì fú.

04 nǚ rén men chuān zhe zhì fú.
   nǚ rén chuān zhe zhì fú.
   nán rén men chuān zhe zhì fú.
   nán rén men méi chuān zhì fú.

05 nǚ rén chuān zhe jūn zhuāng.
   nǚ rén chuān zhe zhì fú, dàn bù shì jūn zhuāng.
   nǚ rén chuān zhe jié hūn lǐ fú, tā zhàng fu chuān zhe zhì fú.
   nǚ rén chuān zhe jié hūn lǐ fú, tā zhàng fu méi chuān zhì fú.

06 zhè xiē rén chuān zhe tài kōng fú.
   zhè xiē rén chuān zhe yóu xíng fú zhuāng.
   zhè xiē rén chuān zhe yùn dòng fú.
   zhè xiē rén chuān zhe jié hūn lǐ fú.

07 zhè xiē rén chuān zhe chuán tǒng de rì běn fú zhuāng.
   zhè xiē rén chuān zhe chuán tǒng de xī là fú zhuāng.
   zhè gè rén chuān zhe chuán tǒng de ā lā bó fú zhuāng.
   zhè gè rén chuān zhe xiàn dài fú zhuāng.

08 zhè xiē rén chuān zhe chuán tǒng de měi guó yìn dì ān rén fú zhuāng.
   zhè xiē rén chuān zhe tè shū de yīn yuè yǎn chū fú zhuāng.
   zhè xiē rén chuān zhe tè shū de wǔ tái yǎn chū fú zhuāng.
   zhè xiē rén chuān zhe tè shū de shǒu shù fú zhuāng.

09 zhè xiē rén chuān de zhèng shì.
   zhè xiē rén chuān de suí biàn.
   zhè gè rén chuān de zhèng shì.
   zhè gè rén chuān de suí biàn.

10 tā zài dǎ jié.
   tā zài lā lā liàn.
   tā zài kòu kòu zi.
   tā chuān de zhèng shì.

11-04

姿势和动作

01 男人和女人拉着手。
男人和女人在拥抱。
男人和女人在握手。
男人和女人挽着手。

02 女人靠着书架。
男人靠着书架。
女人站在书架旁。
男人站在书架旁。

03 他在使眼色。
他在眨眼睛。
他在鞠躬。
他叉起胳膊。

04 她把头靠在他的腿上。
她把头靠在他的肩上。
他搂着她的腰。
他拉着她的手。

05 他在招手。
他们在招手。
他们在鞠躬。
他在点头。

06 他叉着胳膊。
他翘着腿。
他的胳膊伸直着，腿弯曲着。
他的胳膊弯曲着，腿站直了。

07 他在搓手。
他在揉额头。
他在揉下巴。
他在用手指拢头发。

08 他在揉鼻子。
他在挠鼻子。
她在揉胳膊。
她在挠胳膊。

09 她拍着他的肩膀。
他的手指敲着桌子。
她在捏他的手。
他在点头。

10 她在掐他的胳膊。
她在捏他的胳膊。
她在挠他的胳膊。
她在用拳头打他的胳膊。

11-04

姿勢和動作

01 男人和女人拉着手。
男人和女人在擁抱。
男人和女人在握手。
男人和女人挽着手。

02 女人靠着書架。
男人靠着書架。
女人站在書架旁。
男人站在書架旁。

03 他在使眼色。
他在眨眼睛。
他在鞠躬。
他叉起胳膊。

04 她把頭靠在他的腿上。
她把頭靠在他的肩上。
他摟着她的腰。
他拉着她的手。

05 他在招手。
他們在招手。
他們在鞠躬。
他在點頭。

06 他叉着胳膊。
他翹着腿。
他的胳膊伸直着，腿彎曲着。
他的胳膊彎曲着，腿站直了。

07 他在搓手。
他在揉額頭。
他在揉下巴。
他在用手指攏頭髮。

08 他在揉鼻子。
他在撓鼻子。
她在揉胳膊。
她在撓胳膊。

09 她拍着他的肩膀。
他的手指敲着桌子。
她在捏他的手。
他在點頭。

10 她在掐他的胳膊。
她在捏他的胳膊。
她在撓他的胳膊。
她在用拳頭打他的胳膊。

11-04

zī shì hé dòng zuò

01 nán rén hé nǚ rén lā zhe shǒu.
   nán rén hé nǚ rén zài yōng bào.
   nán rén hé nǚ rén zài wò shǒu.
   nán rén hé nǚ rén wǎn zhe shǒu.

02 nǚ rén kào zhe shū jià.
   nán rén kào zhe shū jià.
   nǚ rén zhàn zài shū jià páng.
   nán rén zhàn zài shū jià páng.

03 tā zài shǐ yǎn sè.
   tā zài zhǎ yǎn jing.
   tā zài jū gōng.
   tā chā qǐ gē bo.

04 tā bǎ tóu kào zài tā de tuǐ shàng.
   tā bǎ tóu kào zài tā de jiān shàng.
   tā lǒu zhe tā de yāo.
   tā lā zhe tā de shǒu.

05 tā zài zhāo shǒu.
   tā men zài zhāo shǒu.
   tā men zài jū gōng.
   tā zài diǎn tóu.

06 tā chā zhe gē bo.
   tā qiào zhe tuǐ.
   tā de gē bo shēn zhí zhe, tuǐ wān qū zhe.
   tā de gē bo wān qū zhe, tuǐ zhàn zhí le.

07 tā zài cuō shǒu.
   tā zài róu é tóu.
   tā zài róu xià ba.
   tā zài yòng shǒu zhǐ lǒng tóu fà.

08 tā zài róu bí zi.
   tā zài náo bí zi.
   tā zài róu gē bo.
   tā zài náo gē bo.

09 tā pāi zhe tā de jiān bǎng.
   tā de shǒu zhǐ qiāo zhe zhuō zi.
   tā zài niē tā de shǒu.
   tā zài diǎn tóu.

10 tā zài qiā tā de gē bo.
   tā zài niē tā de gē bo.
   tā zài náo tā de gē bo.
   tā zài yòng quán tou dǎ tā de gē bo.

11-05

进、出，开、关，离开、回来

01 女人正要离开房子。
女人正在走进房子。
男人正要离开房子。
男人正在走进房子。

02 他在房子里面。
他正要离开房子。
房子外面太冷。
他正要回到房子里。

03 女人正要离开房子。
女人正要回房子里拿公文包。
男人正要离开房子。
男人正要回房子里拿公文包。

04 飞镖投出后会回来。
棒球投出后不会回来。
悠悠球丢下后会回来。
鸡蛋掉下后不会回来。

05 他在系鞋带。
他在解鞋带。
他拉上大衣拉链。
他拉开大衣拉链。

06 人们来到房子前。
人们正要离开房子。
公共汽车正进站。
公共汽车正离开车站。

07 佳利打开汽车行李箱。
佳利盖上汽车行李箱。
佳利关上、并锁上车门。
佳利关上车门，但没锁。

08 棕色的门锁了。
棕色的门没锁。
他关上、并锁上前门。
他打开门锁，并推开前门。

09 他正要离开房子。
她在打结。
她在拉拉链。
他正走进房子。

10 陆欣正要离开房子。
陆欣关上、并锁上前门。
陆欣正要回房子里，因为她忘记了什么。
陆欣打开门锁，并推开了门。

11-05

進、出，開、關，離開、回來

01 女人正要離開房子。
女人正在走進房子。
男人正要離開房子。
男人正在走進房子。

02 他在房子裡面。
他正要離開房子。
房子外面太冷。
他正要回到房子裡。

03 女人正要離開房子。
女人正要回房子裡拿公文包。
男人正要離開房子。
男人正要回房子裡拿公文包。

04 飛鏢投出後會回來。
棒球投出後不會回來。
悠悠球丟下後會回來。
雞蛋掉下後不會回來。

05 他在繫鞋帶。
他在解鞋帶。
他拉上大衣拉鏈。
他拉開大衣拉鏈。

06 人們來到房子前。
人們正要離開房子。
公共汽車正進站。
公共汽車正離開車站。

07 佳利打開汽車行李箱。
佳利蓋上汽車行李箱。
佳利關上、並鎖上車門。
佳利關上車門，但沒鎖。

08 棕色的門鎖了。
棕色的門沒鎖。
他關上、並鎖上前門。
他打開門鎖，並推開前門。

09 他正要離開房子。
她在打結。
她在拉拉鏈。
他正走進房子。

10 陸欣正要離開房子。
陸欣關上、並鎖上前門。
陸欣正要回房子裡，因為她忘記了什麼。
陸欣打開門鎖，並推開了門。

11-05

jìn, chū, kāi, guān, lí kāi, huí lái

01 nǚ rén zhèng yào lí kāi fáng zi.
   nǚ rén zhèng zài zǒu jìn fáng zi.
   nán rén zhèng yào lí kāi fáng zi.
   nán rén zhèng zài zǒu jìn fáng zi.

02 tā zài fáng zi lǐ miàn.
   tā zhèng yào lí kāi fáng zi.
   fáng zi wài miàn tài lěng.
   tā zhèng yào huí dào fáng zi lǐ.

03 nǚ rén zhèng yào lí kāi fáng zi.
   nǚ rén zhèng yào huí fáng zi lǐ ná gōng wén bāo.
   nán rén zhèng yào lí kāi fáng zi.
   nán rén zhèng yào huí fáng zi lǐ ná gōng wén bāo.

04 fēi biāo tóu chū hòu huì huí lái.
   bàng qiú tóu chū hòu bù huì huí lái.
   yōu yōu qiú diū xià hòu huì huí lái.
   jī dàn diào xià hòu bù huì huí lái.

05 tā zài jì xié dài.
   tā zài jiě xié dài.
   tā lā shàng dà yī lā liàn.
   tā lā kāi dà yī lā liàn.

06 rén men lái dào fáng zi qián.
   rén men zhèng yào lí kāi fáng zi.
   gōng gòng qì chē zhèng jìn zhàn.
   gōng gòng qì chē zhèng lí kāi chē zhàn.

07 jiā lì dǎ kāi qì chē xíng li xiāng.
   jiā lì gài shàng qì chē xíng li xiāng.
   jiā lì guān shàng, bìng suǒ shàng chē mén.
   jiā lì guān shàng chē mén, dàn méi suǒ.

08 zōng sè de mén suǒ le.
   zōng sè de mén méi suǒ.
   tā guān shàng, bìng suǒ shàng qián mén.
   tā dǎ kāi mén suǒ, bìng tuī kāi qián mén.

09 tā zhèng yào lí kāi fáng zi.
   tā zài dǎ jié.
   tā zài lā lā liàn.
   tā zhèng zǒu jìn fáng zi.

10 lù xīn zhèng yào lí kāi fáng zi.
   lù xīn guān shàng, bìng suǒ shàng qián mén.
   lù xīn zhèng yào huí fáng zi lǐ, yīn wéi tā wàng jì le shén me.
   lù xīn dǎ kāi mén suǒ, bìng tuī kāi le mén.

11-06

简单身体动作

01　有人在走。
　　每个人都站着。
　　有人坐着，没有人站着。
　　有人坐着，其他人站着。

02　男孩单独一个人，他弯下腰。
　　男孩不是单独一个人，他和大人在一起。
　　男孩单独一个人，他躺着。
　　男孩不是单独一个人，但他没有和人在一起。

03　男孩坐着，狗躺着。
　　男孩和狗都站着，男孩弯下腰。
　　男孩和狗都站着，男孩没有弯下腰。
　　男孩和狗都躺着。

04　小孩被人倒过来抱着。
　　小孩站正了。
　　照片放倒了。
　　照片放正了。

05　驴站着，小丑骑在驴背上。
　　驴和小丑都站着。
　　驴背着地躺着，小丑坐在驴身上。
　　小丑没有和驴在一起。

06　男孩趴着。
　　男孩仰卧着。
　　男人趴着。
　　男人仰卧着。

07　动物站在洞口。
　　动物站在水边。
　　动物站在墙的前面。
　　动物坐着，并在和人握手。

08　男人的手臂交叉着。
　　男人的手臂伸展着。
　　男人的手叉着腰。
　　男人的手抱着膝盖。

09　他跪着。
　　他蹲着。
　　她们跪着。
　　她们蹲着。

10　他蹲着。
　　他弯下腰。
　　她跪着。
　　她在伸懒腰。

11-06

簡單身體動作

01　有人在走。
　　每個人都站着。
　　有人坐着，沒有人站着。
　　有人坐着，其他人站着。

02　男孩單獨一個人，他彎下腰。
　　男孩不是單獨一個人，他和大人在一起。
　　男孩單獨一個人，他躺着。
　　男孩不是單獨一個人，但他沒有和人在一起。

03　男孩坐着，狗躺着。
　　男孩和狗都站着，男孩彎下腰。
　　男孩和狗都站着，男孩沒有彎下腰。
　　男孩和狗都躺着。

04　小孩被人倒過來抱着。
　　小孩站正了。
　　照片放倒了。
　　照片放正了。

05　驢站着，小醜騎在驢背上。
　　驢和小醜都站着。
　　驢背着地躺着，小醜坐在驢身上。
　　小醜沒有和驢在一起。

06　男孩趴着。
　　男孩仰臥着。
　　男人趴着。
　　男人仰臥着。

07　動物站在洞口。
　　動物站在水邊。
　　動物站在牆的前面。
　　動物坐着，並在和人握手。

08　男人的手臂交叉着。
　　男人的手臂伸展着。
　　男人的手叉着腰。
　　男人的手抱着膝蓋。

09　他跪着。
　　他蹲着。
　　她們跪着。
　　她們蹲着。

10　他蹲着。
　　他彎下腰。
　　她跪着。
　　她在伸懶腰。

11-06

jiǎn dān shēn tǐ dòng zuò

01 yǒu rén zài zǒu.
    měi gè rén dōu zhàn zhe.
    yǒu rén zuò zhe, méi yǒu rén zhàn zhe.
    yǒu rén zuò zhe, qí tā rén zhàn zhe.

02 nán hái dān dú yī gè rén, tā wān xià yāo.
    nán hái bù shì dān dú yī gè rén, tā hé dà rén zài yī qǐ.
    nán hái dān dú yī gè rén, tā tǎng zhe.
    nán hái bù shì dān dú yī gè rén, dàn tā méi yǒu hé rén zài yī qǐ.

03 nán hái zuò zhe, gǒu tǎng zhe.
    nán hái hé gǒu dōu zhàn zhe, nán hái wān xià yāo.
    nán hái hé gǒu dōu zhàn zhe, nán hái méi yǒu wān xià yāo.
    nán hái hé gǒu dōu tǎng zhe.

04 xiǎo hái bèi rén dào guò lái bào zhe.
    xiǎo hái zhàn zhèng le.
    zhào piān fàng dào le.
    zhào piān fàng zhèng le.

05 lú zhàn zhe, xiǎo chǒu qí zài lú bèi shàng.
    lú hé xiǎo chǒu dōu zhàn zhe.
    lú bèi zhuó dì tǎng zhe, xiǎo chǒu zuò zài lú shēn shàng.
    xiǎo chǒu méi yǒu hé lú zài yī qǐ.

06 nán hái pā zhe.
    nán hái yǎng wò zhe.
    nán rén pā zhe.
    nán rén yǎng wò zhe.

07 dòng wù zhàn zài dòng kǒu.
    dòng wù zhàn zài shuǐ biān.
    dòng wù zhàn zài qiáng de qián miàn.
    dòng wù zuò zhe , bìng zài hé rén wò shǒu.

08 nán rén de shǒu bì jiāo chā zhe.
    nán rén de shǒu bì shēn zhǎn zhe.
    nán rén de shǒu chā zhe yāo.
    nán rén de shǒu bào zhe xī gài.

09 tā guì zhe.
    tā dūn zhe.
    tā men guì zhe.
    tā men dūn zhe.

10 tā dūn zhe.
    tā wān xià yāo.
    tā guì zhe.
    tā zài shēn lǎn yāo.

11-07

车辆，交通信号和标记，上坡和下坡

01　滑车在往上爬，几乎要到顶端了。
　　有些滑车在往上爬，有些滑车在往下滑，它们没有颠倒滑行。
　　所有滑车都在往下滑。
　　滑车颠倒滑行了。

02　滑车快要到顶端了。
　　滑车到了顶端，并开始往下滑。
　　滑车快速地往下滑。
　　滑车在转弯。

03　路标上用英语写着 "停"。
　　路标上空着。
　　这个标记表示坐轮椅的人。
　　这个路标表示步行往左、爬山往右。

04　对司机来说，这个灯表示停。
　　对司机来说，这个灯表示通行。
　　对行人来说，这个灯表示不要行走。
　　对行人来说，这个灯表示可以行走。

05　这个路标表示停车。
　　这个灯表示停车。
　　这个灯表示慢行、小心。
　　这个标记表示残疾人专用。

06　这是一辆警车。
　　这是一位警察。
　　这是限速标记。
　　这是交通灯。

07　限速是每小时三十五公里。
　　汽车的时速是三十五公里。
　　限速是每小时五十五公里。
　　汽车的时速是五十五公里。

08　这是加油站。
　　他在给车加油。
　　这是油筒。
　　这是油泵。

09　汽车里的油剩下很少了。
　　汽车里的油是满的。
　　请问，哪里有加油站？
　　那儿有个加油站。

10　这个人在骑摩托车。
　　这个人在开公共汽车。
　　这个人在开卡车。
　　这个人要搭便车。

11-07

車輛，交通信號和標記，上坡和下坡

01　滑車在往上爬，幾乎要到頂端了。
　　有些滑車在往上爬，有些滑車在往下滑，它們沒有顛倒滑行。
　　所有滑車都在往下滑。
　　滑車顛倒滑行了。

02　滑車快要到頂端了。
　　滑車到了頂端，並開始往下滑。
　　滑車快速地往下滑。
　　滑車在轉彎。

03　路標上用英語寫着 "停"。
　　路標上空着。
　　這個標記表示坐輪椅的人。
　　這個路標表示步行往左、爬山往右。

04　對司機來說，這個燈表示停。
　　對司機來說，這個燈表示通行。
　　對行人來說，這個燈表示不要行走。
　　對行人來說，這個燈表示可以行走。

05　這個路標表示停車。
　　這個燈表示停車。
　　這個燈表示慢行、小心。
　　這個標記表示殘疾人專用。

06　這是一輛警車。
　　這是一位警察。
　　這是限速標記。
　　這是交通燈。

07　限速是每小時三十五公里。
　　汽車的時速是三十五公里。
　　限速是每小時五十五公里。
　　汽車的時速是五十五公里。

08　這是加油站。
　　他在給車加油。
　　這是油筒。
　　這是油泵。

09　汽車裡的油剩下很少了。
　　汽車裡的油是滿的。
　　請問，哪裡有加油站？
　　那兒有個加油站。

10　這個人在騎摩托車。
　　這個人在開公共汽車。
　　這個人在開卡車。
　　這個人要搭便車。

11-07

chē liàng, jiāo tōng xìn hào hé biāo jì, shàng pō hé xià pō

01 huá chē zài wǎng shàng pá, jǐ hū yào dào dǐng duān le.
yǒu xiē huá chē zài wǎng shàng pá, yǒu xiē huá chē zài wǎng xià huá, tā men méi yǒu diān dǎo huá
  xíng.
suǒ yǒu huá chē dōu zài wǎng xià huá.
huá chē diān dǎo huá xíng le.

02 huá chē kuài yào dào dǐng duān le.
huá chē dào le dǐng duān, bìng kāi shǐ wǎng xià huá.
huá chē kuài sù de wǎng xià huá.
huá chē zài zhuǎn wān.

03 lù biāo shàng yòng yīng yǔ xiě zhe "tíng".
lù biāo shàng kòng zhe.
zhè gè biāo jì biǎo shì zuò lún yǐ de rén.
zhè gè lù biāo biǎo shì bù xíng wǎng zuǒ, pá shān wǎng yòu.

04 duì sī jī lái shuō, zhè gè dēng biǎo shì tíng.
duì sī jī lái shuō, zhè gè dēng biǎo shì tōng xíng.
duì xíng rén lái shuō, zhè gè dēng biǎo shì bù yào xíng zǒu.
duì xíng rén lái shuō, zhè gè dēng biǎo shì kě yǐ xíng zǒu.

05 zhè gè lù biāo biǎo shì tíng chē.
zhè gè dēng biǎo shì tíng chē.
zhè gè dēng biǎo shì màn xíng, xiǎo xīn.
zhè gè biāo jì biǎo shì cán jī rén zhuān yòng.

06 zhè shì yī liàng jǐng chē.
zhè shì yī wèi jǐng chá.
zhè shì xiàn sù biāo jì.
zhè shì jiāo tōng dēng.

07 xiàn sù shì měi xiǎo shí sān shí wǔ gōng lǐ.
qì chē de shí sù shì sān shí wǔ gōng lǐ.
xiàn sù shì měi xiǎo shí wǔ shí wǔ gōng lǐ.
qì chē de shí sù shì wǔ shí wǔ gōng lǐ.

08 zhè shì jiā yóu zhàn.
tā zài gěi chē jiā yóu.
zhè shì yóu tǒng.
zhè shì yóu bèng.

09 qì chē lǐ de yóu shèng xià hěn shǎo le.
qì chē lǐ de yóu shì mǎn de.
qǐng wèn, nǎ lǐ yǒu jiā yóu zhàn?
nàr yǒu gè jiā yóu zhàn.

10 zhè gè rén zài qí mó tuō chē.
zhè gè rén zài kāi gōng gòng qì chē.
zhè gè rén zài kāi kǎ chē.
zhè gè rén yào dā biàn chē.

对过去、现在和将来发生的动作提问

01　那架飞机是喷气机吗？是的，它是。
　　那架飞机是喷气机吗？不，它不是。
　　这座建筑是摩天大楼吗？是的，它是。
　　这座建筑是摩天大楼吗？不，它不是。

02　这是现代建筑吗？是的，这是现代建筑。
　　这是现代建筑吗？不，这不是现代建筑。
　　那是火箭吗？是的，那是火箭。
　　那是火箭吗？不，那是空间站。

03　女人看上去惊讶，不是吗？是的，她看上去惊讶。
　　他看上去高兴，不是吗？不，他看上去生气。
　　男人看上去惊讶，不是吗？是的，他看上去惊讶。
　　她看上去高兴，不是吗？是的，她看上去高兴。

04　那是手表，不是吗？是的，那是手表。
　　那是手表，不是吗？不，那不是手表，那是钟。
　　那是游泳池，不是吗？是的，那是游泳池。
　　那是游泳池，不是吗？不，那不是游泳池，那是海
　　　滩。

05　太阳落下了吗？是的，太阳落下了。
　　太阳落下了吗？不，太阳没有落下。
　　他忘记关冰箱门了，不是吗？不，他没有忘记。
　　他忘记关冰箱门了吗？是的，他忘记了。

06　这两个人结婚了吗？是的，他们刚结婚。
　　这两个人结婚了吗？他们可能结婚了，他们有个孩
　　　子。
　　这些人结婚了吗？不，他们没有结婚。
　　这个人结婚了吗？不，这个人没有结婚。

07　他将要翻牌，不是吗？是的，他将翻牌。
　　他将要翻牌，不是吗？不，他不翻牌。
　　他将要切面包吗？是的，他将切面包。
　　他将要切面包吗？不，他不切面包。

08　她让灯泡掉下去了吗？是的，她让灯泡掉下去了。
　　她让灯泡掉下去了，不是吗？不，她没有让灯泡掉下
　　　去。
　　夏天已经过了吗？是的，夏天过了。
　　夏天已经过了吗？不，夏天还没过。

09　他将要切面包，不是吗？是的，他将要切。
　　他正在切面包，不是吗？是的，他正在切。
　　他的确切了面包，不是吗？是的，他切了。
　　他将要切面包，不是吗？不，他不切。

10　他将要开门吗？是的，他将要开门。
　　他正在开门吗？是的，他正在开门。
　　他开门了吗？是的，他把门开着。
　　他能把门打开吗？不，他不能。

11-08

對過去、現在和將來發生的動作提問

01　那架飛機是噴氣機嗎？是的，它是。
　　那架飛機是噴氣機嗎？不，它不是。
　　這座建築是摩天大樓嗎？是的，它是。
　　這座建築是摩天大樓嗎？不，它不是。

02　這是現代建築嗎？是的，這是現代建築。
　　這是現代建築嗎？不，這不是現代建築。
　　那是火箭嗎？是的，那是火箭。
　　那是火箭嗎？不，那是空間站。

03　女人看上去驚訝，不是嗎？是的，她看上去驚訝。
　　他看上去高興，不是嗎？不，他看上去生氣。
　　男人看上去驚訝，不是嗎？是的，他看上去驚訝。
　　她看上去高興，不是嗎？是的，她看上去高興。

04　那是手錶，不是嗎？是的，那是手錶。
　　那是手錶，不是嗎？不，那不是手錶，那是鐘。
　　那是游泳池，不是嗎？是的，那是游泳池。
　　那是游泳池，不是嗎？不，那不是游泳池，那是海
　　　灘。

05　太陽落下了嗎？是的，太陽落下了。
　　太陽落下了嗎？不，太陽沒有落下。
　　他忘記關冰箱門了，不是嗎？不，他沒有忘記。
　　他忘記關冰箱門了嗎？是的，他忘記了。

06　這兩個人結婚了嗎？是的，他們剛結婚。
　　這兩個人結婚了嗎？他們可能結婚了，他們有個孩
　　　子。
　　這些人結婚了嗎？不，他們沒有結婚。
　　這個人結婚了嗎？不，這個人沒有結婚。

07　他將要翻牌，不是嗎？是的，他將翻牌。
　　他將要翻牌，不是嗎？不，他不翻牌。
　　他將要切麵包嗎？是的，他將切麵包。
　　他將要切麵包嗎？不，他不切麵包。

08　她讓燈泡掉下去了嗎？是的，她讓燈泡掉下去了。
　　她讓燈泡掉下去了，不是嗎？不，她沒有讓燈泡掉下
　　　去。
　　夏天已經過了嗎？是的，夏天過了。
　　夏天已經過了嗎？不，夏天還沒過。

09　他將要切麵包，不是嗎？是的，他將要切。
　　他正在切麵包，不是嗎？是的，他正在切。
　　他的確切了麵包，不是嗎？是的，他切了。
　　他將要切麵包，不是嗎？不，他不切。

10　他將要開門嗎？是的，他將要開門。
　　他正在開門嗎？是的，他正在開門。
　　他開門了嗎？是的，他把門開著。
　　他能把門打開嗎？不，他不能。

11-08

duì guò qù, xiàn zài hé jiāng lái fā shēng de dòng zuò tí wèn

01 nà jià fēi jī shì pēn qì jī ma? shì de, tā shì.
    nà jià fēi jī shì pēn qì jī ma? bù, tā bù shì.
    zhè zuò jiàn zhù shì mó tiān dà lóu ma? shì de, tā shì.
    zhè zuò jiàn zhù shì mó tiān dà lóu ma? bù, tā bù shì.

02 zhè shì xiàn dài jiàn zhù ma? shì de, zhè shì xiàn dài jiàn zhù.
    zhè shì xiàn dài jiàn zhù ma? bù, zhè bù shì xiàn dài jiàn zhù.
    nà shì huǒ jiàn ma? shì de, nà shì huǒ jiàn.
    nà shì huǒ jiàn ma? bù, nà shì kōng jiān zhàn.

03 nǚ rén kàn shàng qù jīng yà, bù shì ma? shì de, tā kàn shàng qù jīng yà.
    tā kàn shàng qù gāo xìng, bù shì ma? bù, tā kàn shàng qù shēng qì.
    nán rén kàn shàng qù jīng yà, bù shì ma? shì de, tā kàn shàng qù jīng yà.
    tā kàn shàng qù gāo xìng, bù shì ma? shì de, tā kàn shàng qù gāo xìng.

04 nà shì shǒu biǎo, bù shì ma? shì de, nà shì shǒu biǎo.
    nà shì shǒu biǎo, bù shì ma? bù, nà bù shì shǒu biǎo, nà shì zhōng.
    nà shì yóu yǒng chí, bù shì ma? shì de, nà shì yóu yǒng chí.
    nà shì yóu yǒng chí, bù shì ma? bù, nà bù shì yóu yǒng chí, nà shì hǎi tān.

05 tài yáng luò xià le ma? shì de, tài yáng luò xià le.
    tài yáng luò xià le ma? bù, tài yáng méi yǒu luò xià.
    tā wàng jì guān bīng xiāng mén le, bù shì ma? bù, tā méi yǒu wàng jì.
    tā wàng jì guān bīng xiāng mén le ma? shì de, tā wàng jì le.

06 zhè liǎng gè rén jié hūn le ma? shì de, tā men gāng jié hūn.
    zhè liǎng gè rén jié hūn le ma? tā men kě néng jié hūn le, tā men yǒu gè hái zi.
    zhè xiē rén jié hūn le ma? bù, tā men méi yǒu jié hūn.
    zhè gè rén jié hūn le ma? bù, zhè gè rén méi yǒu jié hūn.

07 tā jiāng yào fān pái, bù shì ma? shì de, tā jiāng fān pái.
    tā jiāng yào fān pái, bù shì ma? bù, tā bù fān pái.
    tā jiāng yào qiē miàn bāo ma? shì de, tā jiāng qiē miàn bāo.
    tā jiāng yào qiē miàn bāo ma? bù, tā bù qiē miàn bāo.

08 tā ràng dēng pào diào xià qù le ma? shì de, tā ràng dēng pào diào xià qù le.
    tā ràng dēng pào diào xià qù le, bù shì ma? bù, tā méi yǒu ràng dēng pào diào xià qù.
    xià tiān yǐ jīng guò le ma? shì de, xià tiān guò le.
    xià tiān yǐ jīng guò le ma? bù, xià tiān hái méi guò.

09 tā jiāng yào qiē miàn bāo, bù shì ma? shì de, tā jiāng yào qiē.
    tā zhèng zài qiē miàn bāo, bù shì ma? shì de, tā zhèng zài qiē.
    tā dí què qiē le miàn bāo, bù shì ma? shì de, tā qiē le.
    tā jiāng yào qiē miàn bāo, bù shì ma? bù, tā bù qiē.

10 tā jiāng yào kāi mén ma? shì de, tā jiāng yào kāi mén.
    tā zhèng zài kāi mén ma? shì de, tā zhèng zài kāi mén.
    tā kāi mén le ma? shì de, tā bǎ mén kāi zhe.
    tā néng bǎ mén dǎ kāi ma? bù, tā bù néng.

11-09

描写破损的形容词和动词

01 这张纸被撕开了。
　　她在撕这张纸。
　　这块布被撕开了。
　　她在撕这块布。

02 铁丝是直的。
　　铁丝弯了，但没有被扭曲。
　　铁丝被扭弯了。
　　两根铁丝扭在一起。

03 金属锈了。
　　金属失去光泽了。
　　衬衫被撕破了。
　　杯子被打破了。

04 面包烤焦了。
　　书的一页弄脏了。
　　果汁洒了。
　　书的一页撕破了。

05 对不起，我把它烤焦了。
　　对不起，我把它弄脏了。
　　对不起，我把它洒了。
　　对不起，我把它撕破了。

06 叉子弯了。
　　叉子不弯。
　　线是直的。
　　线不是直的。

07 刀生锈了。
　　刀发亮。
　　木板是平的，没有油漆过。
　　木板油漆过了。

08 桌子很凌乱。
　　桌子很整洁。
　　这种笔迹很潦草。
　　这种笔迹很工整。

09 灯泡没有打碎。
　　灯泡打碎了。
　　冰淇淋没有化。
　　冰淇淋化了。

10 香蕉烂了。
　　香蕉很新鲜。
　　苹果烂了。
　　苹果很新鲜。

11-09

描寫破損的形容詞和動詞

01 這張紙被撕開了。
　　她在撕這張紙。
　　這塊布被撕開了。
　　她在撕這塊布。

02 鐵絲是直的。
　　鐵絲彎了，但沒有被扭曲。
　　鐵絲被扭彎了。
　　兩根鐵絲扭在一起。

03 金屬鏽了。
　　金屬失去光澤了。
　　襯衫被撕破了。
　　盃子被打破了。

04 麵包烤焦了。
　　書的一頁弄髒了。
　　果汁灑了。
　　書的一頁撕破了。

05 對不起，我把它烤焦了。
　　對不起，我把它弄髒了。
　　對不起，我把它灑了。
　　對不起，我把它撕破了。

06 叉子彎了。
　　叉子不彎。
　　線是直的。
　　線不是直的。

07 刀生鏽了。
　　刀發亮。
　　木板是平的，沒有油漆過。
　　木板油漆過了。

08 桌子很凌亂。
　　桌子很整潔。
　　這種筆跡很潦草。
　　這種筆跡很工整。

09 燈泡沒有打碎。
　　燈泡打碎了。
　　冰淇淋沒有化。
　　冰淇淋化了。

10 香蕉爛了。
　　香蕉很新鮮。
　　蘋果爛了。
　　蘋果很新鮮。

11-09

miáo xiě pò sǔn de xíng róng cí hé dòng cí

01 zhè zhāng zhǐ bèi sī kāi le.
    tā zài sī zhè zhāng zhǐ.
    zhè kuài bù bèi sī kāi le.
    tā zài sī zhè kuài bù.

02 tiě sī shì zhí de.
    tiě sī wān le, dàn méi yǒu bèi niǔ qū.
    tiě sī bèi niǔ wān le.
    liǎng gēn tiě sī niǔ zài yī qǐ.

03 jīn shǔ xiù le.
    jīn shǔ shī qù guāng zé le.
    chèn shān bèi sī pò le.
    bēi zi bèi dǎ pò le.

04 miàn bāo kǎo jiāo le.
    shū de yī yè nòng zàng le.
    guǒ zhī sǎ le.
    shū de yī yè sī pò le.

05 duì bù qǐ, wǒ bǎ tā kǎo jiāo le.
    duì bù qǐ, wǒ bǎ tā nòng zàng le.
    duì bù qǐ, wǒ bǎ tā sǎ le.
    duì bù qǐ, wǒ bǎ tā sī pò le.

06 chā zi wān le.
    chā zi bù wān.
    xiàn shì zhí de.
    xiàn bù shì zhí de.

07 dāo shēng xiù le.
    dāo fā liàng.
    mù bǎn shì píng de, méi yǒu yóu qī guò.
    mù bǎn yóu qī guò le.

08 zhuō zi hěn líng luàn.
    zhuō zi hěn zhěng jié.
    zhè zhǒng bǐ jì hěn lǎo cǎo.
    zhè zhǒng bǐ jì hěn gōng zhěng.

09 dēng pào méi yǒu dǎ suì.
    dēng pào dǎ suì le.
    bīng qí lín méi yǒu huà.
    bīng qí lín huà le.

10 xiāng jiāo làn le.
    xiāng jiāo hěn xīn xiān.
    píng guǒ làn le.
    píng guǒ hěn xīn xiān.

11-10

反义词：对、错，容易、难，开始、结束等

01 咖啡很好喝。
咖啡很难喝。
音乐很好听。
音乐很难听。

02 这道题容易。
这道题难。
这架飞机能拿起来。
这架飞机不可能拿起来。

03 这个瓶子容易打开。
这个瓶子很难打开。
这个皮箱容易盖上。
这个皮箱很难盖上。

04 这个答案对了。
这个答案错了。
这件衬衫大小合适。
这件衬衫大小不合适。

05 比赛就要开始了。
比赛就要结束了。
一天就要开始了。
一天就要结束了。

06 棋赛的开始
棋赛的结尾
书的开头
书的结尾

07 她是队伍中最先出去的人。
她是队伍中最后出去的人。
很多人在排队。
男人排在最后。

08 这个很好吃。
这个很难吃。
这个很好闻。
这个很难闻。

09 这样扫地对了。
这样扫地错了。
这样用锤子对了。
这样用锤子错了。

10 他开始喝水。
他喝完水了。
他开始上台阶了。
他上完台阶了。

11-10

反義詞：對、錯，容易、難，開始、結束等

01 咖啡很好喝。
咖啡很難喝。
音樂很好聽。
音樂很難聽。

02 這道題容易。
這道題難。
這架飛機能拿起來。
這架飛機不可能拿起來。

03 這個瓶子容易打開。
這個瓶子很難打開。
這個皮箱容易蓋上。
這個皮箱很難蓋上。

04 這個答案對了。
這個答案錯了。
這件襯衫大小合適。
這件襯衫大小不合適。

05 比賽就要開始了。
比賽就要結束了。
一天就要開始了。
一天就要結束了。

06 棋賽的開始
棋賽的結尾
書的開頭
書的結尾

07 她是隊伍中最先出去的人。
她是隊伍中最後出去的人。
很多人在排隊。
男人排在最後。

08 這個很好喫。
這個很難喫。
這個很好聞。
這個很難聞。

09 這樣掃地對了。
這樣掃地錯了。
這樣用錘子對了。
這樣用錘子錯了。

10 他開始喝水。
他喝完水了。
他開始上臺階了。
他上完臺階了。

11-10

fǎn yì cí: duì, cuò, róng yì, nán, kāi shǐ, jié shù děng

01 kā fēi hěn hǎo hē.
   kā fēi hěn nán hē.
   yīn yuè hěn hǎo tīng.
   yīn yuè hěn nán tīng.

02 zhè dào tí róng yì.
   zhè dào tí nán.
   zhè jià fēi jī néng ná qǐ lái.
   zhè jià fēi jī bù kě néng ná qǐ lái.

03 zhè gè píng zi róng yì dǎ kāi.
   zhè gè píng zi hěn nán dǎ kāi.
   zhè gè pí xiāng róng yì gài shàng.
   zhè gè pí xiāng hěn nán gài shàng.

04 zhè gè dá àn duì le.
   zhè gè dá àn cuò le.
   zhè jiàn chèn shān dà xiǎo hé shì.
   zhè jiàn chèn shān dà xiǎo bù hé shì.

05 bǐ sài jiù yào kāi shǐ le.
   bǐ sài jiù yào jié shù le.
   yī tiān jiù yào kāi shǐ le.
   yī tiān jiù yào jié shù le.

06 qí sài de kāi shǐ
   qí sài de jié wěi
   shū de kāi tóu
   shū de jié wěi

07 tā shì duì wu zhōng zuì xiān chū qù de rén.
   tā shì duì wu zhōng zuì hòu chū qù de rén.
   hěn duō rén zài pái duì.
   nán rén pái zài zuì hòu.

08 zhè gè hěn hǎo chī.
   zhè gè hěn nán chī.
   zhè gè hěn hǎo wén.
   zhè gè hěn nán wén.

09 zhè yàng sǎo dì duì le.
   zhè yàng sǎo dì cuò le.
   zhè yàng yòng chuí zi duì le.
   zhè yàng yòng chuí zi cuò le.

10 tā kāi shǐ hē shuǐ.
   tā hē wán shuǐ le.
   tā kāi shǐ shàng tái jiē le.
   tā shàng wán tái jiē le.

11-11

复习第十一部分

01 女人单独一个人，她搬着一些盒子。
　　男人问："我能帮你吗？"
　　男人正在帮女人。
　　女人说："谢谢你帮我。"

02 这只动物将要被骑了。
　　这只动物正被骑着。
　　这只动物刚才被骑着，可是现在没有。
　　这只动物不能骑。

03 这些人穿着传统的日本服装。
　　这些人穿着传统的希腊服装。
　　这个人穿着传统的阿拉伯服装。
　　这个人穿着现代服装。

04 男人和女人拉着手。
　　男人和女人在拥抱。
　　男人和女人在握手。
　　男人和女人挽着手。

05 棕色的门锁了。
　　棕色的门没锁。
　　他关上、并锁上前门。
　　他打开门锁，并推开前门。

06 驴站着，小丑骑在驴背上。
　　驴和小丑都站着。
　　驴背着地躺着，小丑坐在驴身上。
　　小丑没有和驴在一起。

07 对司机来说，这个灯表示停。
　　对司机来说，这个灯表示通行。
　　对行人来说，这个灯表示不要行走。
　　对行人来说，这个灯表示可以行走。

08 他将要切面包，不是吗？是的，他将要切。
　　他正在切面包，不是吗？是的，他正在切。
　　他的确切了面包，不是吗？是的，他切了。
　　他将要切面包，不是吗？不，他不切。

09 对不起，我把它烤焦了。
　　对不起，我把它弄脏了。
　　对不起，我把它洒了。
　　对不起，我把它撕破了。

10 这样扫地对了。
　　这样扫地错了。
　　这样用锤子对了。
　　这样用锤子错了。

11-11

復習第十一部分

01 女人單獨一個人，她搬着一些盒子。
　　男人問："我能幫你嗎？"
　　男人正在幫女人。
　　女人說："謝謝你幫我。"

02 這隻動物將要被騎了。
　　這隻動物正被騎着。
　　這隻動物剛纔被騎着，可是現在沒有。
　　這隻動物不能騎。

03 這些人穿着傳統的日本服裝。
　　這些人穿着傳統的希臘服裝。
　　這個人穿着傳統的阿拉伯服裝。
　　這個人穿着現代服裝。

04 男人和女人拉着手。
　　男人和女人在擁抱。
　　男人和女人在握手。
　　男人和女人挽着手。

05 棕色的門鎖了。
　　棕色的門沒鎖。
　　他關上、並鎖上前門。
　　他打開門鎖，並推開前門。

06 驢站着，小醜騎在驢背上。
　　驢和小醜都站着。
　　驢背着地躺着，小醜坐在驢身上。
　　小醜沒有和驢在一起。

07 對司機來說，這個燈表示停。
　　對司機來說，這個燈表示通行。
　　對行人來說，這個燈表示不要行走。
　　對行人來說，這個燈表示可以行走。

08 他將要切麵包，不是嗎？是的，他將要切。
　　他正在切麵包，不是嗎？是的，他正在切。
　　他的確切了麵包，不是嗎？是的，他切了。
　　他將要切麵包，不是嗎？不，他不切。

09 對不起，我把它烤焦了。
　　對不起，我把它弄髒了。
　　對不起，我把它灑了。
　　對不起，我把它撕破了。

10 這樣掃地對了。
　　這樣掃地錯了。
　　這樣用錘子對了。
　　這樣用錘子錯了。

fù xí dì shí yī bù fèn

01 nǚ rén dān dú yī gè rén, tā bān zhe yī xiē hé zi.
   nán rén wèn: "wǒ néng bāng nǐ ma?"
   nán rén zhèng zài bāng nǚ rén.
   nǚ rén shuō: "xiè xiè nǐ bāng wǒ."

02 zhè zhī dòng wù jiāng yào bèi qí le.
   zhè zhī dòng wù zhèng bèi qí zhe.
   zhè zhī dòng wù gāng cái bèi qí zhe, kě shì xiàn zài méi yǒu.
   zhè zhī dòng wù bù néng qí.

03 zhè xiē rén chuān zhe chuán tǒng de rì běn fú zhuāng.
   zhè xiē rén chuān zhe chuán tǒng de xī là fú zhuāng.
   zhè gè rén chuān zhe chuán tǒng de ā lā bó fú zhuāng.
   zhè gè rén chuān zhe xiàn dài fú zhuāng.

04 nán rén hé nǚ rén lā zhe shǒu.
   nán rén hé nǚ rén zài yōng bào.
   nán rén hé nǚ rén zài wò shǒu.
   nán rén hé nǚ rén wǎn zhe shǒu.

05 zōng sè de mén suǒ le.
   zōng sè de mén méi suǒ.
   tā guān shàng, bìng suǒ shàng qián mén.
   tā dǎ kāi mén suǒ, bìng tuī kāi qián mén.

06 lú zhàn zhe, xiǎo chǒu qí zài lú bèi shàng.
   lú hé xiǎo chǒu dōu zhàn zhe.
   lú bèi zhuó dì tǎng zhe, xiǎo chǒu zuò zài lú shēn shàng.
   xiǎo chǒu méi yǒu hé lú zài yī qǐ.

07 duì sī jī lái shuō, zhè gè dēng biǎo shì tíng.
   duì sī jī lái shuō, zhè gè dēng biǎo shì tōng xíng.
   duì xíng rén lái shuō, zhè gè dēng biǎo shì bù yào xíng zǒu.
   duì xíng rén lái shuō, zhè gè dēng biǎo shì kě yǐ xíng zǒu.

08 tā jiāng yào qiē miàn bāo, bù shì ma? shì de, tā jiāng yào qiē.
   tā zhèng zài qiē miàn bāo, bù shì ma? shì de, tā zhèng zài qiē.
   tā dí què qiē le miàn bāo, bù shì ma? shì de, tā qiē le.
   tā jiāng yào qiē miàn bāo, bù shì ma? bù, tā bù qiē.

09 duì bù qǐ, wǒ bǎ tā kǎo jiāo le.
   duì bù qǐ, wǒ bǎ tā nòng zàng le.
   duì bù qǐ, wǒ bǎ tā sǎ le.
   duì bù qǐ, wǒ bǎ tā sī pò le.

10 zhè yàng sǎo dì duì le.
   zhè yàng sǎo dì cuò le.
   zhè yàng yòng chuí zi duì le.
   zhè yàng yòng chuí zi cuò le.

12-01

频率：总、经常、有时、很少、从来不……

01 这种动物总是在水里。
这种动物有时在水里，有时在陆地上。
这种动物从来不到水里。
这辆车不应该开到水里。

02 太阳总是热的。
火绝不是冷的。
水有时是热的，有时是冷的。
这个绝不是热的。

03 这个绝不是冷的。
人们有时会感到太冷。
这些有时是冷的，有时是热的。
这些总是冷的。

04 哪种动物总是在游，从来不走，也从来不飞？
哪种动物从来不游，很少走，但是经常飞？
哪种动物有时游，有时走，但是从来不飞？
哪种动物有时游，有时走，有时也飞？

05 有的人有这种颜色的头发。
大多数马都这么大。
有些马这么大。
没人有这种颜色的头发。

06 这个人经常拿枪。
这个人很少拿枪。
这个人从来不拿枪。
狗很少穿衣服，但是这条狗穿着衣服。

07 这些哺乳动物经常爬树。
这些哺乳动物有时爬树。
这些哺乳动物从来不爬树。
这些爬行动物从来不爬树。

08 哪种动物经常飞？
哪种动物很少飞？
哪种动物从来不飞？
这些不是动物。

09 人们经常吃苹果。
人们有时吃蛋糕。
马有时吃胡萝卜。
人们绝不吃鞋。

10 人们经常坐在这上面。
人们很少坐在这上面。
人们从来不坐在这上面。
有人坐在另一个人的大腿上。

12-01

頻率：總、經常、有時、很少、從來不……

01 這種動物總是在水裡。
這種動物有時在水裡，有時在陸地上。
這種動物從來不到水裡。
這輛車不應該開到水裡。

02 太陽總是熱的。
火絕不是冷的。
水有時是熱的，有時是冷的。
這個絕不是熱的。

03 這個絕不是冷的。
人們有時會感到太冷。
這些有時是冷的，有時是熱的。
這些總是冷的。

04 哪種動物總是在游，從來不走，也從來不飛？
哪種動物從來不游，很少走，但是經常飛？
哪種動物有時游，有時走，但是從來不飛？
哪種動物有時游，有時走，有時也飛？

05 有的人有這種顏色的頭髮。
大多數馬都這麼大。
有些馬這麼大。
沒人有這種顏色的頭髮。

06 這個人經常拿槍。
這個人很少拿槍。
這個人從來不拿槍。
狗很少穿衣服，但是這條狗穿着衣服。

07 這些哺乳動物經常爬樹。
這些哺乳動物有時爬樹。
這些哺乳動物從來不爬樹。
這些爬行動物從來不爬樹。

08 哪種動物經常飛？
哪種動物很少飛？
哪種動物從來不飛？
這些不是動物。

09 人們經常喫蘋果。
人們有時喫蛋糕。
馬有時喫胡蘿蔔。
人們絕不喫鞋。

10 人們經常坐在這上面。
人們很少坐在這上面。
人們從來不坐在這上面。
有人坐在另一個人的大腿上。

12-01

pín lǜ: zǒng, jīng cháng, yǒu shí, hěn shǎo, cóng lái bù......

01   zhè zhǒng dòng wù zǒng shì zài shuǐ lǐ.
      zhè zhǒng dòng wù yǒu shí zài shuǐ lǐ, yǒu shí zài lù dì shàng.
      zhè zhǒng dòng wù cóng lái bù dào shuǐ lǐ.
      zhè liàng chē bù yīng gāi kāi dào shuǐ lǐ.

02   tài yáng zǒng shì rè de.
      huǒ jué bù shì lěng de.
      shuǐ yǒu shí shì rè de, yǒu shí shì lěng de.
      zhè gè jué bù shì rè de.

03   zhè gè jué bù shì lěng de.
      rén men yǒu shí huì gǎn dào tài lěng.
      zhè xiē yǒu shí shì lěng de, yǒu shí shì rè de.
      zhè xiē zǒng shì lěng de.

04   nǎ zhǒng dòng wù zǒng shì zài yóu, cóng lái bù zǒu, yě cóng lái bù fēi?
      nǎ zhǒng dòng wù cóng lái bù yóu, hěn shǎo zǒu, dàn shì jīng cháng fēi?
      nǎ zhǒng dòng wù yǒu shí yóu, yǒu shí zǒu, dàn shì cóng lái bù fēi?
      nǎ zhǒng dòng wù yǒu shí yóu, yǒu shí zǒu, yǒu shí yě fēi?

05   yǒu de rén yǒu zhè zhǒng yán sè de tóu fà.
      dà duō shù mǎ dōu zhè me dà.
      yǒu xiē mǎ zhè me dà.
      méi rén yǒu zhè zhǒng yán sè de tóu fà.

06   zhè gè rén jīng cháng ná qiāng.
      zhè gè rén hěn shǎo ná qiāng.
      zhè gè rén cóng lái bù ná qiāng.
      gǒu hěn shǎo chuān yī fu, dàn shì zhè tiáo gǒu chuān zhe yī fu.

07   zhè xiē bǔ rǔ dòng wù jīng cháng pá shù.
      zhè xiē bǔ rǔ dòng wù yǒu shí pá shù.
      zhè xiē bǔ rǔ dòng wù cóng lái bù pá shù.
      zhè xiē pá xíng dòng wù cóng lái bù pá shù.

08   nǎ zhǒng dòng wù jīng cháng fēi?
      nǎ zhǒng dòng wù hěn shǎo fēi?
      nǎ zhǒng dòng wù cóng lái bù fēi?
      zhè xiē bù shì dòng wù.

09   rén men jīng cháng chī píng guǒ.
      rén men yǒu shí chī dàn gāo.
      mǎ yǒu shí chī hú luó bo.
      rén men jué bù chī xié.

10   rén men jīng cháng zuò zài zhè shàng miàn.
      rén men hěn shǎo zuò zài zhè shàng miàn.
      rén men cóng lái bù zuò zài zhè shàng miàn.
      yǒu rén zuò zài lìng yī gè rén de dà tuǐ shàng.

12-02

兴趣，认识标记

01 男人对书感兴趣。
男人对书感到厌烦。
男人对电视节目感兴趣。
男人对电视节目感到厌烦。

02 这本书有趣。
这本书枯燥。
这个节目有趣。
这个节目枯燥。

03 男人感兴趣。
男人感到厌烦了。
女人感兴趣。
女人感到厌烦了。

04 男人够不到他要的东西。
男人有个主意。
男人去拿了一把椅子。
现在男人能够到他要的东西了。

05 女人搬不动盒子。
女人有个主意。
女人从盒子里拿出一些东西。
现在女人能搬动盒子了。

06 男孩不明白家庭作业。
男孩请他哥哥帮忙。
哥哥在讲解家庭作业。
现在男孩明白家庭作业了。

07 学生不明白数学题。
学生问老师："您能帮我吗？"
老师在讲解数学题。
现在学生明白数学题了。

08 这个路标表示什么？它表示道路变窄。
这个路标表示什么？它表示禁止左转。
这个路标表示什么？它表示禁止右转。
这个路标表示什么？它表示路滑。

09 这个路标表示路滑。
这个路标不表示路滑。
这个标记象征和平。
这个标记不象征和平。

10 这个路标表示停。
这个路标不表示停。
这个标记象征爱。
这个标记不象征爱。

12-02

興趣，認識標記

01 男人對書感興趣。
男人對書感到厭煩。
男人對電視節目感興趣。
男人對電視節目感到厭煩。

02 這本書有趣。
這本書枯燥。
這個節目有趣。
這個節目枯燥。

03 男人感興趣。
男人感到厭煩了。
女人感興趣。
女人感到厭煩了。

04 男人夠不到他要的東西。
男人有個主意。
男人去拿了一把椅子。
現在男人能夠到他要的東西了。

05 女人搬不動盒子。
女人有個主意。
女人從盒子裡拿出一些東西。
現在女人能搬動盒子了。

06 男孩不明白家庭作業。
男孩請他哥哥幫忙。
哥哥在講解家庭作業。
現在男孩明白家庭作業了。

07 學生不明白數學題。
學生問老師："您能幫我嗎？"
老師在講解數學題。
現在學生明白數學題了。

08 這個路標表示什麼？它表示道路變窄。
這個路標表示什麼？它表示禁止左轉。
這個路標表示什麼？它表示禁止右轉。
這個路標表示什麼？它表示路滑。

09 這個路標表示路滑。
這個路標不表示路滑。
這個標記象徵和平。
這個標記不象徵和平。

10 這個路標表示停。
這個路標不表示停。
這個標記象徵愛。
這個標記不象徵愛。

12-02

xìng qù, rèn shi biāo jì

01 nán rén duì shū gǎn xìng qù.
   nán rén duì shū gǎn dào yàn fán.
   nán rén duì diàn shì jié mù gǎn xìng qù.
   nán rén duì diàn shì jié mù gǎn dào yàn fán.

02 zhè běn shū yǒu qù.
   zhè běn shū kū zào.
   zhè gè jié mù yǒu qù.
   zhè gè jié mù kū zào.

03 nán rén gǎn xìng qù.
   nán rén gǎn dào yàn fán le.
   nǚ rén gǎn xìng qù.
   nǚ rén gǎn dào yàn fán le.

04 nán rén gòu bù dào tā yào de dōng xi.
   nán rén yǒu gè zhǔ yi.
   nán rén qù ná le yī bǎ yǐ zi.
   xiàn zài nán rén néng gòu dào tā yào de dōng xi le.

05 nǚ rén bān bù dòng hé zi.
   nǚ rén yǒu gè zhǔ yi.
   nǚ rén cóng hé zi lǐ ná chū yī xiē dōng xi.
   xiàn zài nǚ rén néng bān dòng hé zi le.

06 nán hái bù míng bai jiā tíng zuò yè.
   nán hái qǐng tā gē ge bāng máng.
   gē ge zài jiǎng jiě jiā tíng zuò yè.
   xiàn zài nán hái míng bai jiā tíng zuò yè le.

07 xué shēng bù míng bai shù xué tí.
   xué shēng wèn lǎo shī: "nín néng bāng wǒ ma?"
   lǎo shī zài jiǎng jiě shù xué tí.
   xiàn zài xué shēng míng bai shù xué tí le.

08 zhè gè lù biāo biǎo shì shén me? tā biǎo shì dào lù biàn zhǎi.
   zhè gè lù biāo biǎo shì shén me? tā biǎo shì jìn zhǐ zuǒ zhuǎn.
   zhè gè lù biāo biǎo shì shén me? tā biǎo shì jìn zhǐ yòu zhuǎn.
   zhè gè lù biāo biǎo shì shén me? tā biǎo shì lù huá.

09 zhè gè lù biāo biǎo shì lù huá.
   zhè gè lù biāo bù biǎo shì lù huá.
   zhè gè biāo jì xiàng zhēng hé píng.
   zhè gè biāo jì bù xiàng zhēng hé píng.

10 zhè gè lù biāo biǎo shì tíng.
   zhè gè lù biāo bù biǎo shì tíng.
   zhè gè biāo jì xiàng zhēng ài.
   zhè gè biāo jì bù xiàng zhēng ài.

12-03

旅游用语，银行交易

01 请问，银行在哪儿？
银行就在那儿。

多谢。
不客气。

谢静想要兑换钱。

02 谢静走进银行。
这个人是银行出纳员。
这是支票。
这些是纸币和硬币，这些都是钱。

03 我想存钱。
我想取钱。
我想把二十美元换成两张十美元。
我想把二十美元兑换成日元。

04 我想兑现一张支票。
我想取二十美元。
我想把二十美元换成四张五美元。
我想把二十美元兑换成德国马克。

05 硬币
信用卡
纸币
支票

06 有人用信用卡付钱。
有人在付支票。
有人在付现金。
有人正从银行取钱。

07 男厕所在哪儿？
男厕所在那儿。

我的护照呢？
你的护照在这里。

一份报纸多少钱？
五毛钱。

能把你的票给我吗？
给你。

08 巴黎离马德里多远？一千二百七十公里。
布鲁塞尔离伦敦多远？三百一十公里。
一张单程票能使你从巴黎到威尼斯。
一张双程票能使你从巴黎到威尼斯，并回到巴黎。

12-03

旅遊用語，銀行交易

01 請問，銀行在哪兒？
銀行就在那兒。

多謝。
不客氣。

謝靜想要兌換錢。

02 謝靜走進銀行。
這個人是銀行出納員。
這是支票。
這些是紙幣和硬幣，這些都是錢。

03 我想存錢。
我想取錢。
我想把二十美元換成兩張十美元。
我想把二十美元兌換成日元。

04 我想兌現一張支票。
我想取二十美元。
我想把二十美元換成四張五美元。
我想把二十美元兌換成德國馬克。

05 硬幣
信用卡
紙幣
支票

06 有人用信用卡付錢。
有人在付支票。
有人在付現金。
有人正從銀行取錢。

07 男廁所在哪兒？
男廁所在那兒。

我的護照呢？
你的護照在這裡。

一份報紙多少錢？
五毛錢。

能把你的票給我嗎？
給你。

08 巴黎離馬德裡多遠？一千二百七十公里。
布魯塞爾離倫敦多遠？三百一十公里。
一張單程票能使你從巴黎到威尼斯。
一張雙程票能使你從巴黎到威尼斯，並回到巴黎。

（继续）

12-03

lǚ yóu yòng yǔ, yín háng jiāo yì

01 qǐng wèn, yín háng zài nǎr?

    yín háng jiù zài nàr.

    duō xiè.
    bù kè qì.

    xiè jìng xiǎng yào duì huàn qián.

02 xiè jìng zǒu jìn yín háng.
    zhè gè rén shì yín háng chū nà yuán.
    zhè shì zhī piào.
    zhè xiē shì zhǐ bì hé yìng bì, zhè xiē dōu shì qián.

03 wǒ xiǎng cún qián.
    wǒ xiǎng qǔ qián.
    wǒ xiǎng bǎ èr shí měi yuán huàn chéng liǎng zhāng shí měi yuán.
    wǒ xiǎng bǎ èr shí měi yuán duì huàn chéng rì yuán.

04 wǒ xiǎng duì xiàn yī zhāng zhī piào.
    wǒ xiǎng qǔ èr shí měi yuán.
    wǒ xiǎng bǎ èr shí měi yuán huàn chéng sì zhāng wǔ měi yuán.
    wǒ xiǎng bǎ èr shí měi yuán duì huàn chéng dé guó mǎ kè.

05 yìng bì
    xìn yòng kǎ
    zhǐ bì
    zhī piào

06 yǒu rén yòng xìn yòng kǎ fù qián.
    yǒu rén zài fù zhī piào.
    yǒu rén zài fù xiàn jīn.
    yǒu rén zhèng cóng yín háng qǔ qián.

07 nán cè suǒ zài nǎr?
    nán cè suǒ zài nàr.

    wǒ de hù zhào ne?
    nǐ de hù zhào zài zhè lǐ.

    yī fèn bào zhǐ duō shǎo qián?
    wǔ máo qián.

    néng bǎ nǐ de piào gěi wǒ ma?
    gěi nǐ.

08 bā lí lí mǎ dé lǐ duō yuǎn? yī qiān èr bǎi qī shí gōng lǐ.
    bù lǔ sài ěr lí lún dūn duō yuǎn? sān bǎi yī shí gōng lǐ.
    yī zhāng dān chéng piào néng shǐ nǐ cóng bā lí dào wēi ní sī.
    yī zhāng shuāng chéng piào néng shǐ nǐ cóng bā lí dào wēi ní sī, bìng huí dào bā lí.

(jì xù)

09　请问，我们在哪儿？

你们在这儿。

我认为我们应该走这条路。
我不同意，我认为我们应该走这条路。

我认为我们应该走这条路。
我同意。

10　请问，博物馆在哪里？
博物馆就在那儿。
你用支票，信用卡，还是现金付钱？
我付现金。

09　請問，我們在哪兒？

你們在這兒。

我認為我們應該走這條路。
我不同意，我認為我們應該走這條路。

我認為我們應該走這條路。
我同意。

10　請問，博物館在哪裡？
博物館就在那兒。
你用支票，信用卡，還是現金付錢？
我付現金。

09 qǐng wèn, wǒ men zài nǎr?

nǐ men zài zhèr.

wǒ rèn wéi wǒ men yīng gāi zǒu zhè tiáo lù.
wǒ bù tóng yì, wǒ rèn wéi wǒ men yīng gāi zǒu zhè tiáo lù.

wǒ rèn wéi wǒ men yīng gāi zǒu zhè tiáo lù.
wǒ tóng yì.

10 qǐng wèn, bó wù guǎn zài nǎ lǐ?
bó wù guǎn jiù zài nàr.
nǐ yòng zhī piào, xìn yòng kǎ, hái shì xiàn jīn fù qián?
wǒ fù xiàn jīn.

反身代词：自己

01 女人看着马。
女人看着花。
女人没看任何东西。
女人看着自己。

02 女人在给别人洗脸。
女人在洗自己的脸。
女人在梳自己的头发。
女人在给别人梳头发。

03 女孩指着自己。
女孩指着她妈妈。
女孩在照镜子。
女孩看着她妈妈，但没有指点。

04 女孩往自己身上搽润肤液。
女孩往别人身上搽润肤液。
女孩往自己身上倒水。
女孩往别人身上倒水。

05 女孩往自己脸上搽润肤液。
女孩往她妈妈背上搽润肤液。
女孩往自己头发上倒水。
女孩往她妈妈的头发上倒水。

06 他在看书。
他在读给别人听。
他在拥抱女人。
他在拥抱小女孩。

07 孩子们自己在一起。
孩子们和父母在一起。
中间的女人在独唱。
女人们和三个男人在合唱。

08 女人在晒太阳。
女人在做饭。
女人在照镜子。
女人在称体重。

09 男人指着自己。
男人指着他。
女人抱着自己。
女人拥抱着她。

10 他们在看他们自己。
我们在看我们自己。
他们在看我们。
我们在看他们。

12-04

反身代詞：自己

01 女人看着馬。
女人看着花。
女人沒看任何東西。
女人看着自己。

02 女人在給別人洗臉。
女人在洗自己的臉。
女人在梳自己的頭髮。
女人在給別人梳頭髮。

03 女孩指着自己。
女孩指着她媽媽。
女孩在照鏡子。
女孩看着她媽媽，但沒有指點。

04 女孩往自己身上搽潤膚液。
女孩往別人身上搽潤膚液。
女孩往自己身上倒水。
女孩往別人身上倒水。

05 女孩往自己臉上搽潤膚液。
女孩往她媽媽背上搽潤膚液。
女孩往自己頭髮上倒水。
女孩往她媽媽的頭髮上倒水。

06 他在看書。
他在讀給別人聽。
他在擁抱女人。
他在擁抱小女孩。

07 孩子們自己在一起。
孩子們和父母在一起。
中間的女人在獨唱。
女人們和三個男人在合唱。

08 女人在曬太陽。
女人在做飯。
女人在照鏡子。
女人在稱體重。

09 男人指着自己。
男人指着他。
女人抱着自己。
女人擁抱着她。

10 他們在看他們自己。
我們在看我們自己。
他們在看我們。
我們在看他們。

12-04

fǎn shēn dài cí: zì jǐ

01 nǚ rén kàn zhe mǎ.
    nǚ rén kàn zhe huā.
    nǚ rén méi kàn rèn hé dōng xi.
    nǚ rén kàn zhe zì jǐ.

02 nǚ rén zài gěi bié rén xǐ liǎn.
    nǚ rén zài xǐ zì jǐ de liǎn.
    nǚ rén zài shū zì jǐ de tóu fà.
    nǚ rén zài gěi bié rén shū tóu fà.

03 nǚ hái zhǐ zhe zì jǐ.
    nǚ hái zhǐ zhe tā mā ma.
    nǚ hái zài zhào jìng zi.
    nǚ hái kàn zhe tā mā ma, dàn méi yǒu zhǐ diǎn.

04 nǚ hái wǎng zì jǐ shēn shàng chá rùn fū yè.
    nǚ hái wǎng bié rén shēn shàng chá rùn fū yè.
    nǚ hái wǎng zì jǐ shēn shàng dào shuǐ.
    nǚ hái wǎng bié rén shēn shàng dào shuǐ.

05 nǚ hái wǎng zì jǐ liǎn shàng chá rùn fū yè.
    nǚ hái wǎng tā mā ma bèi shàng chá rùn fū yè.
    nǚ hái wǎng zì jǐ tóu fà shàng dào shuǐ.
    nǚ hái wǎng tā mā ma de tóu fà shàng dào shuǐ.

06 tā zài kàn shū.
    tā zài dú gěi bié rén tīng.
    tā zài yōng bào nǚ rén.
    tā zài yōng bào xiǎo nǚ hái.

07 hái zi men zì jǐ zài yī qǐ.
    hái zi men hé fù mǔ zài yī qǐ.
    zhōng jiān de nǚ rén zài dú chàng.
    nǚ rén men hé sān gè nán rén zài hé chàng.

08 nǚ rén zài shài tài yáng.
    nǚ rén zài zuò fàn.
    nǚ rén zài zhào jìng zi.
    nǚ rén zài chēng tǐ zhòng.

09 nán rén zhǐ zhe zì jǐ.
    nán rén zhǐ zhe tā.
    nǚ rén bào zhe zì jǐ.
    nǚ rén yōng bào zhe tā.

10 tā men zài kàn tā men zì jǐ.
    wǒ men zài kàn wǒ men zì jǐ.
    tā men zài kàn wǒ men.
    wǒ men zài kàn tā men.

描写人物、动物和物体发出的声音

01　这只动物喵喵地叫。
　　这只动物汪汪地叫。
　　这只动物哞哞地叫。
　　这只动物咩咩地叫。

02　铃
　　哨
　　吉他
　　鼓

03　火箭正发出声音。
　　火箭还没有发出声音。
　　吉他没有发出声音。
　　吉他正发出声音。

04　男人正在叫喊。
　　女人正在叫喊。
　　男人正在耳语。
　　女人正在耳语。

05　耳语声很轻。
　　叫喊声很响。
　　男孩正弄出很响的声音。
　　男孩没有弄出很响的声音。

06　他在摇铃。
　　她在吹哨。
　　她在弹吉他。
　　他在击鼓。

07　当你耳语的时候，小声地说。
　　当你叫喊的时候，大声地说。
　　小男孩在静静地干活。
　　小男孩在吵闹地玩耍。

08　这只动物有时吵闹，它发出很大的声音。
　　这只动物安静，它发出很小的声音。
　　水是吵闹的。
　　水是宁静的。

09　这种交通工具喧闹。
　　这种交通工具安静。
　　这种乐器发出高音。
　　这种乐器发出低音。

10　这个人的嗓音高。
　　这个人的嗓音低。
　　有些动物的叫声高。
　　有些动物的叫声低。

12-05

描寫人物、動物和物體發出的聲音

01　這隻動物喵喵地叫。
　　這隻動物汪汪地叫。
　　這隻動物哞哞地叫。
　　這隻動物咩咩地叫。

02　鈴
　　哨
　　吉他
　　鼓

03　火箭正發出聲音。
　　火箭還沒有發出聲音。
　　吉他沒有發出聲音。
　　吉他正發出聲音。

04　男人正在叫喊。
　　女人正在叫喊。
　　男人正在耳語。
　　女人正在耳語。

05　耳語聲很輕。
　　叫喊聲很響。
　　男孩正弄出很響的聲音。
　　男孩沒有弄出很響的聲音。

06　他在搖鈴。
　　她在吹哨。
　　她在彈吉他。
　　他在擊鼓。

07　當你耳語的時候，小聲地說。
　　當你叫喊的時候，大聲地說。
　　小男孩在靜靜地幹活。
　　小男孩在吵鬧地玩耍。

08　這隻動物有時吵鬧，牠發出很大的聲音。
　　這隻動物安靜，牠發出很小的聲音。
　　水是吵鬧的。
　　水是寧靜的。

09　這種交通工具喧鬧。
　　這種交通工具安靜。
　　這種樂器發出高音。
　　這種樂器發出低音。

10　這個人的嗓音高。
　　這個人的嗓音低。
　　有些動物的叫聲高。
　　有些動物的叫聲低。

12-05

miáo xiě rén wù, dòng wù hé wù tǐ fā chū de shēng yīn

01 zhè zhī dòng wù miāo miāo de jiào.
 zhè zhī dòng wù wāng wāng de jiào.
 zhè zhī dòng wù mōu mōu de jiào.
 zhè zhī dòng wù miē miē de jiào.

02 líng
 shào
 jí tā
 gǔ

03 huǒ jiàn zhèng fā chū shēng yīn.
 huǒ jiàn hái méi yǒu fā chū shēng yīn.
 jí tā méi yǒu fā chū shēng yīn.
 jí tā zhèng fā chū shēng yīn.

04 nán rén zhèng zài jiào hǎn.
 nǚ rén zhèng zài jiào hǎn.
 nán rén zhèng zài ěr yǔ.
 nǚ rén zhèng zài ěr yǔ.

05 ěr yǔ shēng hěn qīng.
 jiào hǎn shēng hěn xiǎng.
 nán hái zhèng nòng chū hěn xiǎng de shēng yīn.
 nán hái méi yǒu nòng chū hěn xiǎng de shēng yīn.

06 tā zài yáo líng.
 tā zài chuī shào.
 tā zài tán jí tā.
 tā zài jī gǔ.

07 dāng nǐ ěr yǔ de shí hou, xiǎo shēng de shuō.
 dāng nǐ jiào hǎn de shí hou, dà shēng de shuō.
 xiǎo nán hái zài jìng jìng de gàn huó.
 xiǎo nán hái zài chǎo nào de wán shuǎ.

08 zhè zhī dòng wù yǒu shí chǎo nào, tā fā chū hěn dà de shēng yīn.
 zhè zhī dòng wù ān jìng, tā fā chū hěn xiǎo de shēng yīn.
 shuí shì chǎo nào de.
 shuí shì níng jìng de.

09 zhè zhǒng jiāo tōng gōng jù xuān nào.
 zhè zhǒng jiāo tōng gōng jù ān jìng.
 zhè zhǒng yuè qì fā chū gāo yīn.
 zhè zhǒng yuè qì fā chū dī yīn.

10 zhè gè rén de sǎng yīn gāo.
 zhè gè rén de sǎng yīn dī.
 yǒu xiē dòng wù de jiào shēng gāo.
 yǒu xiē dòng wù de jiào shēng dī.

12-06

命令和提醒他人

01 小明正在床上跳。
小明的妈妈刚进房间。
小明的妈妈说："不要在床上跳！"
小明不再跳了，并且从床上下来。

02 小明正在扔纸。
小明的妈妈说："把纸捡起来。"
小明把纸捡起来。
小明把纸扔进废纸篓里。

03 请递给我那件外套。
请帮我抬这个。
请递给我毛巾。
请递给我黄油。

04 请递给我那本书。
请拿这本书吧。
请递给我那个玻璃杯。
请拿这个玻璃杯吧。

05 上床。
睡吧，晚安。
过来。
请出去玩。

06 安静。
来桌子旁边。
去洗手。
请走开。

07 小心！碎玻璃！
小心！这很烫！
小心！别掉了！
小心！有车过来！

08 小心，这很锋利。
停下，妈妈，疼！
小心！它会咬人！
小心，这很满。

09 父亲说："请把纸扔掉。"
男孩听父亲的话。
男孩不听父亲的话。
女孩把纸扔掉了。

10 老师说："转过来面向黑板。"
两个学生都听话。
两个学生都不听话。
一个学生听话，但另一个不听话。

12-06

命令和提醒他人

01 小明正在床上跳。
小明的媽媽剛進房間。
小明的媽媽說："不要在床上跳！"
小明不再跳了，並且從床上下來。

02 小明正在扔紙。
小明的媽媽說："把紙撿起來。"
小明把紙撿起來。
小明把紙扔進廢紙簍裡。

03 請遞給我那件外套。
請幫我抬這個。
請遞給我毛巾。
請遞給我黃油。

04 請遞給我那本書。
請拿這本書吧。
請遞給我那個玻璃盃。
請拿這個玻璃盃吧。

05 上床。
睡吧，晚安。
過來。
請出去玩。

06 安靜。
來桌子旁邊。
去洗手。
請走開。

07 小心！碎玻璃！
小心！這很燙！
小心！別掉了！
小心！有車過來！

08 小心，這很鋒利。
停下，媽媽，疼！
小心！牠會咬人！
小心，這很滿。

09 父親說："請把紙扔掉。"
男孩聽父親的話。
男孩不聽父親的話。
女孩把紙扔掉了。

10 老師說："轉過來面向黑板。"
兩個學生都聽話。
兩個學生都不聽話。
一個學生聽話，但另一個不聽話。

12-06

mìng lìng hé tí xǐng tā rén

01 xiǎo míng zhèng zài chuáng shàng tiào.
     xiǎo míng de mā ma gāng jìn fáng jiān.
     xiǎo míng de mā ma shuō: "bù yào zài chuáng shàng tiào!"
     xiǎo míng bù zài tiào le, bìng qiě cóng chuáng shàng xià lái.

02 xiǎo míng zhèng zài rēng zhǐ.
     xiǎo míng de mā ma shuō: "bǎ zhǐ jiǎn qǐ lái."
     xiǎo míng bǎ zhǐ jiǎn qǐ lái.
     xiǎo míng bǎ zhǐ rēng jìn fèi zhǐ lǒu lǐ.

03 qǐng dì gěi wǒ nà jiàn wài tào.
     qǐng bāng wǒ tái zhè gè.
     qǐng dì gěi wǒ máo jīn.
     qǐng dì gěi wǒ huáng yóu.

04 qǐng dì gěi wǒ nà běn shū.
     qǐng ná zhè běn shū ba.
     qǐng dì gěi wǒ nà gè bō li bēi.
     qǐng ná zhè gè bō li bēi ba.

05 shàng chuáng.
     shuì ba, wǎn ān.
     guò lái.
     qǐng chū qù wán.

06 ān jìng.
     lái zhuō zi páng biān.
     qù xǐ shǒu.
     qǐng zǒu kāi.

07 xiǎo xīn! suì bō li!
     xiǎo xīn! zhè hěn tàng!
     xiǎo xīn! bié diào le!
     xiǎo xīn! yǒu chē guò lái!

08 xiǎo xīn, zhè hěn fēng lì.
     tíng xià, mā ma, téng!
     xiǎo xīn! tā huì yǎo rén!
     xiǎo xīn, zhè hěn mǎn.

09 fù qīn shuō: "qǐng bǎ zhǐ rēng diào."
     nán hái tīng fù qīn de huà.
     nán hái bù tīng fù qīn de huà.
     nǚ hái bǎ zhǐ rēng diào le.

10 lǎo shī shuō: "zhuǎn guò lái miàn xiàng hēi bǎn."
     liǎng gè xué shēng dōu tīng huà.
     liǎng gè xué shēng dōu bù tīng huà.
     yī gè xué shēng tīng huà, dàn lìng yī gè bù tīng huà.

12-07

食物、饮料和有关动词

01 男人在咀嚼。
　　男人在吞咽。
　　女人在咀嚼。
　　女人在吞咽。

02 她在用吸管吸。
　　她没用吸管吸。
　　她在吸奶瓶。
　　她没在吸奶瓶，她含着奶嘴。

03 他在咬香蕉。
　　他在咬苹果。
　　他在咀嚼。
　　他在吞咽。

04 有人在削土豆皮。
　　有人在把香蕉切成片。
　　有人在把土豆切成片。
　　有人在剥香蕉皮。

05 女人在用吸管吸。
　　她在用吸管吹泡。
　　男人在用吸管吸。
　　他在吹小号。

06 她在剥香蕉皮。
　　她在把香蕉切成片。
　　她在咬香蕉。
　　她在咀嚼。

07 她在舔棒糖。
　　她在咬棒糖。
　　他在舔蛋卷冰淇淋。
　　他在咬蛋卷冰淇淋。

08 狗在舔东西。
　　他在咬东西。
　　他在吞咽。
　　他在舔。

09 她在小口地喝。
　　她在大口地喝。
　　他们在小口地喝。
　　他们在大口地喝。

10 她在小口地喝。
　　她在大口地喝。
　　她在吸。
　　她在吹。

12-07

食物、飲料和有關動詞

01 男人在咀嚼。
　　男人在吞嚥。
　　女人在咀嚼。
　　女人在吞嚥。

02 她在用吸管吸。
　　她沒用吸管吸。
　　她在吸奶瓶。
　　她沒在吸奶瓶，她含着奶嘴。

03 他在咬香蕉。
　　他在咬蘋果。
　　他在咀嚼。
　　他在吞嚥。

04 有人在削土豆皮。
　　有人在把香蕉切成片。
　　有人在把土豆切成片。
　　有人在剝香蕉皮。

05 女人在用吸管吸。
　　她在用吸管吹泡。
　　男人在用吸管吸。
　　他在吹小號。

06 她在剝香蕉皮。
　　她在把香蕉切成片。
　　她在咬香蕉。
　　她在咀嚼。

07 她在舔棒糖。
　　她在咬棒糖。
　　他在舔蛋卷冰淇淋。
　　他在咬蛋卷冰淇淋。

08 狗在舔東西。
　　他在咬東西。
　　他在吞咽。
　　他在舔。

09 她在小口地喝。
　　她在大口地喝。
　　他們在小口地喝。
　　他們在大口地喝。

10 她在小口地喝。
　　她在大口地喝。
　　她在吸。
　　她在吹。

12-07

shí wù, yǐn liào hé yǒu guān dòng cí

01 nán rén zài jǔ jué.
   nán rén zài tūn yàn.
   nǚ rén zài jǔ jué.
   nǚ rén zài tūn yàn.

02 tā zài yòng xī guǎn xī.
   tā méi yòng xī guǎn xī.
   tā zài xī nǎi píng.
   tā méi zài xī nǎi píng, tā hán zhe nǎi zuǐ.

03 tā zài yǎo xiāng jiāo.
   tā zài yǎo píng guǒ.
   tā zài jǔ jué.
   tā zài tūn yàn.

04 yǒu rén zài xiāo tǔ dòu pí.
   yǒu rén zài bǎ xiāng jiāo qiē chéng piàn.
   yǒu rén zài bǎ tǔ dòu qiē chéng piàn.
   yǒu rén zài bāo xiāng jiāo pí.

05 nǚ rén zài yòng xī guǎn xī.
   tā zài yòng xī guǎn chuī pào.
   nán rén zài yòng xī guǎn xī.
   tā zài chuī xiǎo hào.

06 tā zài bāo xiāng jiāo pí.
   tā zài bǎ xiāng jiāo qiē chéng piàn.
   tā zài yǎo xiāng jiāo.
   tā zài jǔ jué.

07 tā zài tiǎn bàng táng.
   tā zài yǎo bàng táng.
   tā zài tiǎn dàn juǎn bīng qí lín.
   tā zài yǎo dàn juǎn bīng qí lín.

08 gǒu zài tiǎn dōng xi.
   tā zài yǎo dōng xi.
   tā zài tūn yàn.
   tā zài tiǎn.

09 tā zài xiǎo kǒu de hē.
   tā zài dà kǒu de hē.
   tā men zài xiǎo kǒu de hē.
   tā men zài dà kǒu de hē.

10 tā zài xiǎo kǒu de hē.
   tā zài dà kǒu de hē.
   tā zài xī.
   tā zài chuī.

12-08

対动物和建筑的种类提问，可读的九种东西

01　她几岁？她十岁。
　　她多大岁数？她七十岁。
　　水多热？大约摄氏二十五度。
　　水多冷？低于摄氏零度。

02　这是什么动物？这是爬行动物。
　　这是什么动物？这是哺乳动物。
　　这是什么动物？这是昆虫。
　　这是什么动物？这是鸟。

03　这是什么建筑？这是大教堂。
　　这是什么建筑？这是摩天大楼。
　　这是什么建筑？这是城堡的废墟。
　　这是什么建筑？我们看不出。

04　他在读什么？他在读书。
　　他在读什么？他在读杂志。
　　他在读什么？他在读报纸。
　　他在读什么？他在读游戏规则。

05　他在看什么？他在看地图。
　　他在看什么？他在看菜单。
　　他在看什么？他在看手写的字条。
　　他在看什么？他在看药瓶上的说明。

06　他在看什么？他在看招牌。
　　他在读什么？他在读一本诗集。
　　这是种什么家具？这是家用家具。
　　这是种什么家具？这是办公家具。

07　这个女人从哪儿来？她从夏威夷来。
　　这个女人从哪儿来？她从中国来。
　　巴黎在哪儿？巴黎在法国。
　　罗马在哪儿？罗马在意大利。

08　那是谁的马？那是男人的马。
　　那是谁的马？那是女人的马。
　　那是谁的自行车？那是男人的自行车。
　　那是谁的自行车？我不知道它是谁的。

09　你要哪个鸡蛋？
　　我要黄色的。

　　你要哪副手套？
　　我要黄色的。

　　你要坐哪把椅子？
　　两把都不要，有人已经坐在那儿了。

　　你要坐哪把椅子？
　　我不在乎，它们都一样。

12-08

對動物和建築的種類提問，可讀的九種東西

01　她幾歲？她十歲。
　　她多大歲數？她七十歲。
　　水多熱？大約攝氏二十五度。
　　水多冷？低於攝氏零度。

02　這是什麼動物？這是爬行動物。
　　這是什麼動物？這是哺乳動物。
　　這是什麼動物？這是昆蟲。
　　這是什麼動物？這是鳥。

03　這是什麼建築？這是大教堂。
　　這是什麼建築？這是摩天大樓。
　　這是什麼建築？這是城堡的廢墟。
　　這是什麼建築？我們看不出。

04　他在讀什麼？他在讀書。
　　他在讀什麼？他在讀雜誌。
　　他在讀什麼？他在讀報紙。
　　他在讀什麼？他在讀游戲規則。

05　他在看什麼？他在看地圖。
　　他在看什麼？他在看菜單。
　　他在看什麼？他在看手寫的字條。
　　他在看什麼？他在看藥瓶上的說明。

06　他在看什麼？他在看招牌。
　　他在讀什麼？他在讀一本詩集。
　　這是種什麼家具？這是家用家具。
　　這是種什麼家具？這是辦公家具。

07　這個女人從哪兒來？她從夏威夷來。
　　這個女人從哪兒來？她從中國來。
　　巴黎在哪兒？巴黎在法國。
　　羅馬在哪兒？羅馬在意大利。

08　那是誰的馬？那是男人的馬。
　　那是誰的馬？那是女人的馬。
　　那是誰的自行車？那是男人的自行車。
　　那是誰的自行車？我不知道它是誰的。

09　你要哪個雞蛋？
　　我要黃色的。

　　你要哪副手套？
　　我要黃色的。

　　你要坐哪把椅子？
　　兩把都不要，有人已經坐在那兒了。

　　你要坐哪把椅子？
　　我不在乎，它們都一樣。

（继续）

12-08

duì dòng wù hé jiàn zhù de zhǒng lèi tí wèn, kě dú de jiǔ zhǒng dōng xi

01 tā jǐ suì? tā shí suì.
tā duō dà suì shù? tā qī shí suì.
shuǐ duō rè? dà yuē shè shì èr shí wǔ dù.
shuǐ duō lěng? dī yú shè shì líng dù.

02 zhè shì shén me dòng wù? zhè shì pá xíng dòng wù.
zhè shì shén me dòng wù? zhè shì bǔ rǔ dòng wù.
zhè shì shén me dòng wù? zhè shì kūn chóng.
zhè shì shén me dòng wù? zhè shì niǎo.

03 zhè shì shén me jiàn zhù? zhè shì dà jiào táng.
zhè shì shén me jiàn zhù? zhè shì mó tiān dà lóu.
zhè shì shén me jiàn zhù? zhè shì chéng bǎo de fèi xū.
zhè shì shén me jiàn zhù? wǒ men kàn bù chū.

04 tā zài dú shén me? tā zài dú shū.
tā zài dú shén me? tā zài dú zá zhì.
tā zài dú shén me? tā zài dú bào zhǐ.
tā zài dú shén me? tā zài dú yóu xì guī zé.

05 tā zài kàn shén me? tā zài kàn dì tú.
tā zài kàn shén me? tā zài kàn cài dān.
tā zài kàn shén me? tā zài kàn shǒu xiě de zì tiáo.
tā zài kàn shén me? tā zài kàn yào píng shàng de shuō míng.

06 tā zài kàn shén me? tā zài kàn zhāo pái.
tā zài dú shén me? tā zài dú yī běn shī jí.
zhè shì zhǒng shén me jiā jù? zhè shì jiā yòng jiā jù.
zhè shì zhǒng shén me jiā jù? zhè shì bàn gōng jiā jù.

07 zhè gè nǚ rén cóng nǎr lái? tā cóng xià wēi yí lái.
zhè gè nǚ rén cóng nǎr lái? tā cóng zhōng guó lái.
bā lí zài nǎr? bā lí zài fǎ guó.
luó mǎ zài nǎr? luó mǎ zài yì dà lì.

08 nà shì shuí de mǎ? nà shì nán rén de mǎ.
nà shì shuí de mǎ? nà shì nǚ rén de mǎ.
nà shì shuí de zì xíng chē? nà shì nán rén de zì xíng chē.
nà shì shuí de zì xíng chē? wǒ bù zhī dào tā shì shuí de.

09 nǐ yào nǎ gè jī dàn?
wǒ yào huáng sè de.

nǐ yào nǎ fù shǒu tào?
wǒ yào huáng sè de.

nǐ yào zuò nǎ bǎ yǐ zi?
liǎng bǎ dōu bù yào, yǒu rén yǐ jīng zuò zài nàr le.

nǐ yào zuò nǎ bǎ yǐ zi?
wǒ bù zài hu, tā men dōu yī yàng.

(jì xù)

10   男人的嘴为什么张着？因为他在笑。
      男人的嘴为什么张着？因为他在吃东西。
      狗的嘴为什么张着？因为它在叫。
      狗的嘴为什么张着？因为它热。

12-08

10   男人的嘴為什麼張覂？因為他在笑。
      男人的嘴為什麼張着？因為他在喫東西。
      狗的嘴為什麼張着？因為牠在叫。
      狗的嘴為什麼張着？因為牠熱。

10 nán rén de zuǐ wèi shén me zhāng zhe? yīn wéi tā zài xiào.
nán rén de zuǐ wèi shén me zhāng zhe? yīn wéi tā zài chī dōng xi.
gǒu de zuǐ wèi shén me zhāng zhe? yīn wéi tā zài jiào.
gǒu de zuǐ wèi shén me zhāng zhe? yīn wéi tā rè.

12-09

因果关系：因为……所以……；假设：如果……就……

01　因为男人站在椅子上，所以他能够到画。
　　如果男人站在椅子上，他就能够到画。
　　因为女人在开车，所以速度快。
　　如果女人开车，速度就会更快。

02　因为女人有食物，所以她在吃。
　　如果女人有食物，她就会吃。
　　因为女人有牛奶，所以她在喝。
　　如果女人有牛奶，她就会喝。

03　因为男人睁着眼睛，所以他能看见。
　　如果男人睁开眼睛，他就能看见。
　　因为男人有梯子，所以他能爬到房顶。
　　如果男人有梯子，他就能爬到房顶。

04　男人能谈话。
　　如果女人的手没有捂着男人的嘴，他就能谈话。
　　她能写字。
　　如果她有笔，她就能写字。

05　因为女人穿着大衣，所以她感到暖和。
　　如果女人穿上大衣，她就会感到暖和。
　　女人正用毛巾把脸擦干。
　　如果女人有毛巾，她就会把脸擦干。

06　因为她是大人，所以她能开车。
　　如果她是大人，她就能开车。
　　她坐在桌子旁边。
　　如果有椅子坐，她就能坐在桌子旁边。

07　他能看报。
　　如果报纸没有倒过来，他就能看。
　　如果下雨，她就会撑伞。
　　因为在下雨，所以她撑着伞。

08　她将要喝牛奶。
　　如果她有牛奶，她就会喝。
　　他将要吃东西。
　　如果有东西吃，他就会吃。

09　她就要开车了。
　　如果她有车，她就会开车。
　　她就要接住球了。
　　如果她没摔倒，她就会接住球。

10　因为他穿着靴子，所以脚是干的。
　　如果他穿了靴子，脚就会是干的。
　　因为她撑着伞，所以头发是干的。
　　如果她撑了伞，头发就会是干的。

12-09

因果關係：因為……所以……；假設：如果……就……

01　因為男人站在椅子上，所以他能夠到畫。
　　如果男人站在椅子上，他就能夠到畫。
　　因為女人在開車，所以速度快。
　　如果女人開車，速度就會更快。

02　因為女人有食物，所以她在喫。
　　如果女人有食物，她就會喫。
　　因為女人有牛奶，所以她在喝。
　　如果女人有牛奶，她就會喝。

03　因為男人睜着眼睛，所以他能看見。
　　如果男人睜開眼睛，他就能看見。
　　因為男人有梯子，所以他能爬到房頂。
　　如果男人有梯子，他就能爬到房頂。

04　男人能談話。
　　如果女人的手沒有捂着男人的嘴，他就能談話。
　　她能寫字。
　　如果她有筆，她就能寫字。

05　因為女人穿着大衣，所以她感到暖和。
　　如果女人穿上大衣，她就會感到暖和。
　　女人正用毛巾把臉擦乾。
　　如果女人有毛巾，她就會把臉擦乾。

06　因為她是大人，所以她能開車。
　　如果她是大人，她就能開車。
　　她坐在桌子旁邊。
　　如果有椅子坐，她就能坐在桌子旁邊。

07　他能看報。
　　如果報紙沒有倒過來，他就能看。
　　如果下雨，她就會撑傘。
　　因為在下雨，所以她撑着傘。

08　她將要喝牛奶。
　　如果她有牛奶，她就會喝。
　　他將要喫東西。
　　如果有東西喫，他就會喫。

09　她就要開車了。
　　如果她有車，她就會開車。
　　她就要接住球了。
　　如果她沒摔倒，她就會接住球。

10　因為他穿着靴子，所以腳是乾的。
　　如果他穿了靴子，腳就會是乾的。
　　因為她撑着傘，所以頭髮是乾的。
　　如果她撑了傘，頭髮就會是乾的。

12-09

yīn guǒ guān xì: yīn wéi…… suǒ yǐ……; jiǎ shè: rú guǒ…… jiù……

01 yīn wéi nán rén zhàn zài yǐ zi shàng, suǒ yǐ tā néng gòu dào huà.
    rú guǒ nán rén zhàn zài yǐ zi shàng, tā jiù néng gòu dào huà.
    yīn wéi nǚ rén zài kāi chē, suǒ yǐ sù dù kuài.
    rú guǒ nǚ rén kāi chē, sù dù jiù huì gèng kuài.

02 yīn wéi nǚ rén yǒu shí wù, suǒ yǐ tā zài chī.
    rú guǒ nǚ rén yǒu shí wù, tā jiù huì chī.
    yīn wéi nǚ rén yǒu niú nǎi, suǒ yǐ tā zài hē.
    rú guǒ nǚ rén yǒu niú nǎi, tā jiù huì hē.

03 yīn wéi nán rén zhēng zhe yǎn jing, suǒ yǐ tā néng kàn jiàn.
    rú guǒ nán rén zhēng kāi yǎn jing, tā jiù néng kàn jiàn.
    yīn wéi nán rén yǒu tī zi, suǒ yǐ tā néng pá dào fáng dǐng.
    rú guǒ nán rén yǒu tī zi, tā jiù néng pá dào fáng dǐng.

04 nán rén néng tán huà.
    rú guǒ nǚ rén de shǒu méi yǒu wǔ zhe nán rén de zuǐ, tā jiù néng tán huà.
    tā néng xiě zì.
    rú guǒ tā yǒu bǐ, tā jiù néng xiě zì.

05 yīn wéi nǚ rén chuān zhe dà yī, suǒ yǐ tā gǎn dào nuǎn huo.
    rú guǒ nǚ rén chuān shàng dà yī, tā jiù huì gǎn dào nuǎn huo.
    nǚ rén zhèng yòng máo jīn bǎ liǎn cā gān.
    rú guǒ nǚ rén yǒu máo jīn, tā jiù huì bǎ liǎn cā gān.

06 yīn wéi tā shì dà rén, suǒ yǐ tā néng kāi chē.
    rú guǒ tā shì dà rén, tā jiù néng kāi chē.
    tā zuò zài zhuō zi páng biān.
    rú guǒ yǒu yǐ zi zuò, tā jiù néng zuò zài zhuō zi páng biān.

07 tā néng kàn bào.
    rú guǒ bào zhǐ méi yǒu dào guò lái, tā jiù néng kàn.
    rú guǒ xià yǔ, tā jiù huì chēng sǎn.
    yīn wéi zài xià yǔ, suǒ yǐ tā chēng zhe sǎn.

08 tā jiāng yào hē niú nǎi.
    rú guǒ tā yǒu niú nǎi, tā jiù huì hē.
    tā jiāng yào chī dōng xi.
    rú guǒ yǒu dōng xi chī, tā jiù huì chī.

09 tā jiù yào kāi chē le.
    rú guǒ tā yǒu chē, tā jiù huì kāi chē.
    tā jiù yào jiē zhù qiú le.
    rú guǒ tā méi shuāi dǎo, tā jiù huì jiē zhù qiú.

10 yīn wéi tā chuān zhe xuē zi, suǒ yǐ jiǎo shì gān de.
    rú guǒ tā chuān le xuē zi, jiǎo jiù huì shì gān de.
    yīn wéi tā chēng zhe sǎn, suǒ yǐ tóu fà shì gān de.
    rú guǒ tā chēng le sǎn, tóu fà jiù huì shì gān de.

12-10

动物的种类及活动

01 蛇是爬行动物。
乌龟是爬行动物。
蝴蝶是昆虫。
青蛙是两栖动物。

02 这种动物是鸟。
这种动物是鱼。
这种动物是爬行动物。
这种动物是哺乳动物。

03 这种动物是两栖动物。
这种动物是昆虫。
这种动物是爬行动物。
这种动物是哺乳动物。

04 这是不会飞的鸟。
这是会飞的哺乳动物。
这是生活在水里的哺乳动物。
这是会说话的鸟。

05 这种爬行动物吃肉，是肉食动物。
这种哺乳动物吃肉和植物，是杂食动物。
这种哺乳动物吃植物，是草食动物。
这种鸟吃死动物，是腐食动物。

06 这种昆虫会飞。
这种爬行动物曾经会飞。
这种两栖动物不会飞。
这种哺乳动物会飞。

07 这只鸡是公的。
这只鸡是母的。
这只哺乳动物是公的。
这只哺乳动物是母的。

08 这只动物是公的。
这只动物是母的。
这个人是男的。
这个人是女的。

09 这只鸟是野生动物。
这只鸟是驯化的动物。
这只哺乳动物是驯化的动物。
这只哺乳动物是野生动物。

10 这只驯化的动物不是宠物。
这只野生动物危险。
这只野生动物不危险。
这只驯化的动物是宠物。

12-10

動物的種類及活動

01 蛇是爬行動物。
烏龜是爬行動物。
蝴蝶是昆蟲。
青蛙是兩棲動物。

02 這種動物是鳥。
這種動物是魚。
這種動物是爬行動物。
這種動物是哺乳動物。

03 這種動物是兩棲動物。
這種動物是昆蟲。
這種動物是爬行動物。
這種動物是哺乳動物。

04 這是不會飛的鳥。
這是會飛的哺乳動物。
這是生活在水裡的哺乳動物。
這是會說話的鳥。

05 這種爬行動物喫肉，是肉食動物。
這種哺乳動物喫肉和植物，是雜食動物。
這種哺乳動物喫植物，是草食動物。
這種鳥喫死動物，是腐食動物。

06 這種昆蟲會飛。
這種爬行動物曾經會飛。
這種兩棲動物不會飛。
這種哺乳動物會飛。

07 這隻雞是公的。
這隻雞是母的。
這隻哺乳動物是公的。
這隻哺乳動物是母的。

08 這隻動物是公的。
這隻動物是母的。
這個人是男的。
這個人是女的。

09 這隻鳥是野生動物。
這隻鳥是馴化的動物。
這隻哺乳動物是馴化的動物。
這隻哺乳動物是野生動物。

10 這隻馴化的動物不是寵物。
這隻野生動物危險。
這隻野生動物不危險。
這隻馴化的動物是寵物。

12-10

dòng wù de zhǒng lèi jí huó dòng

01　shé shì pá xíng dòng wù.
　　wū guī shì pá xíng dòng wù.
　　hú dié shì kūn chóng.
　　qīng wā shì liǎng qī dòng wù.

02　zhè zhǒng dòng wù shì niǎo.
　　zhè zhǒng dòng wù shì yú.
　　zhè zhǒng dòng wù shì pá xíng dòng wù.
　　zhè zhǒng dòng wù shì bǔ rǔ dòng wù.

03　zhè zhǒng dòng wù shì liǎng qī dòng wù.
　　zhè zhǒng dòng wù shì kūn chóng.
　　zhè zhǒng dòng wù shì pá xíng dòng wù.
　　zhè zhǒng dòng wù shì bǔ rǔ dòng wù.

04　zhè shì bù huì fēi de niǎo.
　　zhè shì huì fēi de bǔ rǔ dòng wù.
　　zhè shì shēng huó zài shuǐ lǐ de bǔ rǔ dòng wù.
　　zhè shì huì shuō huà de niǎo.

05　zhè zhǒng pá xíng dòng wù chī ròu, shì ròu shí dòng wù.
　　zhè zhǒng bǔ rǔ dòng wù chī ròu hé zhí wù, shì zá shí dòng wù.
　　zhè zhǒng bǔ rǔ dòng wù chī zhí wù, shì cǎo shí dòng wù.
　　zhè zhǒng niǎo chī sǐ dòng wù, shì fǔ shí dòng wù.

06　zhè zhǒng kūn chóng huì fēi.
　　zhè zhǒng pá xíng dòng wù céng jīng huì fēi.
　　zhè zhǒng liǎng qī dòng wù bù huì fēi.
　　zhè zhǒng bǔ rǔ dòng wù huì fēi.

07　zhè zhī jī shì gōng de.
　　zhè zhī jī shì mǔ de.
　　zhè zhī bǔ rǔ dòng wù shì gōng de.
　　zhè zhī bǔ rǔ dòng wù shì mǔ de.

08　zhè zhī dòng wù shì gōng de.
　　zhè zhī dòng wù shì mǔ de.
　　zhè gè rén shì nán de.
　　zhè gè rén shì nǚ de.

09　zhè zhī niǎo shì yě shēng dòng wù.
　　zhè zhī niǎo shì xún huà de dòng wù.
　　zhè zhī bǔ rǔ dòng wù shì xún huà de dòng wù.
　　zhè zhī bǔ rǔ dòng wù shì yě shēng dòng wù.

10　zhè zhī xún huà de dòng wù bù shì chǒng wù.
　　zhè zhī yě shēng dòng wù wēi xiǎn.
　　zhè zhī yě shēng dòng wù bù wēi xiǎn.
　　zhè zhī xún huà de dòng wù shì chǒng wù.

复习第十二部分

01 哪种动物总是在游，从来不走，也从来不飞？
哪种动物从来不游，很少走，但是经常飞？
哪种动物有时游，有时走，但是从来不飞？
哪种动物有时游，有时走，有时也飞？

02 学生不明白数学题。
学生问老师："您能帮我吗？"
老师在讲解数学题。
现在学生明白数学题了。

03 我想兑现一张支票。
我想取二十美元。
我想把二十美元换成四张五美元。
我想把二十美元兑换成德国马克。

04 他们在看他们自己。
我们在看我们自己。
他们在看我们。
我们在看他们。

05 当你耳语的时候，小声地说。
当你叫喊的时候，大声地说。
小男孩在静静地干活。
小男孩在吵闹地玩耍。

06 小心！碎玻璃！
小心！这很烫！
小心！别掉了！
小心！有车过来！

07 她在小口地喝。
她在大口地喝。
她在吸。
她在吹。

08 她几岁？她十岁。
她多大岁数？她七十岁。
水多热？大约摄氏二十五度。
水多冷？低于摄氏零度。

09 他能看报。
如果报纸没有倒过来，他就能看。
如果下雨，她就会撑伞。
因为在下雨，所以她撑着伞。

10 这种爬行动物吃肉，是肉食动物。
这种哺乳动物吃肉和植物，是杂食动物。
这种哺乳动物吃植物，是草食动物。
这种鸟吃死动物，是腐食动物。

12-11

復習第十二部分

01 哪種動物總是在游，從來不走，也從來不飛？
哪種動物從來不游，很少走，但是經常飛？
哪種動物有時游，有時走，但是從來不飛？
哪種動物有時游，有時走，有時也飛？

02 學生不明白數學題。
學生問老師："您能幫我嗎？"
老師在講解數學題。
現在學生明白數學題了。

03 我想兌現一張支票。
我想取二十美元。
我想把二十美元換成四張五美元。
我想把二十美元兌換成德國馬克。

04 他們在看他們自己。
我們在看我們自己。
他們在看我們。
我們在看他們。

05 當你耳語的時候，小聲地說。
當你叫喊的時候，大聲地說。
小男孩在靜靜地幹活。
小男孩在吵鬧地玩耍。

06 小心！碎玻璃！
小心！這很燙！
小心！別掉了！
小心！有車過來！

07 她在小口地喝。
她在大口地喝。
她在吸。
她在吹。

08 她幾歲？她十歲。
她多大歲數？她七十歲。
水多熱？大約攝氏二十五度。
水多冷？低於攝氏零度。

09 他能看報。
如果報紙沒有倒過來，他就能看。
如果下雨，她就會撑傘。
因為在下雨，所以她撑着傘。

10 這種爬行動物喫肉，是肉食動物。
這種哺乳動物喫肉和植物，是雜食動物。
這種哺乳動物喫植物，是草食動物。
這種鳥喫死動物，是腐食動物。

12-11

fù xí dì shí èr bù fèn

01 nǎ zhǒng dòng wù zǒng shì zài yóu, cóng lái bù zǒu, yě cóng lái bù fēi?
nǎ zhǒng dòng wù cóng lái bù yóu, hěn shǎo zǒu, dàn shì jīng cháng fēi?
nǎ zhǒng dòng wù yǒu shí yóu, yǒu shí zǒu, dàn shì cóng lái bù fēi?
nǎ zhǒng dòng wù yǒu shí yóu, yǒu shí zǒu, yǒu shí yě fēi?

02 xué shēng bù míng bai shù xué tí.
xué shēng wèn lǎo shī: "nín néng bāng wǒ ma?"
lǎo shī zài jiǎng jiě shù xué tí.
xiàn zài xué shēng míng bai shù xué tí le.

03 wǒ xiǎng duì xiàn yī zhāng zhī piào.
wǒ xiǎng qǔ èr shí měi yuán.
wǒ xiǎng bǎ èr shí měi yuán huàn chéng sì zhāng wǔ měi yuán.
wǒ xiǎng bǎ èr shí měi yuán duì huàn chéng dé guó mǎ kè.

04 tā men zài kàn tā men zì jǐ.
wǒ men zài kàn wǒ men zì jǐ.
tā men zài kàn wǒ men.
wǒ men zài kàn tā men.

05 dāng nǐ ěr yǔ de shí hou, xiǎo shēng de shuō.
dāng nǐ jiào hǎn de shí hou, dà shēng de shuō.
xiǎo nán hái zài jìng jìng de gàn huó.
xiǎo nán hái zài chǎo nào de wán shuǎ.

06 xiǎo xīn! suì bō li!
xiǎo xīn! zhè hěn tàng!
xiǎo xīn! bié diào le!
xiǎo xīn! yǒu chē guò lái!

07 tā zài xiǎo kǒu de hē.
tā zài dà kǒu de hē.
tā zài xī.
tā zài chuī.

08 tā jǐ suì? tā shí suì.
tā duō dà suì shù? tā qī shí suì.
shuǐ duō rè? dà yuē shè shì èr shí wǔ dù.
shuǐ duō lěng? dī yú shè shì líng dù.

09 tā néng kàn bào.
rú guǒ bào zhǐ méi yǒu dào guò lái, tā jiù néng kàn.
rú guǒ xià yǔ, tā jiù huì chēng sǎn.
yīn wéi zài xià yǔ, suǒ yǐ tā chēng zhe sǎn.

10 zhè zhǒng pá xíng dòng wù chī ròu, shì ròu shí dòng wù.
zhè zhǒng bǔ rǔ dòng wù chī ròu hé zhí wù, shì zá shí dòng wù.
zhè zhǒng bǔ rǔ dòng wù chī zhí wù, shì cǎo shí dòng wù.
zhè zhǒng niǎo chī sǐ dòng wù, shì fǔ shí dòng wù.

13-01

因为……所以……，看到、看不到，看出、
看不出等
01 我们能看到汽车的整体。
   因为汽车被盖着，所以我们看不到它的整体。
   我们能看到男孩的全身。
   因为男孩躲在树后，所以我们看不到他的全身。

02 我们能看到男孩的全身。
   我们只能看到男孩的上半身。
   我们只能看到男孩的下半身。
   因为男孩躲在大衣下面，所以我们看不到他。

03 我们能看到男孩的全身。
   我们看不到男孩的下半身。
   我们看不到男孩的上半身。
   我们看不到男孩。

04 我们看不到男人的脸。
   因为男人的鼻子被烟雾掩盖着，所以我们看不到。
   我们看不到女人的头。
   因为女人背对着我们，所以我们看不到她的脸。

05 我们看不到男人的头或脚。
   我们看不到男人的脚，但能看到他的头。
   我们看不到女人们的脚。
   我们看不到女人们的头。

06 这个女人的头发是金色的。
   因为看不到，所以我们不知道女人的头发是什么颜
       色。
   这个人是戈尔巴乔夫。
   因为看不到他的脸，所以我们不知道这个人是谁。

07 帆船上有三个人。
   我们看不出这些帆船上有多少人。
   我们能看出有多少颗弹珠。
   我们看不出有多少颗弹珠。

08 我们看不出女人在喝什么。
   我们能看出女人在喝什么。
   我们能看出小女孩手里有什么。
   我们看不出小女孩手里有什么。

09 我们能看出这个小孩是女孩。
   我们能看出这个小孩不是婴儿，但看不出是男孩还是
       女孩。
   我们能看出这个小孩是男孩。
   我们看不出这个婴儿是男孩还是女孩。

10 我们能看出谁会赢。
   我们看不出谁会赢。
   因为钟离得近，所以我们能看出现在几点。
   因为钟离得太远，所以我们看不出现在几点。

13-01

因為……所以……，看到、看不到，看出、
看不出等
01 我們能看到汽車的整體。
   因為汽車被蓋着，所以我們看不到它的整體。
   我們能看到男孩的全身。
   因為男孩躲在樹後，所以我們看不到他的全身。

02 我們能看到男孩的全身。
   我們只能看到男孩的上半身。
   我們只能看到男孩的下半身。
   因為男孩躲在大衣下面，所以我們看不到他。

03 我們能看到男孩的全身。
   我們看不到男孩的下半身。
   我們看不到男孩的上半身。
   我們看不到男孩。

04 我們看不到男人的臉。
   因為男人的鼻子被煙霧掩蓋着，所以我們看不到。
   我們看不到女人的頭。
   因為女人背對着我們，所以我們看不到她的臉。

05 我們看不到男人的頭或腳。
   我們看不到男人的腳，但能看到他的頭。
   我們看不到女人們的腳。
   我們看不到女人們的頭。

06 這個女人的頭髮是金色的。
   因為看不到，所以我們不知道女人的頭髮是什麼顏
       色。
   這個人是戈爾巴喬夫。
   因為看不到他的臉，所以我們不知道這個人是誰。

07 帆船上有三個人。
   我們看不出這些帆船上有多少人。
   我們能看出有多少顆彈珠。
   我們看不出有多少顆彈珠。

08 我們看不出女人在喝什麼。
   我們能看出女人在喝什麼。
   我們能看出小女孩手裡有什麼。
   我們看不出小女孩手裡有什麼。

09 我們能看出這個小孩是女孩。
   我們能看出這個小孩不是嬰兒，但看不出是男孩還是
       女孩。
   我們能看出這個小孩是男孩。
   我們看不出這個嬰兒是男孩還是女孩。

10 我們能看出誰會贏。
   我們看不出誰會贏。
   因為鐘離得近，所以我們能看出現在幾點。
   因為鐘離得太遠，所以我們看不出現在幾點。

13-01

yīn wéi...... suǒ yǐ......, kàn dào, kàn bù dào, kàn chū, kàn bù chū děng

01 wǒ men néng kàn dào qì chē de zhěng tǐ.
    yīn wéi qì chē bèi gài zhe, suǒ yǐ wǒ men kàn bù dào tā de zhěng tǐ.
    wǒ men néng kàn dào nán hái de quán shēn.
    yīn wéi nán hái duǒ zài shù hòu, suǒ yǐ wǒ men kàn bù dào tā de quán shēn.

02 wǒ men néng kàn dào nán hái de quán shēn.
    wǒ men zhǐ néng kàn dào nán hái de shàng bàn shēn.
    wǒ men zhǐ néng kàn dào nán hái de xià bàn shēn.
    yīn wéi nán hái duǒ zài dà yī xià miàn, suǒ yǐ wǒ men kàn bù dào tā.

03 wǒ men néng kàn dào nán hái de quán shēn.
    wǒ men kàn bù dào nán hái de xià bàn shēn.
    wǒ men kàn bù dào nán hái de shàng bàn shēn.
    wǒ men kàn bù dào nán hái.

04 wǒ men kàn bù dào nán rén de liǎn.
    yīn wéi nán rén de bí zi bèi yān wù yǎn gài zhe, suǒ yǐ wǒ men kàn bù dào.
    wǒ men kàn bù dào nǚ rén de tóu.
    yīn wéi nǚ rén bèi duì zhe wǒ men, suǒ yǐ wǒ men kàn bù dào tā de liǎn.

05 wǒ men kàn bù dào nán rén de tóu huò jiǎo.
    wǒ men kàn bù dào nán rén de jiǎo, dàn néng kàn dào tā de tóu.
    wǒ men kàn bù dào nǚ rén men de jiǎo.
    wǒ men kàn bù dào nǚ rén men de tóu.

06 zhè gè nǚ rén de tóu fà shì jīn sè de.
    yīn wéi kàn bù dào, suǒ yǐ wǒ men bù zhī dào nǚ rén de tóu fà shì shén me yán sè.
    zhè gè rén shì gē ěr bā qiáo fū.
    yīn wéi kàn bù dào tā de liǎn, suǒ yǐ wǒ men bù zhī dào zhè gè rén shì shuí.

07 fān chuán shàng yǒu sān gè rén.
    wǒ men kàn bù chū zhè xiē fān chuán shàng yǒu duō shǎo rén.
    wǒ men néng kàn chū yǒu duō shǎo kē dàn zhū.
    wǒ men kàn bù chū yǒu duō shǎo kē dàn zhū.

08 wǒ men kàn bù chū nǚ rén zài hē shén me.
    wǒ men néng kàn chū nǚ rén zài hē shén me.
    wǒ men néng kàn chū xiǎo nǚ hái shǒu lǐ yǒu shén me.
    wǒ men kàn bù chū xiǎo nǚ hái shǒu lǐ yǒu shén me.

09 wǒ men néng kàn chū zhè gè xiǎo hái shì nǚ hái.
    wǒ men néng kàn chū zhè gè xiǎo hái bù shì yīng ér, dàn kàn bù chū shì nán hái hái shì nǚ hái.
    wǒ men néng kàn chū zhè gè xiǎo hái shì nán hái.
    wǒ men kàn bù chū zhè gè yīng ér shì nán hái hái shì nǚ hái.

10 wǒ men néng kàn chū shuí huì yíng.
    wǒ men kàn bù chū shuí huì yíng.
    yīn wéi zhōng lí de jìn, suǒ yǐ wǒ men néng kàn chū xiàn zài jǐ diǎn.
    yīn wéi zhōng lí de tài yuǎn, suǒ yǐ wǒ men kàn bù chū xiàn zài jǐ diǎn.

13-02

动词：跟、带、休息、顶等

01 他在用手指数。
他在用纸和笔数。
他在拉纸袋。
他在拉椅子。

02 他正在收紧皮带。
他正在放松皮带。
他带着他们。
他跟着他们。

03 她们跟着男人。
女人跟着他们。
男人跟着她们。
他们跟着女人。

04 他在搭积木。
他把东西顶在头上。
他们在搭积木。
他们把东西顶在头上。

05 她把水罐顶在头上。
她把水罐举过头顶。
她把水罐扛在肩上。
她抱着水罐。

06 书在桌子上方。
书在桌子下面。
书在桌子上面。
他把书顶在头上。

07 她在草坪上休息。
她正带她们出去。
他们在草坪上休息。
她正带他们进去。

08 他很容易在栅栏上站稳。
他很难在栅栏上站稳。
拿着一罐水走容易。
顶着一罐水走难。

09 他在数气球。
他正要把气球扎爆。
他在数盒子。
他在拉盒子。

10 他正在收紧领带。
他正在放松领带。
他们在搭积木。
他们不在搭任何东西，他们把东西顶在头上。

13-02

動詞：跟、帶、休息、頂等

01 他在用手指數。
他在用紙和筆數。
他在拉紙袋。
他在拉椅子。

02 他正在收緊皮帶。
他正在放鬆皮帶。
他帶着他們。
他跟着他們。

03 她們跟着男人。
女人跟着他們。
男人跟着她們。
他們跟着女人。

04 他在搭積木。
他把東西頂在頭上。
他們在搭積木。
他們把東西頂在頭上。

05 她把水罐頂在頭上。
她把水罐舉過頭頂。
她把水罐扛在肩上。
她抱着水罐。

06 書在桌子上方。
書在桌子下面。
書在桌子上面。
他把書頂在頭上。

07 她在草坪上休息。
她正帶她們出去。
他們在草坪上休息。
她正帶他們進去。

08 他很容易在柵欄上站穩。
他很難在柵欄上站穩。
拿着一罐水走容易。
頂着一罐水走難。

09 他在數氣球。
他正要把氣球扎爆。
他在數盒子。
他在拉盒子。

10 他正在收緊領帶。
他正在放鬆領帶。
他們在搭積木。
他們不在搭任何東西，他們把東西頂在頭上。

13-02

dòng cí: gēn, dài, xiū xi, dǐng děng

01 tā zài yòng shǒu zhǐ shǔ.
    tā zài yòng zhǐ hé bǐ shǔ.
    tā zài lā zhǐ dài.
    tā zài lā yǐ zi.

02 tā zhèng zài shōu jǐn pí dài.
    tā zhèng zài fàng sōng pí dài.
    tā dài zhe tā men.
    tā gēn zhe tā men.

03 tā men gēn zhe nán rén.
    nǚ rén gēn zhe tā men.
    nán rén gēn zhe tā men.
    tā men gēn zhe nǚ rén.

04 tā zài dā jī mù.
    tā bǎ dōng xi dǐng zài tóu shàng.
    tā men zài dā jī mù.
    tā men bǎ dōng xi dǐng zài tóu shàng.

05 tā bǎ shuǐ guàn dǐng zài tóu shàng.
    tā bǎ shuǐ guàn jǔ guò tóu dǐng.
    tā bǎ shuǐ guàn káng zài jiān shàng.
    tā bào zhe shuǐ guàn.

06 shū zài zhuō zi shàng fāng.
    shū zài zhuō zi xià miàn.
    shū zài zhuō zi shàng miàn.
    tā bǎ shū dǐng zài tóu shàng.

07 tā zài cǎo píng shàng xiū xi.
    tā zhèng dài tā men chū qù.
    tā men zài cǎo píng shàng xiū xi.
    tā zhèng dài tā men jìn qù.

08 tā hěn róng yì zài zhàn lán shàng zhàn wěn.
    tā hěn nán zài zhà lán shàng zhàn wěn.
    ná zhe yī guàn shuǐ zǒu róng yì.
    dǐng zhe yī guàn shuǐ zǒu nán.

09 tā zài shǔ qì qiú.
    tā zhèng yào bǎ qì qiú zā bào.
    tā zài shǔ hé zi.
    tā zài lā hé zi.

10 tā zhèng zài shōu jǐn lǐng dài.
    tā zhèng zài fàng sōng lǐng dài.
    tā men zài dā jī mù.
    tā men bù zài dā rèn hé dōng xi, tā men bǎ dōng xi dǐng zài tóu shàng.

13-03

购物：商店，价格

01 这是市场。
这是超级商场。
这是餐馆。
这是百货商店。

02 这台机器卖饮料。
这台机器卖小吃。
这个人卖水果。
这个人卖衣服。

03 有人正从自动售货机里买饮料。
有人正从自动售货机里买小吃。
有人正从自动售货机里买报纸。
有人正从商店里买报纸。

04 男人在卖花草。
男人在买面包。
女人在买花草。
女人在卖面包。

05 一份报纸多少钱？
五毛钱。

衬衫多少钱？
大约一百块。

电视多少钱？
大约三千块。

汽车多少钱？
大约十万块。

06 这多少钱？
五毛钱。

这多少钱？
大约一百块。

这多少钱？
大约三千块。

这多少钱？
大约十万块。

07 哪样东西最贵，汽车、T恤衫还是电视机？
哪样东西比汽车便宜，但比T恤衫贵？
哪样东西最便宜，T恤衫、报纸还是电视机？
哪样东西比报纸贵，但比电视机便宜？

08 这种食物便宜。
这种食物贵。
这辆车贵。
这辆车便宜。

13-03

購物：商店，價格

01 這是市場。
這是超級商場。
這是餐館。
這是百貨商店。

02 這臺機器賣飲料。
這臺機器賣小喫。
這個人賣水果。
這個人賣衣服。

03 有人正從自動售貨機裡買飲料。
有人正從自動售貨機裡買小喫。
有人正從自動售貨機裡買報紙。
有人正從商店裡買報紙。

04 男人在賣花草。
男人在買麵包。
女人在買花草。
女人在賣麵包。

05 一份報紙多少錢？
五毛錢。

襯衫多少錢？
大約一百塊。

電視多少錢？
大約三千塊。

汽車多少錢？
大約十萬塊。

06 這多少錢？
五毛錢。

這多少錢？
大約一百塊。

這多少錢？
大約三千塊。

這多少錢？
大約十萬塊。

07 哪樣東西最貴，汽車、T恤衫還是電視機？
哪樣東西比汽車便宜，但比T恤衫貴？
哪樣東西最便宜，T恤衫、報紙還是電視機？
哪樣東西比報紙貴，但比電視機便宜？

08 這種食物便宜。
這種食物貴。
這輛車貴。
這輛車便宜。

（继续）

13-03

gòu wù: shāng diàn, jià gé

01 zhè shì shì chǎng.
   zhè shì chāo jí shāng chǎng.
   zhè shì cān guǎn.
   zhè shì bǎi huò shāng diàn.

02 zhè tái jī qì mài yǐn liào.
   zhè tái jī qì mài xiǎo chī.
   zhè gè rén mài shuǐ guǒ.
   zhè gè rén mài yī fu.

03 yǒu rén zhèng cóng zì dòng shòu huò jī lǐ mǎi yǐn liào.
   yǒu rén zhèng cóng zì dòng shòu huò jī lǐ mǎi xiǎo chī.
   yǒu rén zhèng cóng zì dòng shòu huò jī lǐ mǎi bào zhǐ.
   yǒu rén zhèng cóng shāng diàn lǐ mǎi bào zhǐ.

04 nán rén zài mài huā cǎo.
   nán rén zài mǎi miàn bāo.
   nǚ rén zài mǎi huā cǎo.
   nǚ rén zài mài miàn bāo.

05 yī fèn bào zhǐ duō shǎo qián?
   wǔ máo qián.

   chèn shān duō shǎo qián?
   dà yuē yī bǎi kuài.

   diàn shì duō shǎo qián?
   dà yuē sān qiān kuài.

   qì chē duō shǎo qián?
   dà yuē shí wàn kuài.

06 zhè duō shǎo qián?
   wǔ máo qián.

   zhè duō shǎo qián?
   dà yuē yī bǎi kuài.

   zhè duō shǎo qián?
   dà yuē sān qiān kuài.

   zhè duō shǎo qián?
   dà yuē shí wàn kuài.

07 nǎ yàng dōng xi zuì guì, qì chē, T-xù shān hái shì diàn shì jī?
   nǎ yàng dōng xi bǐ qì chē pián yi, dàn bǐ T-xù shān guì?
   nǎ yàng dōng xi zuì pián yi, T-xù shān, bào zhǐ hái shì diàn shì jī?
   nǎ yàng dōng xi bǐ bào zhǐ guì, dàn bǐ diàn shì jī pián yi?

08 zhè zhǒng shí wù pián yí.
   zhè zhǒng shí wù guì.
   zhè liàng chē guì.
   zhè liàng chē pián yi.

(jì xù)

09　女人拥有这顶帽子。
　　女人不拥有这个超级商场。
　　男人拥有这辆车。
　　男人不拥有这列火车。

10　这个手镯不太值钱。
　　这个手镯值很多钱。
　　这辆车不太值钱。
　　这辆车值很多钱。

09　女人擁有這頂帽子。
　　女人不擁有這個超級商場。
　　男人擁有這輛車。
　　男人不擁有這列火車。

10　這個手鐲不太值錢。
　　這個手鐲值很多錢。
　　這輛車不太值錢。
　　這輛車值很多錢。

09 nǚ rén yōng yǒu zhè dǐng mào zi.
     nǚ rén bù yōng yǒu zhè gè chāo jí shāng chǎng.
     nán rén yōng yǒu zhè liàng chē.
     nán rén bù yōng yǒu zhè liè huǒ chē.

10 zhè gè shǒu zhuó bù tài zhí qián.
     zhè gè shǒu zhuó zhí hěn duō qián.
     zhè liàng chē bù tài zhí qián.
     zhè liàng chē zhí hěn duō qián.

13-04

在家做饭和吃饭，在餐馆吃饭

01 面包店
   自动售货机
   路边咖啡厅
   自助餐厅

02 食品杂货店
   加油站
   书报摊
   餐馆

03 他在面包店买面包。
   他在鞋店试鞋。
   他在服装店试衣服。
   他在理发店理发。

04 她在摆餐桌。
   她在做饭。
   她端出食物。
   她在吃东西。

05 她在洗东西。
   她在剥皮。
   她在切东西。
   她把东西放进锅里。

06 她在煎鸡蛋。
   她在煮鸡蛋。
   她在打鸡蛋。
   她在调鸡蛋。

07 男人在餐馆吃饭。
   男人在家吃饭。
   女人在餐馆吃饭。
   女人在家吃饭。

08 这是买在家做饭用的食品的地方。
   这是买饭和吃饭的地方。
   这是买小吃的地方，不是买饭的地方。
   这是买报纸的地方，不是买食品的地方。

09 糖果是小吃。
   土豆片是小吃。
   男人没在吃小吃，他在吃饭。
   男人没在吃饭，他在吃小吃。

10 学生们在自助餐厅吃饭。
   这些人在餐馆吃饭。
   这些人在家吃饭。
   这些人在吃小吃。

13-04

在家做飯和喫飯，在餐館喫飯

01 麵包店
   自動售貨機
   路邊咖啡廳
   自助餐廳

02 食品雜貨店
   加油站
   書報攤
   餐館

03 他在麵包店買麵包。
   他在鞋店試鞋。
   他在服裝店試衣服。
   他在理髮店理髮。

04 她在擺餐桌。
   她在做飯。
   她端出食物。
   她在喫東西。

05 她在洗東西。
   她在剝皮。
   她在切東西。
   她把東西放進鍋裡。

06 她在煎雞蛋。
   她在煮雞蛋。
   她在打雞蛋。
   她在調雞蛋。

07 男人在餐館喫飯。
   男人在家喫飯。
   女人在餐館喫飯。
   女人在家喫飯。

08 這是買在家做飯用的食品的地方。
   這是買飯和喫飯的地方。
   這是買小喫的地方，不是買飯的地方。
   這是買報紙的地方，不是買食品的地方。

09 糖果是小喫。
   土豆片是小喫。
   男人沒在喫小喫，他在喫飯。
   男人沒在喫飯，他在喫小喫。

10 學生們在自助餐廳喫飯。
   這些人在餐館喫飯。
   這些人在家喫飯。
   這些人在喫小喫。

13-04

zài jiā zuò fàn hé chī fàn, zài cān guǎn chī fàn

01 miàn bāo diàn
    zì dòng shòu huò jī
    lù biān kā fēi tīng
    zì zhù cān tīng

02 shí pǐn zá huò diàn
    jiā yóu zhàn
    shū bào tān
    cān guǎn

03 tā zài miàn bāo diàn mǎi miàn bāo.
    tā zài xié diàn shì xié.
    tā zài fú zhuāng diàn shì yī fu.
    tā zài lǐ fà diàn lǐ fà.

04 tā zài bǎi cān zhuō.
    tā zài zuò fàn.
    tā duān chū shí wù.
    tā zài chī dōng xi.

05 tā zài xǐ dōng xi.
    tā zài bāo pí.
    tā zài qiē dōng xi.
    tā bǎ dōng xi fàng jìn guō lǐ.

06 tā zài jiān jī dàn.
    tā zài zhǔ jī dàn.
    tā zài dǎ jī dàn.
    tā zài tiáo jī dàn.

07 nán rén zài cān guǎn chī fàn.
    nán rén zài jiā chī fàn.
    nǚ rén zài cān guǎn chī fàn.
    nǚ rén zài jiā chī fàn.

08 zhè shì mǎi zài jiā zuò fàn yòng de shí pǐn de dì fāng.
    zhè shì mǎi fàn hé chī fàn de dì fāng.
    zhè shì mǎi xiǎo chī de dì fāng, bù shì mǎi fàn de dì fāng.
    zhè shì mǎi bào zhǐ de dì fāng, bù shì mǎi shí pǐn de dì fāng.

09 táng guǒ shì xiǎo chī.
    tǔ dòu piàn shì xiǎo chī.
    nán rén méi zài chī xiǎo chī, tā zài chī fàn.
    nán rén méi zài chī fàn, tā zài chī xiǎo chī.

10 xué shēng men zài zì zhù cān tīng chī fàn.
    zhè xiē rén zài cān guǎn chī fàn.
    zhè xiē rén zài jiā chī fàn.
    zhè xiē rén zài chī xiǎo chī.

13-05

在杂货店买东西

01 超级商场
几排购物车
收款机
顾客在看购物单。

02 他推着购物车。
她把牛奶放进购物车。
他把饮料放进购物车。
她在看肉食品。

03 你更喜欢哪串香蕉?
我更喜欢这串。
她把那串香蕉放进购物车。
她把橙子放进购物车。

04 她在拿冷冻蔬菜。
她在拿新鲜蔬菜。
她在拿蔬菜罐头。
她在拿新鲜水果。

05 她拿着蛋糕。
她把面包放进购物车。
她把一头圆白菜给何华。
他把圆白菜放进购物车。

06 她在称橙子。
她在称新鲜蔬菜。
她把土豆装进袋子。
她把洋葱装进袋子。

07 何华,这种水果叫什么?
这叫菠萝。
何华,这种蔬菜叫什么?
这叫生菜。

08 顾客们在收款台排队。
顾客把食品放在柜台上。
收款员把食品项目输入收款机。
收款员把食品装进袋子。

09 她在开支票。
她把支票给收款员。
收款员打开收款机。
收款员把支票放进收款机。

10 收款员把收据给顾客。
顾客把东西拿出商店。
她打开后车门。
他把东西放进车里。

13-05

在雜貨店買東西

01 超級商場
幾排購物車
收款機
顧客在看購物單。

02 他推着購物車。
她把牛奶放進購物車。
他把飲料放進購物車。
她在看肉食品。

03 你更喜歡哪串香蕉?
我更喜歡這串。
她把那串香蕉放進購物車。
她把橙子放進購物車。

04 她在拿冷凍蔬菜。
她在拿新鮮蔬菜。
她在拿蔬菜罐頭。
她在拿新鮮水果。

05 她拿着蛋糕。
她把麵包放進購物車。
她把一頭圓白菜給何華。
他把圓白菜放進購物車。

06 她在稱橙子。
她在稱新鮮蔬菜。
她把土豆裝進袋子。
她把洋蔥裝進袋子。

07 何華,這種水果叫什麼?
這叫菠蘿。
何華,這種蔬菜叫什麼?
這叫生菜。

08 顧客們在收款臺排隊。
顧客把食品放在櫃臺上。
收款員把食品項目輸入收款機。
收款員把食品裝進袋子。

09 她在開支票。
她把支票給收款員。
收款員打開收款機。
收款員把支票放進收款機。

10 收款員把收據給顧客。
顧客把東西拿出商店。
她打開後車門。
他把東西放進車裡。

13-05

zài zá huò diàn mǎi dōng xi

01 chāo jí shāng chǎng
    jǐ pái gòu wù chē
    shōu kuǎn jī
    gù kè zài kàn gòu wù dān.

02 tā tuī zhe gòu wù chē.
    tā bǎ niú nǎi fàng jìn gòu wù chē.
    tā bǎ yǐn liào fàng jìn gòu wù chē.
    tā zài kàn ròu shí pǐn.

03 nǐ gèng xǐ huān nǎ chuàn xiāng jiāo?
    wǒ gèng xǐ huān zhè chuàn.
    tā bǎ nà chuàn xiāng jiāo fàng jìn gòu wù chē.
    tā bǎ chéng zi fàng jìn gòu wù chē.

04 tā zài ná lěng dòng shū cài.
    tā zài ná xīn xiān shū cài.
    tā zài ná shū cài guàn tou.
    tā zài ná xīn xiān shuǐ guǒ.

05 tā ná zhe dàn gāo.
    tā bǎ miàn bāo fàng jìn gòu wù chē.
    tā bǎ yī tóu yuán bái cài gěi hé huá.
    tā bǎ yuán bái cài fàng jìn gòu wù chē.

06 tā zài chēng chéng zi.
    tā zài chēng xīn xiān shū cài.
    tā bǎ tǔ dòu zhuāng jìn dài zi.
    tā bǎ yáng cōng zhuāng jìn dài zi.

07 hé huá, zhè zhǒng shuǐ guǒ jiào shén me?
    zhè jiào bō luó.
    hé huá, zhè zhǒng shū cài jiào shén me?
    zhè jiào shēng cài.

08 gù kè men zài shōu kuǎn tái pái duì.
    gù kè bǎ shí pǐn fàng zài guì tái shàng.
    shōu kuǎn yuán bǎ shí pǐn xiàng mù shū rù shōu kuǎn jī.
    shōu kuǎn yuán bǎ shí pǐn zhuāng jìn dài zi.

09 tā zài kāi zhī piào.
    tā bǎ zhī piào gěi shōu kuǎn yuán.
    shōu kuǎn yuán dǎ kāi shōu kuǎn jī.
    shōu kuǎn yuán bǎ zhī piào fàng jìn shōu kuǎn jī.

10 shōu kuǎn yuán bǎ shōu jù gěi gù kè.
    gù kè bǎ dōng xi ná chū shāng diàn.
    tā dǎ kāi hòu chē mén.
    tā bǎ dōng xi fàng jìn chē lǐ.

13-06

各种语言；当他人说得太快时，要求重复

01　它不会说话，只有人才会说话。
　　这个人不会说话，这个人太小了。
　　女人在对男人说话。
　　女人在对女孩说话。

02　这些人讲朝鲜语。
　　这些人讲英语。
　　这个人讲阿拉伯语。
　　这个人讲俄语。

03　这些人讲汉语。
　　这些人讲希腊语。
　　这些人讲德语。
　　这些人讲英语。

04　在这个国家，人们讲法语。
　　在这个国家，人们讲日语。
　　在这个国家，人们讲西班牙语。
　　在这个国家，人们讲意大利语。

05　香蕉看上去好吃，我饿了。
　　对不起，我刚学汉语，你能慢慢地重复一遍吗？
　　我说，香蕉看上去好吃，我饿了。

　　我喜欢那顶紫色的帽子。
　　对不起，我刚学汉语，你能慢慢地重复一遍吗？
　　我说，我喜欢那顶紫色的帽子。

　　那个婴儿真可爱。
　　对不起，我刚学汉语，你能慢慢地重复一遍吗？
　　我说，那个婴儿真可爱。

　　我希望有那样的轿车。
　　对不起，我刚学汉语，你能慢慢地重复一遍吗？
　　我说，我希望有那样的轿车。

06　只有一个骑自行车的人。
　　对不起，我没听懂你的话，你能再说一遍吗？再慢一点。
　　我说只有一个骑自行车的人。

　　有很多骑自行车的人。
　　对不起，我没听懂你的话，你能再说一遍吗？再慢一点。
　　我说有很多骑自行车的人。

　　有很多帽子。
　　对不起，我没听懂你的话，你能再说一遍吗？再慢一点。
　　我说有很多帽子。

　　只有两顶帽子。
　　对不起，我没听懂你的话，你能再说一遍吗？再慢一点。
　　我说只有两顶帽子。

13-06

各種語言；當他人説得太快時，要求重復

01　牠不會説話，祇有人才會説話。
　　這個人不會説話，這個人太小了。
　　女人在對男人説話。
　　女人在對女孩説話。

02　這些人講朝鮮語。
　　這些人講英語。
　　這個人講阿拉伯語。
　　這個人講俄語。

03　這些人講漢語。
　　這些人講希臘語。
　　這些人講德語。
　　這些人講英語。

04　在這個國家，人們講法語。
　　在這個國家，人們講日語。
　　在這個國家，人們講西班牙語。
　　在這個國家，人們講意大利語。

05　香蕉看上去好喫，我餓了。
　　對不起，我剛學漢語，你能慢慢地重復一遍嗎？
　　我説，香蕉看上去好喫，我餓了。

　　我喜歡那頂紫色的帽子。
　　對不起，我剛學漢語，你能慢慢地重復一遍嗎？
　　我説，我喜歡那頂紫色的帽子。

　　那個嬰兒真可愛。
　　對不起，我剛學漢語，你能慢慢地重復一遍嗎？
　　我説，那個嬰兒真可愛。

　　我希望有那樣的轎車。
　　對不起，我剛學漢語，你能慢慢地重復一遍嗎？
　　我説，我希望有那樣的轎車。

06　祇有一個騎自行車的人。
　　對不起，我沒聽懂你的話，你能再説一遍嗎？再慢一點。
　　我説祇有一個騎自行車的人。

　　有很多騎自行車的人。
　　對不起，我沒聽懂你的話，你能再説一遍嗎？再慢一點。
　　我説有很多騎自行車的人。

　　有很多帽子。
　　對不起，我沒聽懂你的話，你能再説一遍嗎？再慢一點。
　　我説有很多帽子。

　　祇有兩頂帽子。
　　對不起，我沒聽懂你的話，你能再説一遍嗎？再慢一點。
　　我説祇有兩頂帽子。

（继续）

13-06

gè zhǒng yǔ yán; dāng tā rén shuō de tài kuài shí, yāo qiú chóng fù

01 tā bù huì shuō huà, zhǐ yǒu rén cái huì shuō huà.
    zhè gè rén bù huì shuō huà, zhè gè rén tài xiǎo le.
    nǚ rén zài duì nán rén shuō huà.
    nǚ rén zài duì nǚ hái shuō huà.

02 zhè xiē rén jiǎng cháo xiǎn yǔ.
    zhè xiē rén jiǎng yīng yǔ.
    zhè gè rén jiǎng ā lā bó yǔ.
    zhè gè rén jiǎng é yǔ.

03 zhè xiē rén jiǎng hàn yǔ.
    zhè xiē rén jiǎng xī là yǔ.
    zhè xiē rén jiǎng dé yǔ.
    zhè xiē rén jiǎng yīng yǔ.

04 zài zhè gè guó jiā, rén men jiǎng fǎ yǔ.
    zài zhè gè guó jiā, rén men jiǎng rì yǔ.
    zài zhè gè guó jiā, rén men jiǎng xī bān yá yǔ.
    zài zhè gè guó jiā, rén men jiǎng yì dà lì yǔ.

05 xiāng jiāo kàn shàng qù hǎo chī, wǒ è le.
    duì bù qǐ, wǒ gāng xué hàn yǔ, nǐ néng màn màn de chóng fù yī biàn ma?
    wǒ shuō, xiāng jiāo kàn shàng qù hǎo chī, wǒ è le.

    wǒ xǐ huān nà dǐng zǐ sè de mào zi.
    duì bù qǐ, wǒ gāng xué hàn yǔ, nǐ néng màn màn de chóng fù yī biàn ma?
    wǒ shuō, wǒ xǐ huān nà dǐng zǐ sè de mào zi.

    nà gè yīng ér zhēn kě ài.
    duì bù qǐ, wǒ gāng xué hàn yǔ, nǐ néng màn màn de chóng fù yī biàn ma?
    wǒ shuō, nà gè yīng ér zhēn kě ài.

    wǒ xī wàng yǒu nà yàng de jiào chē.
    duì bù qǐ, wǒ gāng xué hàn yǔ, nǐ néng màn màn de chóng fù yī biàn ma?
    wǒ shuō, wǒ xī wàng yǒu nà yàng de jiào chē.

06 zhǐ yǒu yī gè qí zì xíng chē de rén.
    duì bù qǐ, wǒ méi tīng dǒng nǐ de huà, nǐ néng zài shuō yī biàn ma? zài màn yī diǎn.
    wǒ shuō zhǐ yǒu yī gè qí zì xíng chē de rén.

    yǒu hěn duō qí zì xíng chē de rén.
    duì bù qǐ, wǒ méi tīng dǒng nǐ de huà, nǐ néng zài shuō yī biàn ma? zài màn yī diǎn.
    wǒ shuō yǒu hěn duō qí zì xíng chē de rén.

    yǒu hěn duō mào zi.
    duì bù qǐ, wǒ méi tīng dǒng nǐ de huà, nǐ néng zài shuō yī biàn ma? zài màn yī diǎn.
    wǒ shuō yǒu hěn duō mào zi.

    zhǐ yǒu liǎng dǐng mào zi.
    duì bù qǐ, wǒ méi tīng dǒng nǐ de huà, nǐ néng zài shuō yī biàn ma? zài màn yī diǎn.
    wǒ shuō zhǐ yǒu liǎng dǐng mào zi.

(jì xù)

07　这个人留小胡子，没留大胡子。
　　你能重复一遍吗？我只懂一点汉语。
　　这个人留小胡子，没留大胡子。

　　这个人留大胡子，没留小胡子。
　　你能重复一遍吗？我只懂一点汉语。
　　这个人留大胡子，没留小胡子。

　　这个人留小胡子和大胡子。
　　你能重复一遍吗？我只懂一点汉语。
　　这个人留小胡子和大胡子。

　　这个人没留小胡子，也没留大胡子。
　　你能重复一遍吗？我只懂一点汉语。
　　这个人没留小胡子，也没留大胡子。

08　这件 T 恤衫上有猫的图案。
　　我刚学说汉语，你能慢慢地重复一遍吗？
　　我说这件 T 恤衫上有猫的图案。

　　这件圆领衫上有熊的图案。
　　我刚学说汉语，你能慢慢地重复一遍吗？
　　我说这件圆领衫上有熊的图案。

　　这件 T 恤衫上有脸的图案。
　　我刚学说汉语，你能慢慢地重复一遍吗？
　　我说这件 T 恤衫上有脸的图案。

　　这件 T 恤衫上没有图案。
　　我刚学说汉语，你能慢慢地重复一遍吗？
　　我说这件 T 恤衫上没有图案。

09　有多少朵花？
　　我知道问题的答案，有一朵花。

　　天空中有多少个气球？
　　我知道问题的答案，天空中有三个气球。

　　天空中有多少个气球？
　　我不知道问题的答案。

　　有多少朵花？
　　我不知道问题的答案。

07　這個人留小鬍子，沒留大鬍子。
　　你能重復一遍嗎？我祇懂一點漢語。
　　這個人留小鬍子，沒留大鬍子。

　　這個人留大鬍子，沒留小鬍子。
　　你能重復一遍嗎？我祇懂一點漢語。
　　這個人留大鬍子，沒留小鬍子。

　　這個人留小鬍子和大鬍子。
　　你能重復一遍嗎？我祇懂一點漢語。
　　這個人留小鬍子和大鬍子。

　　這個人沒留小鬍子，也沒留大鬍子。
　　你能重復一遍嗎？我祇懂一點漢語。
　　這個人沒留小鬍子，也沒留大鬍子。

08　這件 T 恤衫上有貓的圖案。
　　我剛學説漢語，你能慢慢地重復一遍嗎？
　　我説這件 T 恤衫上有貓的圖案。

　　這件圓領衫上有熊的圖案。
　　我剛學説漢語，你能慢慢地重復一遍嗎？
　　我説這件圓領衫上有熊的圖案。

　　這件 T 恤衫上有臉的圖案。
　　我剛學説漢語，你能慢慢地重復一遍嗎？
　　我説這件 T 恤衫上有臉的圖案。

　　這件 T 恤衫上沒有圖案。
　　我剛學説漢語，你能慢慢地重復一遍嗎？
　　我説這件 T 恤衫上沒有圖案。

09　有多少朵花？
　　我知道問題的答案，有一朵花。

　　天空中有多少個氣球？
　　我知道問題的答案，天空中有三個氣球。

　　天空中有多少個氣球？
　　我不知道問題的答案。

　　有多少朵花？
　　我不知道問題的答案。

（继续）

07   zhè gè rén liú xiǎo hú zi, méi liú dà hú zi.
      nǐ néng chóng fù yī biàn ma? wǒ zhǐ dǒng yī diǎn hàn yǔ.
      zhè gè rén liú xiǎo hú zi, méi liú dà hú zi.

      zhè gè rén liú dà hú zi, méi liú xiǎo hú zi.
      nǐ néng chóng fù yī biàn ma? wǒ zhǐ dǒng yī diǎn hàn yǔ.
      zhè gè rén liú dà hú zi, méi liú xiǎo hú zi.

      zhè gè rén liú xiǎo hú zi hé dà hú zi.
      nǐ néng chóng fù yī biàn ma? wǒ zhǐ dǒng yī diǎn hàn yǔ.
      zhè gè rén liú xiǎo hú zi hé dà hú zi.

      zhè gè rén méi liú xiǎo hú zi, yě méi liú dà hú zi.
      nǐ néng chóng fù yī biàn ma? wǒ zhǐ dǒng yī diǎn hàn yǔ.
      zhè gè rén méi liú xiǎo hú zi, yě méi liú dà hú zi.

08   zhè jiàn T xù shān shàng yǒu māo de tú àn.
      wǒ gāng xué shuō hàn yǔ, nǐ néng màn màn de chóng fù yī biàn ma?
      wǒ shuō zhè jiàn T xù shān shàng yǒu māo de tú àn.

      zhè jiàn yuán lǐng shān shàng yǒu xióng de tú àn.
      wǒ gāng xué shuō hàn yǔ, nǐ néng màn màn de chóng fù yī biàn ma?
      wǒ shuō zhè jiàn yuán lǐng shān shàng yǒu xióng de tú àn.

      zhè jiàn T xù shān shàng yǒu liǎn de tú àn.
      wǒ gāng xué shuō hàn yǔ, nǐ néng màn màn de chóng fù yī biàn ma?
      wǒ shuō zhè jiàn T xù shān shàng yǒu liǎn de tú àn.

      zhè jiàn T xù shān shàng méi yǒu tú àn.
      wǒ gāng xué shuō hàn yǔ, nǐ néng màn màn de chóng fù yī biàn ma?
      wǒ shuō zhè jiàn T xù shān shàng méi yǒu tú àn.

09   yǒu duō shǎo duǒ huā?
      wǒ zhī dào wèn tí de dá àn, yǒu yī duǒ huā.

      tiān kōng zhōng yǒu duō shǎo gè qì qiú?
      wǒ zhī dào wèn tí de dá àn, tiān kōng zhōng yǒu sān gè qì qiú.

      tiān kōng zhōng yǒu duō shǎo gè qì qiú?
      wǒ bù zhī dào wèn tí de dá àn.

      yǒu duō shǎo duǒ huā?
      wǒ bù zhī dào wèn tí de dá àn.

(jì xù)

10 有多少辆自行车？
    你说什么？
    我问你有多少辆自行车。
    有一辆自行车。

    有多少顶帽子？
    你说什么？
    我问你有多少顶帽子。
    有很多、很多顶帽子。

    有多少顶帽子？
    你说什么？
    我问你有多少顶帽子。
    有两顶帽子。

    有多少辆自行车？
    你说什么？
    我问你有多少辆自行车。
    有几辆自行车。

10 有多少輛自行車？
    你説什麼？
    我問你有多少輛自行車。
    有一輛自行車。

    有多少頂帽子？
    你説什麼？
    我問你有多少頂帽子。
    有很多、很多頂帽子。

    有多少頂帽子？
    你説什麼？
    我問你有多少頂帽子。
    有兩頂帽子。

    有多少輛自行車？
    你説什麼？
    我問你有多少輛自行車。
    有幾輛自行車。

10 yǒu duō shǎo liàng zì xíng chē?
    nǐ shuō shén me?
    wǒ wèn nǐ yǒu duō shǎo liàng zì xíng chē.
    yǒu yī liàng zì xíng chē.

    yǒu duō shǎo dǐng mào zi?
    nǐ shuō shén me?
    wǒ wèn nǐ yǒu duō shǎo dǐng mào zi.
    yǒu hěn duō, hěn duō dǐng mào zi.

    yǒu duō shǎo dǐng mào zi?
    nǐ shuō shén me?
    wǒ wèn nǐ yǒu duō shǎo dǐng mào zi.
    yǒu liǎng dǐng mào zi.

    yǒu duō shǎo liàng zì xíng chē?
    nǐ shuō shén me?
    wǒ wèn nǐ yǒu duō shǎo liàng zì xíng chē.
    yǒu jǐ liàng zì xíng chē.

13-07

开车旅行前的准备工作

01　林丹想去看她的朋友。
　　她用发刷刷头发。
　　她用牙刷刷牙。
　　她在抹口红。

02　林丹在想需要收拾什么东西。
　　她把牙刷和牙膏放进旅行包。
　　林丹把香波放进旅行包。
　　她把肥皂放进旅行包。

03　她拉上了旅行包。
　　她把旅行包放进皮箱。
　　林丹把她的衣服放进皮箱。
　　林丹盖上皮箱。

04　她关掉电视。
　　她关上窗户。
　　她拉上窗帘。
　　她关掉灯。

05　她拿起太阳镜。
　　林丹戴上太阳镜。
　　她把皮箱从房子里拎了出来。
　　她从手提包里拿出房门钥匙。

06　林丹锁上前门。
　　林丹把皮箱拎到车旁。
　　她从手提包里拿出车钥匙。
　　她打开汽车行李箱。

07　林丹把皮箱放进汽车行李箱。
　　林丹盖上汽车行李箱。
　　她打开前车盖。
　　她在检查机油。

08　林丹给车加机油。
　　林丹给车加水。
　　她在检查轮胎气压。
　　她在调整反光镜。

09　林丹到了加油站。
　　林丹给轮胎充气。
　　她往油箱里加油。
　　她拿了一些饮料。

10　林丹拿了一张地图。
　　林丹为她买的所有东西付钱。
　　她拿了找钱。
　　她开车走了。

13-07

開車旅行前的準備工作

01　林丹想去看她的朋友。
　　她用髮刷刷頭髮。
　　她用牙刷刷牙。
　　她在抹口紅。

02　林丹在想需要收拾什麼東西。
　　她把牙刷和牙膏放進旅行包。
　　林丹把香波放進旅行包。
　　她把肥皂放進旅行包。

03　她拉上了旅行包。
　　她把旅行包放進皮箱。
　　林丹把她的衣服放進皮箱。
　　林丹蓋上皮箱。

04　她關掉電視。
　　她關上窗戶。
　　她拉上窗簾。
　　她關掉燈。

05　她拿起太陽鏡。
　　林丹戴上太陽鏡。
　　她把皮箱從房子裡拎了出來。
　　她從手提包裡拿出房門鑰匙。

06　林丹鎖上前門。
　　林丹把皮箱拎到車旁。
　　她從手提包裡拿出車鑰匙。
　　她打開汽車行李箱。

07　林丹把皮箱放進汽車行李箱。
　　林丹蓋上汽車行李箱。
　　她打開前車蓋。
　　她在檢查機油。

08　林丹給車加機油。
　　林丹給車加水。
　　她在檢查輪胎氣壓。
　　她在調整反光鏡。

09　林丹到了加油站。
　　林丹給輪胎充氣。
　　她往油箱裡加油。
　　她拿了一些飲料。

10　林丹拿了一張地圖。
　　林丹為她買的所有東西付錢。
　　她拿了找錢。
　　她開車走了。

13-07

kāi chē lǚ xíng qián de zhǔn bèi gōng zuò

01 lín dān xiǎng qù kàn tā de péng yǒu.
   tā yòng fà shuā shuā tóu fà.
   tā yòng yá shuā shuā yá.
   tā zài mǒ kǒu hóng.

02 lín dān zài xiǎng xū yào shōu shí shén me dōng xi.
   tā bǎ yá shuā hé yá gāo fàng jìn lǚ xíng bāo.
   lín dān bǎ xiāng bō fàng jìn lǚ xíng bāo.
   tā bǎ féi zào fàng jìn lǚ xíng bāo.

03 tā lā shàng le lǚ xíng bāo.
   tā bǎ lǚ xíng bāo fàng jìn pí xiāng.
   lín dān bǎ tā de yī fu fàng jìn pí xiāng.
   lín dān gài shàng pí xiāng.

04 tā guān diào diàn shì.
   tā guān shàng chuāng hu.
   tā lā shàng chuāng lián.
   tā guān diào dēng.

05 tā ná qǐ tài yáng jìng.
   lín dān dài shàng tài yáng jìng.
   tā bǎ pí xiāng cóng fáng zi lǐ līng le chū lái.
   tā cóng shǒu tí bāo lǐ ná chū fáng mén yào shi.

06 lín dān suǒ shàng qián mén.
   lín dān bǎ pí xiāng līng dào chē páng.
   tā cóng shǒu tí bāo lǐ ná chū chē yào shi.
   tā dǎ kāi qì chē xíng li xiāng.

07 lín dān bǎ pí xiāng fàng jìn qì chē xíng li xiāng.
   lín dān gài shàng qì chē xíng li xiāng.
   tā dǎ kāi qián chē gài.
   tā zài jiǎn chá jī yóu.

08 lín dān gěi chē jiā jī yóu.
   lín dān gěi chē jiā shuǐ.
   tā zài jiǎn chá lún tāi qì yā.
   tā zài tiáo zhěng fǎn guāng jìng.

09 lín dān dào le jiā yóu zhàn.
   lín dān gěi lún tāi chōng qì.
   tā wǎng yóu xiāng lǐ jiā yóu.
   tā ná le yī xiē yǐn liào.

10 lín dān ná le yī zhāng dì tú.
   lín dān wèi tā mǎi de suǒ yǒu dōng xi fù qián.
   tā ná le zhǎo qián.
   tā kāi chē zǒu le.

13-08

向人要东西，请人帮忙

01 请把钳子递给我。
请把盐递过来。
请把锯子递给我。
请把毛巾递给我。

02 机械师接到了他要的东西。
机械师没有接到他要的东西。
厨房里的人接到了她要的东西。
厨房里的人没有接到她要的东西。

03 这个人要了钳子。
秘书没要钳子。
这个人要了毛巾。
木匠没要毛巾。

04 这个人在要钳子。
这个人在要邮件。
这个人在要锯子。
这个人在要毛巾。

05 请把邮件递给我。
请把电话递给我。
请把榔头递给我。
请把遥控器递给我。

06 男人在要胡椒粉。
男人在要榔头。
女人在要盐。
女人在要遥控器。

07 男孩在问老师问题。
老师在回答学生的问题。
红色的符号是问号。
红色的符号是句号。

08 我的车钥匙呢？
它们在台灯旁边。
几点啦？
两点啦。

09 女人在问问题。
男人在回答问题。
男人在问问题。
女人在回答问题。

10 她在要东西。
他在问问题。
男人把电话递给女人。
女人把电话递给男人。

13-08

向人要東西，請人幫忙

01 請把鉗子遞給我。
請把鹽遞過來。
請把鋸子遞給我。
請把毛巾遞給我。

02 機械師接到了他要的東西。
機械師沒有接到他要的東西。
廚房裡的人接到了她要的東西。
廚房裡的人沒有接到她要的東西。

03 這個人要了鉗子。
秘書沒要鉗子。
這個人要了毛巾。
木匠沒要毛巾。

04 這個人在要鉗子。
這個人在要郵件。
這個人在要鋸子。
這個人在要毛巾。

05 請把郵件遞給我。
請把電話遞給我。
請把榔頭遞給我。
請把遙控器遞給我。

06 男人在要胡椒粉。
男人在要榔頭。
女人在要鹽。
女人在要遙控器。

07 男孩在問老師問題。
老師在回答學生的問題。
紅色的符號是問號。
紅色的符號是句號。

08 我的車鑰匙呢？
它們在臺燈旁邊。
幾點啦？
兩點啦。

09 女人在問問題。
男人在回答問題。
男人在問問題。
女人在回答問題。

10 她在要東西。
他在問問題。
男人把電話遞給女人。
女人把電話遞給男人。

13-08

xiàng rén yào dōng xi, qǐng rén bāng máng

01 qǐng bǎ qián zi dì gěi wǒ.
   qǐng bǎ yán dì guò lái.
   qǐng bǎ jù zi dì gěi wǒ.
   qǐng bǎ máo jīn dì gěi wǒ.

02 jī xiè shī jiē dào le tā yào de dōng xi.
   jī xiè shī méi yǒu jiē dào tā yào de dōng xi.
   chú fáng lǐ de rén jiē dào le tā yào de dōng xi.
   chú fáng lǐ de rén méi yǒu jiē dào tā yào de dōng xi.

03 zhè gè rén yào le qián zi.
   mì shū méi yào qián zi.
   zhè gè rén yào le máo jīn.
   mù jiàng méi yào máo jīn.

04 zhè gè rén zài yào qián zi.
   zhè gè rén zài yào yóu jiàn.
   zhè gè rén zài yào jù zi.
   zhè gè rén zài yào máo jīn.

05 qǐng bǎ yóu jiàn dì gěi wǒ.
   qǐng bǎ diàn huà dì gěi wǒ.
   qǐng bǎ láng tou dì gěi wǒ.
   qǐng bǎ yáo kòng qì dì gěi wǒ.

06 nán rén zài yào hú jiāo fěn.
   nán rén zài yào láng tou.
   nǚ rén zài yào yán.
   nǚ rén zài yào yáo kòng qì.

07 nán hái zài wèn lǎo shī wèn tí.
   lǎo shī zài huí dá xué shēng de wèn tí.
   hóng sè de fú hào shì wèn hào.
   hóng sè de fú hào shì jù hào.

08 wǒ de chē yào shi ne?
   tā men zài tái dēng páng biān.
   jǐ diǎn la?
   liǎng diǎn la.

09 nǚ rén zài wèn wèn tí.
   nán rén zài huí dá wèn tí.
   nán rén zài wèn wèn tí.
   nǚ rén zài huí dá wèn tí.

10 tā zài yào dōng xi.
   tā zài wèn wèn tí.
   nán rén bǎ diàn huà dì gěi nǚ rén.
   nǚ rén bǎ diàn huà dì gěi nán rén.

13-09

太大、太小、太多、太少、太冷等

01 这件衬衫男孩穿不合身，太大了。
   这件衬衫男孩穿合身，大小正好。
   这件衬衫男人穿不合身，太小了。
   这件衬衫男人穿合身，大小正好。

02 钥匙打不开锁。
   钥匙能打开锁。
   男孩能钻进洞里。
   男孩钻不进洞里。

03 男孩能独自骑自行车。
   男孩太小，不能独自骑自行车。
   这辆自行车男人骑太小。
   这件衬衫男人穿太小。

04 游泳太冷。
   游泳不太冷。
   从这儿往下跳太高。
   从这儿往下跳不太高。

05 去这个行星太远。
   去这个行星不太远，它是地球。
   穿短裤太冷。
   穿短裤不太冷。

06 女人在装东西。
   女人在倒东西。
   女人把瓶子装满了。
   女人把瓶子倒空了。

07 牛奶不够多，装不满玻璃杯。
   牛奶太多，玻璃杯装不下。
   叉子够了。
   叉子不够。

08 这些弹珠装不满玻璃杯。
   这些弹珠可能正好装满玻璃杯。
   玻璃杯装不下这么多弹珠。
   玻璃杯装不下牛奶。

09 弹珠装不满玻璃杯。
   弹珠太多，玻璃杯装不下。
   弹珠正够装满玻璃杯。
   牛奶太多，玻璃杯装不下。

10 弹珠太多，装满玻璃杯后还多出几颗。
   弹珠太多，玻璃杯远装不下。
   弹珠正够装满玻璃杯。
   弹珠装不满玻璃杯。

13-09

太大、太小、太多、太少、太冷等

01 這件襯衫男孩穿不合身，太大了。
   這件襯衫男孩穿合身，大小正好。
   這件襯衫男人穿不合身，太小了。
   這件襯衫男人穿合身，大小正好。

02 鑰匙打不開鎖。
   鑰匙能打開鎖。
   男孩能鑽進洞裡。
   男孩鑽不進洞裡。

03 男孩能獨自騎自行車。
   男孩太小，不能獨自騎自行車。
   這輛自行車男人騎太小。
   這件襯衫男人穿太小。

04 游泳太冷。
   游泳不太冷。
   從這兒往下跳太高。
   從這兒往下跳不太高。

05 去這個行星太遠。
   去這個行星不太遠，它是地球。
   穿短褲太冷。
   穿短褲不太冷。

06 女人在裝東西。
   女人在倒東西。
   女人把瓶子裝滿了。
   女人把瓶子倒空了。

07 牛奶不夠多，裝不滿玻璃盃。
   牛奶太多，玻璃盃裝不下。
   叉子夠了。
   叉子不夠。

08 這些彈珠裝不滿玻璃盃。
   這些彈珠可能正好裝滿玻璃盃。
   玻璃盃裝不下這麼多彈珠。
   玻璃盃裝不下牛奶。

09 彈珠裝不滿玻璃盃。
   彈珠太多，玻璃盃裝不下。
   彈珠正夠裝滿玻璃盃。
   牛奶太多，玻璃盃裝不下。

10 彈珠太多，裝滿玻璃盃後還多出幾顆。
   彈珠太多，玻璃盃遠裝不下。
   彈珠正夠裝滿玻璃盃。
   彈珠裝不滿玻璃盃。

13-09

tài dà, tài xiǎo, tài duō, tài shǎo, tài lěng děng

01 zhè jiàn chèn shān nán hái chuān bù hé shēn, tài dà le.
zhè jiàn chèn shān nán hái chuān hé shēn, dà xiǎo zhèng hǎo.
zhè jiàn chèn shān nán rén chuān bù hé shēn, tài xiǎo le.
zhè jiàn chèn shān nán rén chuān hé shēn, dà xiǎo zhèng hǎo.

02 yào shi dǎ bù kāi suǒ.
yào shi néng dǎ kāi suǒ.
nán hái néng zuān jìn dòng lǐ.
nán hái zuān bù jìn dòng lǐ.

03 nán hái néng dú zì qí zì xíng chē.
nán hái tài xiǎo, bù néng dú zì qí zì xíng chē.
zhè liàng zì xíng chē nán rén qí tài xiǎo.
zhè jiàn chèn shān nán rén chuān tài xiǎo.

04 yóu yǒng tài lěng.
yóu yǒng bù tài lěng.
cóng zhèr wǎng xià tiào tài gāo.
cóng zhèr wǎng xià tiào bù tài gāo.

05 qù zhè gè xíng xīng tài yuǎn.
qù zhè gè xíng xīng bù tài yuǎn, tā shì dì qiú.
chuān duǎn kù tài lěng.
chuān duǎn kù bù tài lěng.

06 nǚ rén zài zhuāng dōng xi.
nǚ rén zài dào dōng xi.
nǚ rén bǎ píng zi zhuāng mǎn le.
nǚ rén bǎ píng zi dào kōng le.

07 niú nǎi bù gòu duō, zhuāng bù mǎn bō li bēi.
niú nǎi tài duō, bō li bēi zhuāng bù xià.
chā zi gòu le.
chā zi bù gòu.

08 zhè xiē dàn zhū zhuāng bù mǎn bō li bēi.
zhè xiē dàn zhū kě néng zhèng hǎo zhuāng mǎn bō li bēi.
bō li bēi zhuāng bù xià zhè me duō dàn zhū.
bō li bēi zhuāng bù xià niú nǎi.

09 dàn zhū zhuāng bù mǎn bō li bēi.
dàn zhū tài duō, bō li bēi zhuāng bù xià.
dàn zhū zhèng gòu zhuāng mǎn bō li bēi.
niú nǎi tài duō, bō li bēi zhuāng bù xià.

10 dàn zhū tài duō, zhuāng mǎn bō li bēi hòu hái duō chū jǐ kē.
dàn zhū tài duō, bō li bēi yuǎn zhuāng bù xià.
dàn zhū zhèng gòu zhuāng mǎn bō li bēi.
dàn zhū zhuāng bù mǎn bō li bēi.

13-10

忘记、听、丢、说谎等

01　这个人忘了系皮带。
　　这个人记着系皮带了。
　　这个人忘了系鞋带。
　　这个人记着系鞋带了。

02　他忘了梳头发。
　　他记着梳头发了。
　　他忘了加油。
　　他记着加油了。

03　他忘了他的公文包。
　　他忘了他的护照。
　　他没有忘他的公文包。
　　他没有忘他的护照。

04　她的钥匙丢了。
　　她找到了她的钥匙。
　　他把零钱丢了。
　　他找到了他的零钱。

05　他把笔丢了。
　　他找到了他的笔。
　　她把口红丢了。
　　她找到了她的口红。

06　女人在听音乐。
　　男人在听女人讲话。
　　男人在听音乐。
　　女人在听男人讲话。

07　他们在听她讲话。
　　他们在听音乐。
　　她在听他们讲话。
　　因为她戴着耳机，所以听不见他们讲话。

08　男孩把杯子打破了。
　　母亲问："谁把杯子打破了？"
　　男孩说谎，他说："不是我干的，是他干的。"
　　男孩说实话，他说："我把杯子打破了。"

09　男孩把杯子打破了。
　　母亲问："谁把杯子打破了？"
　　男孩说谎。
　　男孩说实话。

10　男人说："我没有书。"他在说实话。
　　男人说："我没有书。"他在说谎。
　　女人说："我没有钱。"她在说谎。
　　女人说："我没有钱。"她在说实话。

13-10

忘記、聽、丟、説謊等

01　這個人忘了繫皮帶。
　　這個人記着繫皮帶了。
　　這個人忘了繫鞋帶。
　　這個人記着繫鞋帶了。

02　他忘了梳頭髮。
　　他記着梳頭髮了。
　　他忘了加油。
　　他記着加油了。

03　他忘了他的公文包。
　　他忘了他的護照。
　　他沒有忘他的公文包。
　　他沒有忘他的護照。

04　她的鑰匙丟了。
　　她找到了她的鑰匙。
　　他把零錢丟了。
　　他找到了他的零錢。

05　他把筆丟了。
　　他找到了他的筆。
　　她把口紅丟了。
　　她找到了她的口紅。

06　女人在聽音樂。
　　男人在聽女人講話。
　　男人在聽音樂。
　　女人在聽男人講話。

07　他們在聽她講話。
　　他們在聽音樂。
　　她在聽他們講話。
　　因為她戴着耳機，所以聽不見他們講話。

08　男孩把盃子打破了。
　　母親問："誰把盃子打破了？"
　　男孩說謊，他說："不是我幹的，是他幹的。"
　　男孩說實話，他說："我把盃子打破了。"

09　男孩把盃子打破了。
　　母親問："誰把盃子打破了？"
　　男孩說謊。
　　男孩說實話。

10　男人說："我沒有書。"他在說實話。
　　男人說："我沒有書。"他在說謊。
　　女人說："我沒有錢。"她在說謊。
　　女人說："我沒有錢。"她在說實話。

13-10

wàng jì, tīng, diū, shuō huǎng děng

01 zhè gè rén wàng le jì pí dài.
zhè gè rén jì zhe jì pí dài le.
zhè gè rén wàng le jì xié dài.
zhè gè rén jì zhe jì xié dài le.

02 tā wàng le shū tóu fà.
tā jì zhe shū tóu fà le.
tā wàng le jiā yóu.
tā jì zhe jiā yóu le.

03 tā wàng le tā de gōng wén bāo.
tā wàng le tā de hù zhào.
tā méi yǒu wàng tā de gōng wén bāo.
tā méi yǒu wàng tā de hù zhào.

04 tā de yào shi diū le.
tā zhǎo dào le tā de yào shi.
tā bǎ líng qián diū le.
tā zhǎo dào le tā de líng qián.

05 tā bǎ bǐ diū le.
tā zhǎo dào le tā de bǐ.
tā bǎ kǒu hóng diū le.
tā zhǎo dào le tā de kǒu hóng.

06 nǚ rén zài tīng yīn yuè.
nán rén zài tīng nǚ rén jiǎng huà.
nán rén zài tīng yīn yuè.
nǚ rén zài tīng nán rén jiǎng huà.

07 tā men zài tīng tā jiǎng huà.
tā men zài tīng yīn yuè.
tā zài tīng tā men jiǎng huà.
yīn wéi tā dài zhe ěr jī, suǒ yǐ tīng bù jiàn tā men jiǎng huà.

08 nán hái bǎ bēi zi dǎ pò le.
mǔ qīn wèn: "shuí bǎ bēi zi dǎ pò le?"
nán hái shuō huǎng, tā shuō: "bù shì wǒ gān de, shì tā gān de."
nán hái shuō shí huà, tā shuō: "wǒ bǎ bēi zi dǎ pò le."

09 nán hái bǎ bēi zi dǎ pò le.
mǔ qīn wèn: "shuí bǎ bēi zi dǎ pò le?"
nán hái shuō huǎng.
nán hái shuō shí huà.

10 nán rén shuō: "wǒ méi yǒu shū. "tā zài shuō shí huà.
nán rén shuō: "wǒ méi yǒu shū. "tā zài shuō huǎng.
nǚ rén shuō: "wǒ méi yǒu qián. "tā zài shuō huǎng.
nǚ rén shuō: "wǒ méi yǒu qián. "tā zài shuō shí huà.

13-11

复习第十三部分

01 我们能看出谁会赢。
我们看不出谁会赢。
因为钟离得近，所以我们能看出现在几点。
因为钟离得太远，所以我们看不出现在几点。

02 她们跟着男人。
女人跟着他们。
男人跟着她们。
他们跟着女人。

03 哪样东西最贵，汽车、T恤衫还是电视机？
哪样东西比汽车便宜，但比T恤衫贵？
哪样东西最便宜，T恤衫、报纸还是电视机？
哪样东西比报纸贵，但比电视机便宜？

04 他在面包店买面包。
他在鞋店试鞋。
他在服装店试衣服。
他在理发店理发。

05 收款员把收据给顾客。
顾客把东西拿出商店。
她打开后车门。
他把东西放进车里。

06 只有一个骑自行车的人。
对不起，我没听懂你的话，你能再说一遍吗？再慢一
点。
我说只有一个骑自行车的人。

有很多骑自行车的人。
对不起，我没听懂你的话，你能再说一遍吗？再慢一
点。
我说有很多骑自行车的人。

有很多帽子。
对不起，我没听懂你的话，你能再说一遍吗？再慢一
点。
我说有很多帽子。

只有两顶帽子。
对不起，我没听懂你的话，你能再说一遍吗？再慢一
点。
我说只有两顶帽子。

07 林丹到了加油站。
林丹给轮胎充气。
她往油箱里加油。
她拿了一些饮料。

13-11

復習第十三部分

01 我們能看出誰會贏。
我們看不出誰會贏。
因為鐘離得近，所以我們能看出現在幾點。
因為鐘離得太遠，所以我們看不出現在幾點。

02 她們跟着男人。
女人跟着他們。
男人跟着她們。
他們跟着女人。

03 哪樣東西最貴，汽車、T恤衫還是電視機？
哪樣東西比汽車便宜，但比T恤衫貴？
哪樣東西最便宜，T恤衫、報紙還是電視機？
哪樣東西比報紙貴，但比電視機便宜？

04 他在麵包店買麵包。
他在鞋店試鞋。
他在服裝店試衣服。
他在理髮店理髮。

05 收款員把收據給顧客。
顧客把東西拿出商店。
她打開後車門。
他把東西放進車裡。

06 祇有一個騎自行車的人。
對不起，我沒聽懂你的話，你能再說一遍嗎？再慢一
點。
我說祇有一個騎自行車的人。

有很多騎自行車的人。
對不起，我沒聽懂你的話，你能再說一遍嗎？再慢一
點。
我說有很多騎自行車的人。

有很多帽子。
對不起，我沒聽懂你的話，你能再說一遍嗎？再慢一
點。
我說有很多帽子。

祇有兩頂帽子。
對不起，我沒聽懂你的話，你能再說一遍嗎？再慢一
點。
我說祇有兩頂帽子。

07 林丹到了加油站。
林丹給輪胎充氣。
她往油箱裡加油。
她拿了一些飲料。

（继续）

13-11

fù xí dì shí sān bù fèn

01 wǒ men néng kàn chū shuí huì yíng.
   wǒ men kàn bù chū shuí huì yíng.
   yīn wéi zhōng lí de jìn, suǒ yǐ wǒ men néng kàn chū xiàn zài jǐ diǎn.
   yīn wéi zhōng lí de tài yuǎn, suǒ yǐ wǒ men kàn bù chū xiàn zài jǐ diǎn.

02 tā men gēn zhe nán rén.
   nǚ rén gēn zhe tā men.
   nán rén gēn zhe tā men.
   tā men gēn zhe nǚ rén.

03 nǎ yàng dōng xi zuì guì, qì chē, T-xù shān hái shì diàn shì jī?
   nǎ yàng dōng xi bǐ qì chē pián yi, dàn bǐ T-xù shān guì?
   nǎ yàng dōng xi zuì pián yi, T-xù shān, bào zhǐ hái shì diàn shì jī?
   nǎ yàng dōng xi bǐ bào zhǐ guì, dàn bǐ diàn shì jī pián yi?

04 tā zài miàn bāo diàn mǎi miàn bāo.
   tā zài xié diàn shì xié.
   tā zài fú zhuāng diàn shì yī fu.
   tā zài lǐ fà diàn lǐ fà.

05 shōu kuǎn yuán bǎ shōu jù gěi gù kè.
   gù kè bǎ dōng xi ná chū shāng diàn.
   tā dǎ kāi hòu chē mén.
   tā bǎ dōng xi fàng jìn chē lǐ.

06 zhǐ yǒu yī gè qí zì xíng chē de rén.
   duì bù qǐ, wǒ méi tīng dǒng nǐ de huà, nǐ néng zài shuō yī biàn ma? zài màn yī diǎn.
   wǒ shuō zhǐ yǒu yī gè qí zì xíng chē de rén.

   yǒu hěn duō qí zì xíng chē de rén.
   duì bù qǐ, wǒ méi tīng dǒng nǐ de huà, nǐ néng zài shuō yī biàn ma? zài màn yī diǎn.
   wǒ shuō yǒu hěn duō qí zì xíng chē de rén.

   yǒu hěn duō mào zi.
   duì bù qǐ, wǒ méi tīng dǒng nǐ de huà, nǐ néng zài shuō yī biàn ma? zài màn yī diǎn.
   wǒ shuō yǒu hěn duō mào zi.

   zhǐ yǒu liǎng dǐng mào zi.
   duì bù qǐ, wǒ méi tīng dǒng nǐ de huà, nǐ néng zài shuō yī biàn ma? zài màn yī diǎn.
   wǒ shuō zhǐ yǒu liǎng dǐng mào zi.

07 lín dān dào le jiā yóu zhàn.
   lín dān gěi lún tāi chōng qì.
   tā wǎng yóu xiāng lǐ jiā yóu.
   tā ná le yī xiē yǐn liào.

(jì xù)

08 女人在问问题。
　　男人在回答问题。
　　男人在问问题。
　　女人在回答问题。

09 弹珠太多，装满玻璃杯后还多出几颗。
　　弹珠太多，玻璃杯远装不下。
　　弹珠正够装满玻璃杯。
　　弹珠装不满玻璃杯。

10 男孩把杯子打破了。
　　母亲问："谁把杯子打破了？"
　　男孩说谎。
　　男孩说实话。

08 女人在問問題。
　　男人在回答問題。
　　男人在問問題。
　　女人在回答問題。

09 彈珠太多，裝滿玻璃盃後還多出幾顆。
　　彈珠太多，玻璃盃遠裝不下。
　　彈珠正夠裝滿玻璃盃。
　　彈珠裝不滿玻璃盃。

10 男孩把盃子打破了。
　　母親問："誰把盃子打破了？"
　　男孩説謊。
　　男孩説實話。

08 nǚ rén zài wèn wèn tí.
     nán rén zài huí dá wèn tí.
     nán rén zài wèn wèn tí.
     nǚ rén zài huí dá wèn tí.

09 dàn zhū tài duō, zhuāng mǎn bō li bēi hòu hái duō chū jǐ kē.
     dàn zhū tài duō, bō li bēi yuǎn zhuāng bù xià.
     dàn zhū zhèng gòu zhuāng mǎn bō li bēi.
     dàn zhū zhuāng bù mǎn bō li bēi.

10 nán hái bǎ bēi zi dǎ pò le.
     mǔ qīn wèn: "shuí bǎ bēi zi dǎ pò le?"
     nán hái shuō huǎng.
     nán hái shuō shí huà.

14-01

输、赢，及格、不及格，躲、找等系列动作

01 孩子们在比赛爬楼梯。
孩子们爬完了楼梯，女孩赢了。
白棋赢了。
白棋输了。

02 女人赢了游戏。
女人输了游戏。
男人赢了游戏。
男人输了游戏。

03 还没有人考试。
杜清在考试。
李军考试及格了。
周兵考试不及格。

04 他及格了。
他不及格。
他赢了。
他输了。

05 她输了赛跑。
她赢了赛跑。
她的耳环丢了。
她找到了她的耳环。

06 他正丢下钥匙。
他在寻找他的钥匙。
他找到了他的钥匙。
他在用钥匙。

07 女孩的眼睛闭着。
男孩躲着。
女孩在寻找男孩。
女孩找到了男孩。

08 男孩躲着。
女孩躲着。
男孩在寻找女孩。
男孩找到了女孩。

09 男人迷路了，他不知道他在哪儿。
男人打开地图。
男人在地图上找到了他所在的地点。
现在男人知道往哪儿走了。

10 我躲着。
我在寻找。
我赢了比赛。
我输了比赛。

14-01

輸、贏，及格、不及格，躲、找等系列動作

01 孩子們在比賽爬樓梯。
孩子們爬完了樓梯，女孩贏了。
白棋贏了。
白棋輸了。

02 女人贏了游戲。
女人輸了游戲。
男人贏了游戲。
男人輸了游戲。

03 還沒有人考試。
杜清在考試。
李軍考試及格了。
周兵考試不及格。

04 他及格了。
他不及格。
他贏了。
他輸了。

05 她輸了賽跑。
她贏了賽跑。
她的耳環丟了。
她找到了她的耳環。

06 他正丟下鑰匙。
他在尋找他的鑰匙。
他找到了他的鑰匙。
他在用鑰匙。

07 女孩的眼睛閉着。
男孩躲着。
女孩在尋找男孩。
女孩找到了男孩。

08 男孩躲着。
女孩躲着。
男孩在尋找女孩。
男孩找到了女孩。

09 男人迷路了，他不知道他在哪兒。
男人打開地圖。
男人在地圖上找到了他所在的地點。
現在男人知道往哪兒走了。

10 我躲着。
我在尋找。
我贏了比賽。
我輸了比賽。

14-01

shū, yíng, jí gé, bù jí gé, duǒ, zhǎo děng xì liè dòng zuò

01 hái zi men zài bǐ sài pá lóu tī.
    hái zi men pá wán le lóu tī, nǚ hái yíng le.
    bái qí yíng le.
    bái qí shū le.

02 nǚ rén yíng le yóu xì.
    nǚ rén shū le yóu xì.
    nán rén yíng le yóu xì.
    nán rén shū le yóu xì.

03 hái méi yǒu rén kǎo shì.
    dù qīng zài kǎo shì.
    lǐ jūn kǎo shì jí gé le.
    zhōu bīng kǎo shì bù jí gé.

04 tā jí gé le.
    tā bù jí gé.
    tā yíng le.
    tā shū le.

05 tā shū le sài pǎo.
    tā yíng le sài pǎo.
    tā de ěr huán diū le.
    tā zhǎo dào le tā de ěr huán.

06 tā zhèng diū xià yào shi.
    tā zài xún zhǎo tā de yào shi.
    tā zhǎo dào le tā de yào shi.
    tā zài yòng yào shi.

07 nǚ hái de yǎn jing bì zhe.
    nán hái duǒ zhe.
    nǚ hái zài xún zhǎo nán hái.
    nǚ hái zhǎo dào le nán hái.

08 nán hái duǒ zhe.
    nǚ hái duǒ zhe.
    nán hái zài xún zhǎo nǚ hái.
    nán hái zhǎo dào le nǚ hái.

09 nán rén mí lù le, tā bù zhī dào tā zài nǎr.
    nán rén dǎ kāi dì tú.
    nán rén zài dì tú shàng zhǎo dào le tā suǒ zài de dì diǎn.
    xiàn zài nán rén zhī dào wǎng nǎr zǒu le.

10 wǒ duǒ zhe.
    wǒ zài xún zhǎo.
    wǒ yíng le bǐ sài.
    wǒ shū le bǐ sài.

14-02

五官：嗅觉、视觉、听觉、味觉及触觉

01　人们用这个闻。
　　人们用这个看。
　　人们用这个听。
　　人们用这个尝。

02　男人在闻一朵花。
　　男人在闻咖啡。
　　女人在尝盐。
　　女人在尝汤。

03　男人在闻咖啡。
　　男人在尝咖啡。
　　女人在闻汤。
　　女人在尝汤。

04　柠檬吃起来是酸的。
　　糖吃起来是甜的。
　　辣椒吃起来是辣的。
　　盐吃起来是咸的。

05　这个吃起来是酸的。
　　这个吃起来是甜的。
　　这个吃起来是辣的。
　　这个吃起来是咸的。

06　这东西好闻。
　　这东西不好闻。
　　这摸上去又粗糙又硬。
　　这摸上去又光滑又硬。

07　这个好吃。
　　这个不好吃。
　　这摸上去柔软，不粗糙也不硬。
　　这摸上去又粗糙又硬。

08　女人感觉到铅笔是尖的。
　　女人感觉到铅笔是粗的。
　　刀的这边摸上去锋利。
　　刀的这边摸上去钝。

09　这个人正发出很响的声音，他在叫喊。
　　这个人正发出很轻的声音，他在耳语。
　　这种乐器发出高音。
　　这种乐器发出低音。

10　这个人在叫喊。
　　这个人在耳语。
　　火箭发出很响的声音。
　　火箭没有发出声音。

14-02

五官：嗅覺、視覺、听覺、味覺及觸覺

01　人們用這個聞。
　　人們用這個看。
　　人們用這個聽。
　　人們用這個嚐。

02　男人在聞一朵花。
　　男人在聞咖啡。
　　女人在嚐鹽。
　　女人在嚐湯。

03　男人在聞咖啡。
　　男人在嚐咖啡。
　　女人在聞湯。
　　女人在嚐湯。

04　檸檬喫起來是酸的。
　　糖喫起來是甜的。
　　辣椒喫起來是辣的。
　　鹽喫起來是鹹的。

05　這個喫起來是酸的。
　　這個喫起來是甜的。
　　這個喫起來是辣的。
　　這個喫起來是鹹的。

06　這東西好聞。
　　這東西不好聞。
　　這摸上去又粗糙又硬。
　　這摸上去又光滑又硬。

07　這個好喫。
　　這個不好喫。
　　這摸上去柔軟，不粗糙也不硬。
　　這摸上去又粗糙又硬。

08　女人感覺到鉛筆是尖的。
　　女人感覺到鉛筆是粗的。
　　刀的這邊摸上去鋒利。
　　刀的這邊摸上去鈍。

09　這個人正發出很響的聲音，他在叫喊。
　　這個人正發出很輕的聲音，他在耳語。
　　這種樂器發出高音。
　　這種樂器發出低音。

10　這個人在叫喊。
　　這個人在耳語。
　　火箭發出很響的聲音。
　　火箭沒有發出聲音。

14-02

wǔ guān: xiù jué, shì jué, tīng jué, wèi jué jí chù jué

01 rén men yòng zhè gè wén.
   rén men yòng zhè gè kàn.
   rén men yòng zhè gè tīng.
   rén men yòng zhè gè cháng.

02 nán rén zài wén yī duǒ huā.
   nán rén zài wén kā fēi.
   nǚ rén zài cháng yán.
   nǚ rén zài cháng tāng.

03 nán rén zài wén kā fēi.
   nán rén zài cháng kā fēi.
   nǚ rén zài wén tāng.
   nǚ rén zài cháng tāng.

04 níng méng chī qǐ lái shì suān de.
   táng chī qǐ lái shì tián de.
   là jiāo chī qǐ lái shì là de.
   yán chī qǐ lái shì xián de.

05 zhè gè chī qǐ lái shì suān de.
   zhè gè chī qǐ lái shì tián de.
   zhè gè chī qǐ lái shì là de.
   zhè gè chī qǐ lái shì xián de.

06 zhè dōng xi hǎo wén.
   zhè dōng xi bù hǎo wén.
   zhè mō shàng qù yòu cū cāo yòu yìng.
   zhè mō shàng qù yòu guāng huá yòu yìng.

07 zhè gè hǎo chī.
   zhè gè bù hǎo chī.
   zhè mō shàng qù róu ruǎn, bù cū cāo yě bù yìng.
   zhè mō shàng qù yòu cū cāo yòu yìng.

08 nǚ rén gǎn jué dào qiān bǐ shì jiān de.
   nǚ rén gǎn jué dào qiān bǐ shì cū de.
   dāo de zhè biān mō shàng qù fēng lì.
   dāo de zhè biān mō shàng qù dùn.

09 zhè gè rén zhèng fā chū hěn xiǎng de shēng yīn, tā zài jiào hǎn.
   zhè gè rén zhèng fā chū hěn qīng de shēng yīn, tā zài ěr yǔ.
   zhè zhǒng yuè qì fā chū gāo yīn.
   zhè zhǒng yuè qì fā chū dī yīn.

10 zhè gè rén zài jiào hǎn.
   zhè gè rén zài ěr yǔ.
   huǒ jiàn fā chū hěn xiǎng de shēng yīn.
   huǒ jiàn méi yǒu fā chū shēng yīn.

14-03

人们的穿戴、车辆等过去、现在和将来的
比较

01 如今，人们用这种车。
    很久以前，人们用这种车。
    如今，人们穿这种衣服。
    很久以前，人们穿这种衣服。

02 现在的汽车
    过去的汽车
    现在的卡车
    过去的卡车

03 这个人曾是小女孩。
    这个人是小女孩。
    这个人曾是小男孩。
    这个人是小男孩。

04 这个人是女人。
    这个人将来会成为女人。
    这个人是男人。
    这个人将来会成为男人。

05 这是过去更常见的交通工具。
    这是现在更常见的交通工具。
    这是古代文明中的建筑。
    这是现代文明中的建筑。

06 这是过去不久的一年。
    这是过去很久的一年。
    这是在不远的将来的一年。
    这是在很远的将来的一年。

07 这是老式汽车。
    这是新式汽车。
    这是古代建筑。
    这是现代建筑。

08 过去有些人住在这样的房子里。
    现在有些人住在这样的房子里。
    过去人们穿这样的衣服。
    现在人们穿这样的衣服。

09 这是老式照相机。
    这是新式照相机。
    这些人穿着旧式服装。
    这些人穿着新式服装。

10 很久以前，人们这样做。
    现在人们这样做。
    将来人们可能这样做。
    不久以前，人们这样做。

14-03

人們的穿戴、車輛等過去、現在和將來的
比較

01 如今，人們用這種車。
    很久以前，人們用這種車。
    如今，人們穿這種衣服。
    很久以前，人們穿這種衣服。

02 現在的汽車
    過去的汽車
    現在的卡車
    過去的卡車

03 這個人曾是小女孩。
    這個人是小女孩。
    這個人曾是小男孩。
    這個人是小男孩。

04 這個人是女人。
    這個人將來會成為女人。
    這個人是男人。
    這個人將來會成為男人。

05 這是過去更常見的交通工具。
    這是現在更常見的交通工具。
    這是古代文明中的建築。
    這是現代文明中的建築。

06 這是過去不久的一年。
    這是過去很久的一年。
    這是在不遠的將來的一年。
    這是在很遠的將來的一年。

07 這是老式汽車。
    這是新式汽車。
    這是古代建築。
    這是現代建築。

08 過去有些人住在這樣的房子裡。
    現在有些人住在這樣的房子裡。
    過去人們穿這樣的衣服。
    現在人們穿這樣的衣服。

09 這是老式照相機。
    這是新式照相機。
    這些人穿着舊式服裝。
    這些人穿着新式服裝。

10 很久以前，人們這樣做。
    現在人們這樣做。
    將來人們可能這樣做。
    不久以前，人們這樣做。

14-03

rén men de chuān dài, chē liàng děng guò qù, xiàn zài hé jiāng lái de bǐ jiào

01 rú jīn, rén men yòng zhè zhǒng chē.
   hěn jiǔ yǐ qián, rén men yòng zhè zhǒng chē.
   rú jīn, rén men chuān zhè zhǒng yī fu.
   hěn jiǔ yǐ qián, rén men chuān zhè zhǒng yī fu.

02 xiàn zài de qì chē
   guò qù de qì chē
   xiàn zài de kǎ chē
   guò qù de kǎ chē

03 zhè gè rén céng shì xiǎo nǚ hái.
   zhè gè rén shì xiǎo nǚ hái.
   zhè gè rén céng shì xiǎo nán hái.
   zhè gè rén shì xiǎo nán hái.

04 zhè gè rén shì nǚ rén.
   zhè gè rén jiāng lái huì chéng wéi nǚ rén.
   zhè gè rén shì nán rén.
   zhè gè rén jiāng lái huì chéng wéi nán rén.

05 zhè shì guò qù gèng cháng jiàn de jiāo tōng gōng jù.
   zhè shì xiàn zài gèng cháng jiàn de jiāo tōng gōng jù.
   zhè shì gǔ dài wén míng zhōng de jiàn zhù.
   zhè shì xiàn dài wén míng zhōng de jiàn zhù.

06 zhè shì guò qù bù jiǔ de yī nián.
   zhè shì guò qù hěn jiǔ de yī nián.
   zhè shì zài bù yuǎn de jiāng lái de yī nián.
   zhè shì zài hěn yuǎn de jiāng lái de yī nián.

07 zhè shì lǎo shì qì chē.
   zhè shì xīn shì qì chē.
   zhè shì gǔ dài jiàn zhù.
   zhè shì xiàn dài jiàn zhù.

08 guò qù yǒu xiē rén zhù zài zhè yàng de fáng zi lǐ.
   xiàn zài yǒu xiē rén zhù zài zhè yàng de fáng zi lǐ.
   guò qù rén men chuān zhè yàng de yī fu.
   xiàn zài rén men chuān zhè yàng de yī fu.

09 zhè shì lǎo shì zhào xiàng jī.
   zhè shì xīn shì zhào xiàng jī.
   zhè xiē rén chuān zhe jiù shì fú zhuāng.
   zhè xiē rén chuān zhe xīn shì fú zhuāng.

10 hěn jiǔ yǐ qián, rén men zhè yàng zuò.
   xiàn zài rén men zhè yàng zuò.
   jiāng lái rén men kě néng zhè yàng zuò.
   bù jiǔ yǐ qián, rén men zhè yàng zuò.

14-04

身体状况，医疗和护理

01 我嗓子疼。
我胃疼。
我头疼。
我发烧了。

02 他感冒了。
他发烧了。
这两个人都病了。
这两个人都没病。

03 我的手疼。
我的脚疼。
我感到累了。
我的膝盖疼。

04 这个人需要看牙医，他牙痛。
这个人需要看医生，他发烧了。
这个人是医生。
这个人是牙医。

05 你发烧了吗？
你感冒了吗？
这个人在叫救护车。
这是辆救护车。

06 这个人是医院里的病人。
这个人不是病人。
这些人是医院里的病人。
这些人不是病人。

07 男人拄着拐杖。
男人噎着了。
女人戴着颈托。
女人绑着夹板。

08 男孩在咳嗽。
男孩在打喷嚏。
男孩在擤鼻子，因为他感冒了。
男孩在颤抖，因为他感冒了。

09 男孩感觉病了。
男人感觉很好。
女孩感觉病了。
女人感觉很好。

10 女人在吃药。
男人在吃药。
病人在打针。
护士在给人打针。

14-04

身體狀況，醫療和護理

01 我嗓子疼。
我胃疼。
我頭疼。
我發燒了。

02 他感冒了。
他發燒了。
這兩個人都病了。
這兩個人都沒病。

03 我的手疼。
我的腳疼。
我感到累了。
我的膝蓋疼。

04 這個人需要看牙醫，他牙痛。
這個人需要看醫生，他發燒了。
這個人是醫生。
這個人是牙醫。

05 你發燒了嗎？
你感冒了嗎？
這個人在叫救護車。
這是輛救護車。

06 這個人是醫院裡的病人。
這個人不是病人。
這些人是醫院裡的病人。
這些人不是病人。

07 男人拄着枴杖。
男人噎着了。
女人戴着頸托。
女人綁着夾板。

08 男孩在咳嗽。
男孩在打噴嚏。
男孩在擤鼻子，因為他感冒了。
男孩在顫抖，因為他感冒了。

09 男孩感覺病了。
男人感覺很好。
女孩感覺病了。
女人感覺很好。

10 女人在喫藥。
男人在喫藥。
病人在打針。
護士在給人打針。

14-04

shēn tǐ zhuàng kuàng, yī liáo hé hù lǐ

01 wǒ sǎng zi téng.
   wǒ wèi téng.
   wǒ tóu téng.
   wǒ fā shāo le.

02 tā gǎn mào le.
   tā fā shāo le.
   zhè liǎng gè rén dōu bìng le.
   zhè liǎng gè rén dōu méi bìng.

03 wǒ de shǒu téng.
   wǒ de jiǎo téng.
   wǒ gǎn dào lèi le.
   wǒ de xī gài téng.

04 zhè gè rén xū yào kàn yá yī, tā yá tòng.
   zhè gè rén xū yào kàn yī shēng, tā fā shāo le.
   zhè gè rén shì yī shēng.
   zhè gè rén shì yá yī.

05 nǐ fā shāo le ma?
   nǐ gǎn mào le ma?
   zhè gè rén zài jiào jiù hù chē.
   zhè shì liàng jiù hù chē.

06 zhè gè rén shì yī yuàn lǐ de bìng rén.
   zhè gè rén bù shì bìng rén.
   zhè xiē rén shì yī yuàn lǐ de bìng rén.
   zhè xiē rén bù shì bìng rén.

07 nán rén zhǔ zhe guǎi zhàng.
   nán rén yē zháo le.
   nǚ rén dài zhe jǐng tuō.
   nǚ rén bǎng zhe jiā bǎn.

08 nán hái zài ké sou.
   nán hái zài dǎ pēn tì.
   nán hái zài xǐng bí zi, yīn wéi tā gǎn mào le.
   nán hái zài chàn dǒu, yīn wéi tā gǎn mào le.

09 nán hái gǎn jué bìng le.
   nán rén gǎn jué hěn hǎo.
   nǚ hái gǎn jué bìng le.
   nǚ rén gǎn jué hěn hǎo.

10 nǚ rén zài chī yào.
   nán rén zài chī yào.
   bìng rén zài dǎ zhēn.
   hù shì zài gěi rén dǎ zhēn.

14-05

意愿和现实，因为……所以……，如果……就……

01　她在玩电脑是因为她想玩。
　　她在看电视是因为她想看。
　　他在做作业是因为他必须做。
　　他在吃沙拉是因为他必须吃。

02　她在做她想做的事。
　　她在做她必须做的事。
　　她在吃她想吃的东西。
　　她在吃她必须吃的东西。

03　她想去外面，但是她必须呆在里面。
　　她想吃冰淇淋，但是她必须吃沙拉。
　　她想看电视，但是她必须做作业。
　　她想玩游戏，但是她必须练钢琴。

04　我想吃冰淇淋。
　　不行，你必须吃沙拉。

　　我想看电视。
　　不行，你必须做作业。

　　我想去外面。
　　不行，你必须呆在里面。

　　我要一块甜饼。
　　你可以吃一块甜饼，给你。

05　她在做作业。
　　她应该做作业，而不应该玩游戏。
　　她不应该扔杯子。
　　她刚才不应该扔杯子。

06　当杯子满时，她应该停止倒。
　　刚才杯子满时，她应该停止倒。
　　她不应该在房子里面跑。
　　她刚才不应该在房子里面跑。

07　女人在做她应该做的事。
　　她不在做她应该做的事。
　　男孩在做他应该做的事。
　　他不应该做他正在做的事。

08　如果能玩，她就会玩。但她不能，她有作业要做。
　　如果能看，她就会看电视。但她不能，她有盘子要洗。
　　如果能吃，她就会吃冰淇淋。但她不能，她必须吃沙拉。
　　如果能不睡觉，她就不想睡觉。但她不能，她必须上床。

14-05

意願和現實，因為……所以……，如果……就……

01　她在玩電腦是因為她想玩。
　　她在看電視是因為她想看。
　　他在做作業是因為他必須做。
　　他在喫沙拉是因為他必須喫。

02　她在做她想做的事。
　　她在做她必須做的事。
　　她在喫她想喫的東西。
　　她在喫她必須喫的東西。

03　她想去外面，但是她必須呆在裡面。
　　她想喫冰淇淋，但是她必須喫沙拉。
　　她想看電視，但是她必須做作業。
　　她想玩游戲，但是她必須練鋼琴。

04　我想喫冰淇淋。
　　不行，你必須喫沙拉。

　　我想看電視。
　　不行，你必須做作業。

　　我想去外面。
　　不行，你必須呆在裡面。

　　我要一塊甜餅。
　　你可以喫一塊甜餅，給你。

05　她在做作業。
　　她應該做作業，而不應該玩游戲。
　　她不應該扔盃子。
　　她剛纔不應該扔盃子。

06　當盃子滿時，她應該停止倒。
　　剛纔盃子滿時，她應該停止倒。
　　她不應該在房子裡面跑。
　　她剛纔不應該在房子裡面跑。

07　女人在做她應該做的事。
　　她不在做她應該做的事。
　　男孩在做他應該做的事。
　　他不應該做他正在做的事。

08　如果能玩，她就會玩。但她不能，她有作業要做。
　　如果能看，她就會看電視。但她不能，她有盤子要洗。
　　如果能喫，她就會喫冰淇淋。但她不能，她必須喫沙拉。
　　如果能不睡覺，她就不想睡覺。但她不能，她必須上床。

（继续）

14-05

yì yuàn hé xiàn shí, yīn wéi...... suǒ yǐ......, rú guǒ...... jiù......

01 tā zài wán diàn nǎo shì yīn wéi tā xiǎng wán.
    tā zài kàn diàn shì shì yīn wéi tā xiǎng kàn.
    tā zài zuò zuò yè shì yīn wéi tā bì xū zuò.
    tā zài chī shā lā shì yīn wéi tā bì xū chī.

02 tā zài zuò tā xiǎng zuò de shì.
    tā zài zuò tā bì xū zuò de shì.
    tā zài chī tā xiǎng chī de dōng xi.
    tā zài chī tā bì xū chī de dōng xi.

03 tā xiǎng qù wài miàn, dàn shì tā bì xū dāi zài lǐ miàn.
    tā xiǎng chī bīng qí lín, dàn shì tā bì xū chī shā lā.
    tā xiǎng kàn diàn shì, dàn shì tā bì xū zuò zuò yè.
    tā xiǎng wán yóu xì, dàn shì tā bì xū liàn gāng qín.

04 wǒ xiǎng chī bīng qí lín.
    bù xíng, nǐ bì xū chī shā lā.

    wǒ xiǎng kàn diàn shì.
    bù xíng, nǐ bì xū zuò zuò yè.

    wǒ xiǎng qù wài miàn.
    bù xíng, nǐ bì xū dāi zài lǐ miàn.

    wǒ yào yī kuài tián bǐng.
    nǐ kě yǐ chī yī kuài tián bǐng, gěi nǐ.

05 tā zài zuò zuò yè.
    tā yīng gāi zuò zuò yè, ér bù yīng gāi wán yóu xì.
    tā bù yīng gāi rēng bēi zi.
    tā gāng cái bù yīng gāi rēng bēi zi.

06 dāng bēi zi mǎn shí, tā yīng gāi tíng zhǐ dào.
    gāng cái bēi zi mǎn shí, tā yīng gāi tíng zhǐ dào.
    tā bù yīng gāi zài fáng zi lǐ miàn pǎo.
    tā gāng cái bù yīng gāi zài fáng zi lǐ miàn pǎo.

07 nǚ rén zài zuò tā yīng gāi zuò de shì.
    tā bù zài zuò tā yīng gāi zuò de shì.
    nán hái zài zuò tā yīng gāi zuò de shì.
    tā bù yīng gāi zuò tā zhèng zài zuò de shì.

08 rú guǒ néng wán, tā jiù huì wán. dàn tā bù néng, tā yǒu zuò yè yào zuò.
    rú guǒ néng kàn, tā jiù huì kàn diàn shì. dàn tā bù néng, tā yǒu pán zi yào xǐ.
    rú guǒ néng chī, tā jiù huì chī bīng qí lín. dàn tā bù néng, tā bì xū chī shā lā.
    rú guǒ néng bù shuì jiào, tā jiù bù xiǎng shuì jiào. dàn tā bù néng, tā bì xū shàng chuáng.

(jì xù)

09　你不应该这样做。
　　我宁愿看电视，也不愿擦地板。
　　我不想吸地，我宁愿看书。
　　她想从柜子上面拿锅，但她拿不到，她需要一把椅
　　　子。

10　你更愿意做什么？玩游戏还是看电视？
　　我宁愿看电视。
　　你更愿意吃哪个？水果还是饼干？
　　我应该吃水果，但我宁愿吃饼干。

09　你不應該這樣做。
　　我寧願看電視，也不願擦地板。
　　我不想吸地，我寧願看書。
　　她想從櫃子上面拿鍋，但她拿不到，她需要一把椅
　　　子。

10　你更願意做什麼？玩游戲還是看電視？
　　我寧願看電視。
　　你更願意喫哪個？水果還是餅乾？
　　我應該喫水果，但我寧願喫餅乾。

09 nǐ bù yīng gāi zhè yàng zuò.
wǒ nìng yuàn kàn diàn shì, yě bù yuàn cā dì bǎn.
wǒ bù xiǎng xī dì, wǒ nìng yuàn kàn shū.
tā xiǎng cóng guì zi shàng miàn ná guō, dàn tā ná bù dào, tā xū yào yī bǎ yǐ zi.

10 nǐ gèng yuàn yì zuò shén me? wán yóu xì hái shì kàn diàn shì?
wǒ nìng yuàn kàn diàn shì.
nǐ gèng yuàn yì chī nǎ gè? shuǐ guǒ hái shì bǐng gān?
wǒ yīng gāi chī shuǐ guǒ, dàn wǒ nìng yuàn chī bǐng gān.

材料、原料，制作

01　金属
　　木头
　　砖
　　玻璃

02　皮革
　　纸
　　陶土
　　布

03　面粉
　　石头
　　羊毛
　　塑料

04　这是用羊毛做的东西。
　　这是用金属和木头做的东西。
　　这是用砖造的东西。
　　这是用玻璃和石头造的东西。

05　这些是用皮革做的。
　　这些是用纸做的。
　　这些是用陶土做的。
　　这些是用塑料做的。

06　这是用布做的东西。
　　这是用石头造的东西。
　　这是用木头做的东西。
　　这是用金属做的东西。

07　房子是用这些材料建造的。
　　书是用这些材料做成的。
　　蛋糕是用这些原料做成的。
　　汤是用这些原料做成的。

08　这些工具用来做衣服。
　　这些工具用来修电脑。
　　这些工具用来做木工活。
　　这些工具用来修汽车。

09　这种材料用来做椅子。
　　这些原料用来做面包。
　　这些材料用来做衣服。
　　这些材料用来做窗户。

10　这是用纸做的东西。
　　这个用来做书。
　　这个用来造房子和做家具。
　　这是用砖造的东西。

14-06

材料、原料，制作

01　金屬
　　木頭
　　磚
　　玻璃

02　皮革
　　紙
　　陶土
　　布

03　麵粉
　　石頭
　　羊毛
　　塑料

04　這是用羊毛做的東西。
　　這是用金屬和木頭做的東西。
　　這是用磚造的東西。
　　這是用玻璃和石頭造的東西。

05　這些是用皮革做的。
　　這些是用紙做的。
　　這些是用陶土做的。
　　這些是用塑料做的。

06　這是用布做的東西。
　　這是用石頭造的東西。
　　這是用木頭做的東西。
　　這是用金屬做的東西。

07　房子是用這些材料建造的。
　　書是用這些材料做成的。
　　蛋糕是用這些原料做成的。
　　湯是用這些原料做成的。

08　這些工具用來做衣服。
　　這些工具用來修電腦。
　　這些工具用來做木工活。
　　這些工具用來修汽車。

09　這種材料用來做椅子。
　　這些原料用來做麵包。
　　這些材料用來做衣服。
　　這些材料用來做窗戶。

10　這是用紙做的東西。
　　這個用來做書。
　　這個用來造房子和做家具。
　　這是用磚造的東西。

14-06

cái liào, yuán liào, zhì zuò

01 jīn shǔ
   mù tou
   zhuān
   bō li

02 pí gé
   zhǐ
   táo tǔ
   bù

03 miàn fěn
   shí tou
   yáng máo
   sù liào

04 zhè shì yòng yáng máo zuò de dōng xi.
   zhè shì yòng jīn shǔ hé mù tou zuò de dōng xi.
   zhè shì yòng zhuān zào de dōng xi.
   zhè shì yòng bō li hé shí tou zào de dōng xi.

05 zhè xiē shì yòng pí gé zuò de.
   zhè xiē shì yòng zhǐ zuò de.
   zhè xiē shì yòng táo tǔ zuò de.
   zhè xiē shì yòng sù liào zuò de.

06 zhè shì yòng bù zuò de dōng xi.
   zhè shì yòng shí tou zào de dōng xi.
   zhè shì yòng mù tou zuò de dōng xi.
   zhè shì yòng jīn shǔ zuò de dōng xi.

07 fáng zi shì yòng zhè xiē cái liào jiàn zào de.
   shū shì yòng zhè xiē cái liào zuò chéng de.
   dàn gāo shì yòng zhè xiē yuán liào zuò chéng de.
   tāng shì yòng zhè xiē yuán liào zuò chéng de.

08 zhè xiē gōng jù yòng lái zuò yī fu.
   zhè xiē gōng jù yòng lái xiū diàn nǎo.
   zhè xiē gōng jù yòng lái zuò mù gōng huó.
   zhè xiē gōng jù yòng lái xiū qì chē.

09 zhè zhǒng cái liào yòng lái zuò yǐ zi.
   zhè xiē yuán liào yòng lái zuò miàn bāo.
   zhè xiē cái liào yòng lái zuò yī fu.
   zhè xiē cái liào yòng lái zuò chuāng hu.

10 zhè shì yòng zhǐ zuò de dōng xi.
   zhè gè yòng lái zuò shū.
   zhè gè yòng lái zào fáng zi hé zuò jiā jù.
   zhè shì yòng zhuān zào de dōng xi.

14-07

几何；线段、角、分数、百分比

01 这块木板竖着。
   这块木板横着。
   这块木板既没有横着，也没有竖着。
   这根绳子横着。

02 这是一条线。
   这是一个角。
   圆的半径是红色的。
   弧是红色的。

03 这个角是九十度。
   这个角是四十五度。
   这个角是三十度。
   这个角是七十度。

04 红线把角平分。
   红线没有把角平分。
   线段ＡＤ平分线段ＢＣ。
   线段ＡＤ没有平分线段ＢＣ。

05 一到二比三到四远。
   三到四比一到二远。
   五到六比七到八远。
   七到八比五到六远。

06 三到四比一到二近。
   一到二比三到四近。
   七到八比五到六近。
   五到六比七到八近。

07 这颗星完整。
   这颗星不完整。
   从A到B的线段完整。
   从A到B的线段不完整。

08 这道乘法题的答案对了。
   这道乘法题的答案错了。
   二十二除以二等于十一。
   二十二除以二不等于十。

09 圆的三分之二着成了红色。
   圆的三分之一着成了红色。
   圆的百分之十着成了绿色。
   圆的百分之九十着成了绿色。

10 圆的一半着成了红色。
   圆的一半多着成了红色。
   这个正方形的四分之一着成了红色。
   这个正方形的四分之一多着成了红色。

14-07

幾何：線段、角、分數、百分比

01 這塊木板豎着。
   這塊木板橫着。
   這塊木板既沒有橫着，也沒有豎着。
   這根繩子橫着。

02 這是一條線。
   這是一個角。
   圓的半徑是紅色的。
   弧是紅色的。

03 這個角是九十度。
   這個角是四十五度。
   這個角是三十度。
   這個角是七十度。

04 紅線把角平分。
   紅線沒有把角平分。
   線段 AD 平分線段 BC。
   線段 AD 沒有平分線段 BC。

05 一到二比三到四遠。
   三到四比一到二遠。
   五到六比七到八遠。
   七到八比五到六遠。

06 三到四比一到二近。
   一到二比三到四近。
   七到八比五到六近。
   五到六比七到八近。

07 這顆星完整。
   這顆星不完整。
   從 A 到 B 的線段完整。
   從 A 到 B 的線段不完整。

08 這道乘法題的答案對了。
   這道乘法題的答案錯了。
   二十二除以二等於十一。
   二十二除以二不等於十。

09 圓的三分之二着成了紅色。
   圓的三分之一着成了紅色。
   圓的百分之十着成了綠色。
   圓的百分之九十着成了綠色。

10 圓的一半着成了紅色。
   圓的一半多着成了紅色。
   這個正方形的四分之一着成了紅色。
   這個正方形的四分之一多着成了紅色。

14-07

jǐ hé; xiàn duàn, jiǎo, fēn shù, bǎi fēn bǐ

01 zhè kuài mù bǎn shù zhe.
zhè kuài mù bǎn héng zhe.
zhè kuài mù bǎn jì méi yǒu héng zhe, yě méi yǒu shù zhe.
zhè gēn shéng zi héng zhe.

02 zhè shì yī tiáo xiàn.
zhè shì yī gè jiǎo.
yuán de bàn jìng shì hóng sè de.
hú shì hóng sè de.

03 zhè gè jiǎo shì jiǔ shí dù.
zhè gè jiǎo shì sì shí wǔ dù.
zhè gè jiǎo shì sān shí dù.
zhè gè jiǎo shì qī shí dù.

04 hóng xiàn bǎ jiǎo píng fēn.
hóng xiàn méi yǒu bǎ jiǎo píng fēn.
xiàn duàn AD píng fēn xiàn duàn BC.
xiàn duàn AD méi yǒu píng fēn xiàn duàn BC.

05 yī dào èr bǐ sān dào sì yuǎn.
sān dào sì bǐ yī dào èr yuǎn.
wǔ dào liù bǐ qī dào bā yuǎn.
qī dào bā bǐ wǔ dào liù yuǎn.

06 sān dào sì bǐ yī dào èr jìn.
yī dào èr bǐ sān dào sì jìn.
qī dào bā bǐ wǔ dào liù jìn.
wǔ dào liù bǐ qī dào bā jìn.

07 zhè kē xīng wán zhěng.
zhè kē xīng bù wán zhěng.
cóng A dào B de xiàn duàn wán zhěng.
cóng A dào B de xiàn duàn bù wán zhěng.

08 zhè dào chéng fǎ tí de dá àn duì le.
zhè dào chéng fǎ tí de dá àn cuò le.
èr shí èr chú yǐ èr děng yú shí yī.
èr shí èr chú yǐ èr bù děng yú shí.

09 yuán de sān fēn zhī èr zhuó chéng le hóng sè.
yuán de sān fēn zhī yī zhuó chéng le hóng sè.
yuán de bǎi fēn zhī shí zhuó chéng le lǜ sè.
yuán de bǎi fēn zhī jiǔ shí zhuó chéng le lǜ sè.

10 yuán de yī bàn zhuó chéng le hóng sè.
yuán de yī bàn duō zhuó chéng le hóng sè.
zhè gè zhèng fāng xíng de sì fēn zhī yī zhuó chéng le hóng sè.
zhè gè zhèng fāng xíng de sì fēn zhī yī duō zhuó chéng le hóng sè.

14-08

去医院看病

01　周燕在看日历。今天她必须去看医生。
　　周燕坐在候诊室里。
　　周燕坐在诊室里。
　　护士进了诊室。

02　护士问周燕："你是什么时候出生的？"
　　周燕说："我是一九七八年十一月十一日出生的。"
　　护士称了周燕的体重。
　　护士量了周燕的身高。

03　周燕的体重是五十六公斤。
　　周燕的身高是一米六七。
　　护士量了周燕的体温。
　　护士测了周燕的脉搏。

04　周燕的体温是摄氏三十六点八度。
　　周燕的脉搏是每分钟七十二次。
　　护士在量周燕的血压。
　　护士告诉周燕她的高压是一百三十，低压是八十四。

05　护士让周燕提供尿样。
　　护士从周燕身上抽血样。
　　医生在检查周燕的嗓子。
　　医生在检查周燕的耳朵。

06　周燕屏住呼吸，医生在听她的心跳。
　　医生在检查周燕的关节反应。
　　周燕在吸气，医生在听她的呼吸。
　　周燕在呼气，医生在听她的呼吸。

07　医生在用听诊器听周燕的心跳。
　　护士在用手指测周燕的脉搏。
　　护士在用针抽周燕的血。
　　护士在用秤称周燕的体重。

08　医生把夹板绑在她的腿上。
　　病人的腿上绑着夹板。
　　这个人拄着拐杖。
　　这个人的手上绑着绷带。

09　护士将要给人打针。
　　护士在给周燕药。
　　护士在看X光照片。
　　护士往周燕的耳朵里滴药。

10　医生在开药方。
　　医生把药方给周燕。
　　周燕把药方给药剂师。
　　周燕从药剂师那儿取药。

14-08

去醫院看病

01　周燕在看日曆。今天她必須去看醫生。
　　周燕坐在候診室裡。
　　周燕坐在診室裡。
　　護士進了診室。

02　護士問周燕："你是什麼時候出生的？"
　　周燕說："我是一九七八年十一月十一日出生的。"
　　護士稱了周燕的體重。
　　護士量了周燕的身高。

03　周燕的體重是五十六公斤。
　　周燕的身高是一米六七。
　　護士量了周燕的體溫。
　　護士測了周燕的脈搏。

04　周燕的體溫是攝氏三十六點八度。
　　周燕的脈搏是每分鐘七十二次。
　　護士在量周燕的血壓。
　　護士告訴周燕她的高壓是一百三十，低壓是八十四。

05　護士讓周燕提供尿樣。
　　護士從周燕身上抽血樣。
　　醫生在檢查周燕的嗓子。
　　醫生在檢查周燕的耳朵。

06　周燕屏住呼吸，醫生在聽她的心跳。
　　醫生在檢查周燕的關節反應。
　　周燕在吸氣，醫生在聽她的呼吸。
　　周燕在呼氣，醫生在聽她的呼吸。

07　醫生在用聽診器聽周燕的心跳。
　　護士在用手指測周燕的脈搏。
　　護士在用針抽周燕的血。
　　護士在用秤稱周燕的體重。

08　醫生把夾板綁在她的腿上。
　　病人的腿上綁着夾板。
　　這個人拄着拐杖。
　　這個人的手上綁着繃帶。

09　護士將要給人打針。
　　護士在給周燕藥。
　　護士在看X光照片。
　　護士往周燕的耳朵裡滴藥。

10　醫生在開藥方。
　　醫生把藥方給周燕。
　　周燕把藥方給藥劑師。
　　周燕從藥劑師那兒取藥。

14-08

qù yī yuàn kàn bìng

01 zhōu yàn zài kàn rì lì. jīn tiān tā bì xū qù kàn yī shēng.
   zhōu yàn zuò zài hòu zhěn shì lǐ.
   zhōu yàn zuò zài zhěn shì lǐ.
   hù shì jìn le zhěn shì.

02 hù shì wèn zhōu yàn: "nǐ shì shén me shí hou chū shēng de?"
   zhōu yàn shuō: "wǒ shì yī jiǔ qī bā nián shí yī yuè shí yī rì chū shēng de."
   hù shì chēng le zhōu yàn de tǐ zhòng.
   hù shì liáng le zhōu yàn de shēn gāo.

03 zhōu yàn de tǐ zhòng shì wǔ shí liù gōng jīn.
   zhōu yàn de shēn gāo shì yī mǐ liù qī.
   hù shì liáng le zhōu yàn de tǐ wēn.
   hù shì cè le zhōu yàn de mài bó.

04 zhōu yàn de tǐ wēn shì shè shì sān shí liù diǎn bā dù.
   zhōu yàn de mài bó shì měi fēn zhōng qī shí èr cì.
   hù shì zài liáng zhōu yàn de xuè yā.
   hù shì gào sù zhōu yàn tā de gāo yā shì yī bǎi sān shí, dī yā shì bā shí sì.

05 hù shì ràng zhōu yàn tí gōng niào yàng.
   hù shì cóng zhōu yàn shēn shàng chōu xuè yàng.
   yī shēng zài jiǎn chá zhōu yàn de sǎng zi.
   yī shēng zài jiǎn chá zhōu yàn de ěr duo.

06 zhōu yàn bǐng zhù hū xī, yī shēng zài tīng tā de xīn tiào.
   yī shēng zài jiǎn chá zhōu yàn de guān jié fǎn yìng.
   zhōu yàn zài xī qì, yī shēng zài tīng tā de hū xī.
   zhōu yàn zài hū qì, yī shēng zài tīng tā de hū xī.

07 yī shēng zài yòng tīng zhěn qì tīng zhōu yàn de xīn tiào.
   hù shì zài yòng shǒu zhǐ cè zhōu yàn de mài bó.
   hù shì zài yòng zhēn chōu zhōu yàn de xiě.
   hù shì zài yòng chèng chēng zhōu yàn de tǐ zhòng.

08 yī shēng bǎ jiā bǎn bǎng zài tā de tuǐ shàng.
   bìng rén de tuǐ shàng bǎng zhe jiā bǎn.
   zhè gè rén zhǔ zhe guǎi zhàng.
   zhè gè rén de shǒu shàng bǎng zhe bēng dài.

09 hù shì jiāng yào gěi rén dǎ zhēn.
   hù shì zài gěi zhōu yàn yào.
   hù shì zài kàn X guāng zhào piān.
   hù shì wǎng zhōu yàn de ěr duo lǐ dī yào.

10 yī shēng zài kāi yào fāng.
   yī shēng bǎ yào fāng gěi zhōu yàn.
   zhōu yàn bǎ yào fāng gěi yào jì shī.
   zhōu yàn cóng yào jì shī nàr qǔ yào.

战争和武器，陆军、海军和空军

01　这三个人是士兵。
　　许多士兵在一起组成军队。
　　这些人是运动员。
　　这个人是士兵。

02　这些人是陆军。
　　这些人是海军。
　　这些人是空军。
　　这些人不在军队里。

03　这是陆军用的。
　　这是海军用的。
　　这是空军用的。
　　这不是军用的。

04　为了保护头，士兵们戴头盔。
　　为了保护头，拳击手们戴头盔。
　　这座墙是为了保护一个国家而建的。
　　这个城堡是为了防卫而建的。

05　这些人在打仗。
　　这些人在打，但是不在打仗。
　　士兵在修理直升飞机。
　　孩子们在玩玩具士兵。

06　男人们在击剑。
　　男人们端着枪，他们在打仗。
　　男人们扛着枪，但是他们不在打仗。
　　这些男人没有武器。

07　这是军用直升飞机。
　　这是民用直升飞机。
　　这是军用喷气机。
　　这是民用喷气机。

08　战争
　　和平
　　武器
　　工具

09　这些人在打仗。
　　这些人不在打仗。
　　剑是武器。
　　枪是武器。

10　这是武器。
　　这不是武器。
　　这些人在打仗。
　　这些人在拥抱。

14-09

戰爭和武器，陸軍、海軍和空軍

01　這三個人是士兵。
　　許多士兵在一起組成軍隊。
　　這些人是運動員。
　　這個人是士兵。

02　這些人是陸軍。
　　這些人是海軍。
　　這些人是空軍。
　　這些人不在軍隊裡。

03　這是陸軍用的。
　　這是海軍用的。
　　這是空軍用的。
　　這不是軍用的。

04　為了保護頭，士兵們戴頭盔。
　　為了保護頭，拳擊手們戴頭盔。
　　這座牆是為了保護一個國家而建的。
　　這個城堡是為了防衛而建的。

05　這些人在打仗。
　　這些人在打，但是不在打仗。
　　士兵在修理直升飛機。
　　孩子們在玩玩具士兵。

06　男人們在擊劍。
　　男人們端着槍，他們在打仗。
　　男人們扛着槍，但是他們不在打仗。
　　這些男人沒有武器。

07　這是軍用直升飛機。
　　這是民用直升飛機。
　　這是軍用噴氣機。
　　這是民用噴氣機。

08　戰爭
　　和平
　　武器
　　工具

09　這些人在打仗。
　　這些人不在打仗。
　　劍是武器。
　　槍是武器。

10　這是武器。
　　這不是武器。
　　這些人在打仗。
　　這些人在擁抱。

14-09

zhàn zhēng hé wǔ qì, lù jūn, hǎi jūn hé kōng jūn

01   zhè sān gè rén shì shì bīng.
      xǔ duō shì bīng zài yī qǐ zǔ chéng jūn duì.
      zhè xiē rén shì yùn dòng yuán.
      zhè gè rén shì shì bīng.

02   zhè xiē rén shì lù jūn.
      zhè xiē rén shì hǎi jūn.
      zhè xiē rén shì kōng jūn.
      zhè xiē rén bù zài jūn duì lǐ.

03   zhè shì liù jūn yòng de.
      zhè shì hǎi jūn yòng de.
      zhè shì kōng jūn yòng de.
      zhè bù shì jūn yòng de.

04   wèi le bǎo hù tóu, shì bīng men dài tóu kuī.
      wèi le bǎo hù tóu, quán jī shǒu men dài tóu kuī.
      zhè zuò qiáng shì wèi le bǎo hù yī gè guó jiā ér jiàn de.
      zhè gè chéng bǎo shì wèi le fáng wèi ér jiàn de.

05   zhè xiē rén zài dǎ zhàng.
      zhè xiē rén zài dǎ, dàn shì bù zài dǎ zhàng.
      shì bīng zài xiū lǐ zhí shēng fēi jī.
      hái zi men zài wán wán jù shì bīng.

06   nán rén men zài jī jiàn.
      nán rén men duān zhe qiāng, tā men zài dǎ zhàng.
      nán rén men káng zhe qiāng, dàn shì tā men bù zài dǎ zhàng.
      zhè xiē nán rén méi yǒu wǔ qì.

07   zhè shì jūn yòng zhí shēng fēi jī.
      zhè shì mín yòng zhí shēng fēi jī.
      zhè shì jūn yòng pēn qì jī.
      zhè shì mín yòng pēn qì jī.

08   zhàn zhēng
      hé píng
      wǔ qì
      gōng jù

09   zhè xiē rén zài dǎ zhàng.
      zhè xiē rén bù zài dǎ zhàng.
      jiàn shì wǔ qì.
      qiāng shì wǔ qì.

10   zhè shì wǔ qì.
      zhè bù shì wǔ qì.
      zhè xiē rén zài dǎ zhàng.
      zhè xiē rén zài yōng bào.

14-10

完成动作；由于，虽然……但是……，尽管……也……

01 女孩还没有跳。
女孩没有跳，她也不会跳。
男孩没有跳，他也不会跳。
男孩还没有跳。

02 男人还没有吃苹果。
男人已经吃了苹果。
这个人还没有从马背上摔下来。
这个人已经从马背上摔下来了。

03 他们还没有着地。
他们已经着地了。
他还没有碰到水面。
他已经碰到水面了。

04 快到四点半了。
正好四点半。
快到一点钟了。
正好一点钟。

05 他快要看完书了。
他看完了书。
他快要叠完衣服了。
他叠完了衣服。

06 男孩为什么在吃？因为他喜欢这种食物。
虽然男孩喜欢这种食物，但是他没有吃。
虽然男孩不喜欢这种食物，但是他还在吃。
男孩为什么不在吃？因为他不喜欢这种食物。

07 男人还没有戴上帽子。
男人戴上白色的帽子。
虽然他已经戴着一顶帽子，但是他还在戴第二顶。
虽然他已经穿着一件大衣，但是他还在穿第二件。

08 尽管天气好，她也撑着雨伞。
由于天气的原因，她撑着雨伞。
由于时间的原因，她在睡觉。
尽管是白天，她也在睡觉。

09 由于天气热，女人这样穿。
尽管天气热，女人也这样穿。
虽然天气热，但是男人还这样穿。
因为天气热，所以男人这样穿。

10 因为个子高，所以她能够到盒子。
尽管个子高，她也够不到盒子。
因为个子矮，所以她够不到盒子。
尽管个子矮，她也能够到盒子。

14-10

完成動作；由於，雖然……但是……，儘管……也……

01 女孩還沒有跳。
女孩沒有跳，她也不會跳。
男孩沒有跳，他也不會跳。
男孩還沒有跳。

02 男人還沒有喫蘋果。
男人已經喫了蘋果。
這個人還沒有從馬背上摔下來。
這個人已經從馬背上摔下來了。

03 他們還沒有着地。
他們已經着地了。
他還沒有碰到水面。
他已經碰到水面了。

04 快到四點半了。
正好四點半。
快到一點鐘了。
正好一點鐘。

05 他快要看完書了。
他看完了書。
他快要疊完衣服了。
他疊完了衣服。

06 男孩為什麼在喫？因為他喜歡這種食物。
雖然男孩喜歡這種食物，但是他沒有喫。
雖然男孩不喜歡這種食物，但是他還在喫。
男孩為什麼不在喫？因為他不喜歡這種食物。

07 男人還沒有戴上帽子。
男人戴上白色的帽子。
雖然他已經戴着一頂帽子，但是他還在戴第二頂。
雖然他已經穿着一件大衣，但是他還在穿第二件。

08 儘管天氣好，她也撐着雨傘。
由於天氣的原因，她撐着雨傘。
由於時間的原因，她在睡覺。
儘管是白天，她也在睡覺。

09 由於天氣熱，女人這樣穿。
儘管天氣熱，女人也這樣穿。
雖然天氣熱，但是男人還這樣穿。
因為天氣熱，所以男人這樣穿。

10 因為個子高，所以她能夠到盒子。
儘管個子高，她也夠不到盒子。
因為個子矮，所以她夠不到盒子。
儘管個子矮，她也能夠到盒子。

14-10

wán chéng dòng zuò; yóu yú, suī rán...... dàn shì......, jǐn guǎn...... yě......

01 nǚ hái hái méi yǒu tiào.
    nǚ hái méi yǒu tiào, tā yě bù huì tiào.
    nán hái méi yǒu tiào, tā yě bù huì tiào.
    nán hái hái méi yǒu tiào.

02 nán rén hái méi yǒu chī píng guǒ.
    nán rén yǐ jīng chī le píng guǒ.
    zhè gè rén hái méi yǒu cóng mǎ bèi shàng shuāi xià lái.
    zhè gè rén yǐ jīng cóng mǎ bèi shàng shuāi xià lái le.

03 tā men hái méi yǒu zháo dì.
    tā men yǐ jīng zháo dì le.
    tā hái méi yǒu pèng dào shuǐ miàn.
    tā yǐ jīng pèng dào shuǐ miàn le.

04 kuài dào sì diǎn bàn le.
    zhèng hǎo sì diǎn bàn.
    kuài dào yī diǎn zhōng le.
    zhèng hǎo yī diǎn zhōng.

05 tā kuài yào kàn wán shū le.
    tā kàn wán le shū.
    tā kuài yào dié wán yī fu le.
    tā dié wán le yī fu.

06 nán hái wèi shén me zài chī? yīn wéi tā xǐ huān zhè zhǒng shí wù.
    suī rán nán hái xǐ huān zhè zhǒng shí wù, dàn shì tā méi yǒu chī.
    suī rán nán hái bù xǐ huān zhè zhǒng shí wù, dàn shì tā hái zài chī.
    nán hái wèi shén me bù zài chī? yīn wéi tā bù xǐ huān zhè zhǒng shí wù.

07 nán rén hái méi yǒu dài shàng mào zi.
    nán rén dài shàng bái sè de mào zi.
    suī rán tā yǐ jīng dài zhe yī dǐng mào zi, dàn shì tā hái zài dài dì èr dǐng.
    suī rán tā yǐ jīng chuān zhe yī jiàn dà yī, dàn shì tā hái zài chuān dì èr jiàn.

08 jǐn guǎn tiān qì hǎo, tā yě chēng zhe yǔ sǎn.
    yóu yú tiān qì de yuán yīn, tā chēng zhe yǔ sǎn.
    yóu yú shí jiān de yuán yīn, tā zài shuì jiào.
    jǐn guǎn shì bái tiān, tā yě zài shuì jiào.

09 yóu yú tiān qì rè, nǚ rén zhè yàng chuān.
    jǐn guǎn tiān qì rè, nǚ rén yě zhè yàng chuān.
    suī rán tiān qì rè, dàn shì nán rén hái zhè yàng chuān.
    yīn wéi tiān qì rè, suǒ yǐ nán rén zhè yàng chuān.

10 yīn wéi gè zi gāo, suǒ yǐ tā néng gòu dào hé zi.
    jǐn guǎn gè zi gāo, tā yě gòu bù dào hé zi.
    yīn wéi gè zi ǎi, suǒ yǐ tā gòu bù dào hé zi.
    jǐn guǎn gè zi ǎi, tā yě néng gòu dào hé zi.

14-11

复习第十四部分

01　我躲着。
　　我在寻找。
　　我赢了比赛。
　　我输了比赛。

02　人们用这个闻。
　　人们用这个看。
　　人们用这个听。
　　人们用这个尝。

03　很久以前，人们这样做。
　　现在人们这样做。
　　将来人们可能这样做。
　　不久以前，人们这样做。

04　这个人需要看牙医，他牙痛。
　　这个人需要看医生，他发烧了。
　　这个人是医生。
　　这个人是牙医。

05　女人在做她应该做的事。
　　她不在做她应该做的事。
　　男孩在做他应该做的事。
　　他不应该做他正在做的事。

06　面粉
　　石头
　　羊毛
　　塑料

07　这块木板竖着。
　　这块木板横着。
　　这块木板既没有横着，也没有竖着。
　　这根绳子横着。

08　医生把夹板绑在她的腿上。
　　病人的腿上绑着夹板。
　　这个人拄着拐杖。
　　这个人的手上绑着绷带。

09　这是陆军用的。
　　这是海军用的。
　　这是空军用的。
　　这不是军用的。

10　男人还没有吃苹果。
　　男人已经吃了苹果。
　　这个人还没有从马背上摔下来。
　　这个人已经从马背上摔下来了。

14-11

復習第十四部分

01　我躲着。
　　我在尋找。
　　我贏了比賽。
　　我輸了比賽。

02　人們用這個聞。
　　人們用這個看。
　　人們用這個聽。
　　人們用這個嚐。

03　很久以前，人們這樣做。
　　現在人們這樣做。
　　將來人們可能這樣做。
　　不久以前，人們這樣做。

04　這個人需要看牙醫，他牙痛。
　　這個人需要看醫生，他發燒了。
　　這個人是醫生。
　　這個人是牙醫。

05　女人在做她應該做的事。
　　她不在做她應該做的事。
　　男孩在做他應該做的事。
　　他不應該做他正在做的事。

06　麵粉
　　石頭
　　羊毛
　　塑料

07　這塊木板豎着。
　　這塊木板橫着。
　　這塊木板既沒有橫着，也沒有豎着。
　　這根繩子橫着。

08　醫生把夾板綁在她的腿上。
　　病人的腿上綁着夾板。
　　這個人拄着拐杖。
　　這個人的手上綁着繃帶。

09　這是陸軍用的。
　　這是海軍用的。
　　這是空軍用的。
　　這不是軍用的。

10　男人還沒有喫蘋果。
　　男人已經喫了蘋果。
　　這個人還沒有從馬背上摔下來。
　　這個人已經從馬背上摔下來了。

14-11

fù xí dì shí sì bù fèn

01 wǒ duǒ zhe.
   wǒ zài xún zhǎo.
   wǒ yíng le bǐ sài.
   wǒ shū le bǐ sài.

02 rén men yòng zhè gè wén.
   rén men yòng zhè gè kàn.
   rén men yòng zhè gè tīng.
   rén men yòng zhè gè cháng.

03 hěn jiǔ yǐ qián, rén men zhè yàng zuò.
   xiàn zài rén men zhè yàng zuò.
   jiāng lái rén men kě néng zhè yàng zuò.
   bù jiǔ yǐ qián, rén men zhè yàng zuò.

04 zhè gè rén xū yào kàn yá yī, tā yá tòng.
   zhè gè rén xū yào kàn yī shēng, tā fā shāo le.
   zhè gè rén shì yī shēng.
   zhè gè rén shì yá yī.

05 nǚ rén zài zuò tā yīng gāi zuò de shì.
   tā bù zài zuò tā yīng gāi zuò de shì.
   nán hái zài zuò tā yīng gāi zuò de shì.
   tā bù yīng gāi zuò tā zhèng zài zuò de shì.

06 miàn fěn
   shí tou
   yáng máo
   sù liào

07 zhè kuài mù bǎn shù zhe.
   zhè kuài mù bǎn héng zhe.
   zhè kuài mù bǎn jì méi yǒu héng zhe, yě méi yǒu shù zhe.
   zhè gēn shéng zi héng zhe.

08 yī shēng bǎ jiā bǎn bǎng zài tā de tuǐ shàng.
   bìng rén de tuǐ shàng bǎng zhe jiā bǎn.
   zhè gè rén zhǔ zhe guǎi zhàng.
   zhè gè rén de shǒu shàng bǎng zhe bēng dài.

09 zhè shì lù jūn yòng de.
   zhè shì hǎi jūn yòng de.
   zhè shì kōng jūn yòng de.
   zhè bù shì jūn yòng de.

10 nán rén hái méi yǒu chī píng guǒ.
   nán rén yǐ jīng chī le píng guǒ.
   zhè gè rén hái méi yǒu cóng mǎ bèi shàng shuāi xià lái.
   zhè gè rén yǐ jīng cóng mǎ bèi shàng shuāi xià lái le.

15-01

心情的表达

01 她很放心。
她很担心。
她累了。
她在哭。

02 他感到迷惑。
他没有耐心。
他感到难堪。
他感到害怕。

03 他感到骄傲。
她感到忌妒。
她感到害怕。
他感到累了。

04 他很生气。
他很厌烦。
他很高兴。
他很伤心。

05 男孩很伤心，他在哭。
女人很伤心，她在哭。
男人很惊奇，他刚才看见了什么。
女人很惊奇，她刚才看见了什么。

06 女人皱着眉。
男人皱着眉。
女人感到厌烦。
男人感到厌烦。

07 他很生气。
他感到迷惑。
他感到害怕。
他很放心。

08 女人怕被浇湿。
女人在哭，因为她伤心。
女人很高兴，因为她的孩子们都爱她。
女人感到厌烦了，因为她没有事情可做。

09 他们累了。
他们很生气。
她很生气。
她感到害怕。

15-01

心情的表達

01 她很放心。
她很擔心。
她累了。
她在哭。

02 他感到迷惑。
他沒有耐心。
他感到難堪。
他感到害怕。

03 他感到驕傲。
她感到忌妒。
她感到害怕。
他感到累了。

04 他很生氣。
他很厭煩。
他很高興。
他很傷心。

05 男孩很傷心，他在哭。
女人很傷心，她在哭。
男人很驚奇，他剛纔看見了什麼。
女人很驚奇，她剛纔看見了什麼。

06 女人皺着眉。
男人皺着眉。
女人感到厭煩。
男人感到厭煩。

07 他很生氣。
他感到迷惑。
他感到害怕。
他很放心。

08 女人怕被澆濕。
女人在哭，因為她傷心。
女人很高興，因為她的孩子們都愛她。
女人感到厭煩了，因為她沒有事情可做。

09 他們累了。
他們很生氣。
她很生氣。
她感到害怕。

（继续）

15-01

xīn qíng de biǎo dá

01 tā hěn fàng xīn.
    tā hěn dān xīn.
    tā lèi le.
    tā zài kū.

02 tā gǎn dào mí huò.
    tā méi yǒu nài xīn.
    tā gǎn dào nán kān.
    tā gǎn dào hài pà.

03 tā gǎn dào jiāo ào.
    tā gǎn dào jì dù.
    tā gǎn dào hài pà.
    tā gǎn dào lèi le.

04 tā hěn shēng qì.
    tā hěn yàn fán.
    tā hěn gāo xìng.
    tā hěn shāng xīn.

05 nán hái hěn shāng xīn, tā zài kū.
    nǚ rén hěn shāng xīn, tā zài kū.
    nán rén hěn jīng qí, tā gāng cái kàn jiàn le shén me.
    nǚ rén hěn jīng qí, tā gāng cái kàn jiàn le shén me.

06 nǚ rén zhòu zhe méi.
    nán rén zhòu zhe méi.
    nǚ rén gǎn dào yàn fán.
    nán rén gǎn dào yàn fán.

07 tā hěn shēng qì.
    tā gǎn dào mí huò.
    tā gǎn dào hài pà.
    tā hěn fàng xīn.

08 nǚ rén pà bèi jiāo shī.
    nǚ rén zài kū, yīn wéi tā shāng xīn.
    nǚ rén hěn gāo xìng, yīn wéi tā de hái zi men dōu ài tā.
    nǚ rén gǎn dào yàn fán le, yīn wéi tā méi yǒu shì qing kě zuò.

09 tā men lèi le.
    tā men hěn shēng qì.
    tā hěn shēng qì.
    tā gǎn dào hài pà.

155

(jì xù)

10 你怎么啦，谢云？
我很伤心。

你好吗，范进？
我很好。

你怎么啦，谢云？
我很高兴。

你怎么啦，范进？
我很担心。

10 你怎麼啦，謝雲？
我很傷心。

你好嗎，範進？
我很好。

你怎麼啦，謝雲？
我很高興。

你怎麼啦，範進？
我很擔心。

10 nǐ zěn me la, xiè yún?
    wǒ hěn shāng xīn.

    nǐ hǎo ma, fàn jìn?
    wǒ hěn hǎo.

    nǐ zěn me la, xiè yún?
    wǒ hěn gāo xìng.

    nǐ zěn me la, fàn jìn?
    wǒ hěn dān xīn.

15-02

日历：星期和月份

01   星期一
      星期二
      星期三
      星期四

02   星期五
      星期六
      星期天
      星期四

03   星期天
      星期五
      星期二
      星期三

04   一月
      二月
      三月
      四月

05   五月
      六月
      七月
      八月

06   九月
      十月
      十一月
      十二月

07   一月
      四月
      六月
      九月

08   一天
      一个星期
      一个月
      一年

09   一个月的第一个星期
      一个月的第三个星期
      一个月的第二个星期二
      一个月的第三个星期二

10   一般工作日是从星期一到星期五。
      周末是星期六和星期天。
      圣诞节是节日。
      元旦是节日。

15-02

日曆：星期和月份

01   星期一
      星期二
      星期三
      星期四

02   星期五
      星期六
      星期天
      星期四

03   星期天
      星期五
      星期二
      星期三

04   一月
      二月
      三月
      四月

05   五月
      六月
      七月
      八月

06   九月
      十月
      十一月
      十二月

07   一月
      四月
      六月
      九月

08   一天
      一個星期
      一個月
      一年

09   一個月的第一個星期
      一個月的第三個星期
      一個月的第二個星期二
      一個月的第三個星期二

10   一般工作日是從星期一到星期五。
      週末是星期六和星期天。
      聖誕節是節日。
      元旦是節日。

15-02

rì lì: xīng qī hé yuè fèn

01 xīng qī yī
    xīng qī èr
    xīng qī sān
    xīng qī sì

02 xīng qī wǔ
    xīng qī liù
    xīng qī tiān
    xīng qī sì

03 xīng qī tiān
    xīng qī wǔ
    xīng qī èr
    xīng qī sān

04 yī yuè
    èr yuè
    sān yuè
    sì yuè

05 wǔ yuè
    liù yuè
    qī yuè
    bā yuè

06 jiǔ yuè
    shí yuè
    shí yī yuè
    shí èr yuè

07 yī yuè
    sì yuè
    liù yuè
    jiǔ yuè

08 yī tiān
    yī gè xīng qī
    yī gè yuè
    yī nián

09 yī gè yuè de dì yī gè xīng qī
    yī gè yuè de dì sān gè xīng qī
    yī gè yuè de dì èr gè xīng qī èr
    yī gè yuè de dì sān gè xīng qī èr

10 yī bān gōng zuò rì shì cóng xīng qī yī dào xīng qī wǔ.
    zhōu mò shì xīng qī liù hé xīng qī tiān.
    shèng dàn jié shì jié rì.
    yuán dàn shì jié rì.

15-03

动词：擦、摇、拍、打等

01 男孩用枕头打女孩。
女孩用枕头打男孩。
这个人在吸气。
这个人在呼气。

02 男人在拍球。
女人在拍球。
男人在转球。
女人在转球。

03 女人在翻牌。
女人在转身。
男人在翻牌。
男人在转身。

04 他在摇瓶子。
他让瓶子掉下去。
他在转瓶子。
他在挤瓶子。

05 她在吸气。
她在呼气。
他把水从海绵里挤出来。
他把海绵蘸上水。

06 女人在插插头。
女人在拔插头。
女人把灯泡拧上去。
女人把灯泡拧下来。

07 他把刷子蘸上油漆。
他的刷子正往油漆里掉。
她把铅笔蘸上水。
她的铅笔正往水里掉。

08 她用抹布擦炉子。
她在冲洗抹布。
她把抹布拧干。
她把抹布挂起来。

09 他在甩浴巾。
她在叠浴巾。
她用浴巾把手擦干。
他用浴巾把头发擦干。

10 他在擦东西。
他把东西拧干。
他在叠东西。
他把浴巾挂起来。

15-03

動詞：擦、搖、拍、打等

01 男孩用枕頭打女孩。
女孩用枕頭打男孩。
這個人在吸氣。
這個人在呼氣。

02 男人在拍球。
女人在拍球。
男人在轉球。
女人在轉球。

03 女人在翻牌。
女人在轉身。
男人在翻牌。
男人在轉身。

04 他在搖瓶子。
他讓瓶子掉下去。
他在轉瓶子。
他在擠瓶子。

05 她在吸氣。
她在呼氣。
他把水從海綿裡擠出來。
他把海綿蘸上水。

06 女人在插插頭。
女人在拔插頭。
女人把燈泡擰上去。
女人把燈泡擰下來。

07 他把刷子蘸上油漆。
他的刷子正往油漆裡掉。
她把鉛筆蘸上水。
她的鉛筆正往水裡掉。

08 她用抹布擦爐子。
她在沖洗抹布。
她把抹布擰乾。
她把抹布掛起來。

09 他在甩浴巾。
她在疊浴巾。
她用浴巾把手擦乾。
他用浴巾把頭髮擦乾。

10 他在擦東西。
他把東西擰乾。
他在疊東西。
他把浴巾掛起來。

15-03

dòng cí: cā, yáo, pāi, dǎ děng

01 nán hái yòng zhěn tou dǎ nǚ hái.
nǚ hái yòng zhěn tou dǎ nán hái.
zhè gè rén zài xī qì.
zhè gè rén zài hū qì.

02 nán rén zài pāi qiú.
nǚ rén zài pāi qiú.
nán rén zài zhuàn qiú.
nǚ rén zài zhuàn qiú.

03 nǚ rén zài fān pái.
nǚ rén zài zhuǎn shēn.
nán rén zài fān pái.
nán rén zài zhuǎn shēn.

04 tā zài yáo píng zi.
tā ràng píng zi diào xià qù.
tā zài zhuàn píng zi.
tā zài jǐ píng zi.

05 tā zài xī qì.
tā zài hū qì.
tā bǎ shuǐ cóng hǎi mián lǐ jǐ chū lái.
tā bǎ hǎi mián zhàn shàng shuǐ.

06 nǚ rén zài chā chā tóu.
nǚ rén zài bá chā tóu.
nǚ rén bǎ dēng pào nǐng shàng qù.
nǚ rén bǎ dēng pào nǐng xià lái.

07 tā bǎ shuā zi zhàn shàng yóu qī.
tā de shuā zi zhèng wǎng yóu qī lǐ diào.
tā bǎ qiān bǐ zhàn shàng shuǐ.
tā de qiān bǐ zhèng wǎng shuǐ lǐ diào.

08 tā yòng mǒ bù cā lú zi.
tā zài chōng xǐ mǒ bù.
tā bǎ mǒ bù níng gān.
tā bǎ mǒ bù guà qǐ lái.

09 tā zài shuǎi yù jīn.
tā zài dié yù jīn.
tā yòng yù jīn bǎ shǒu cā gān.
tā yòng yù jīn bǎ tóu fà cā gān.

10 tā zài cā dōng xi.
tā bǎ dōng xi níng gān.
tā zài dié dōng xi.
tā bǎ yù jīn guà qǐ lái.

15-04

十个国家的人民和语言文字

01 这是查尔斯王子，他是英国人。
   这是罗纳德·里根，他是美国人。
   这是米歇尔·戈尔巴乔夫，他是俄国人。
   这是纳尔逊·曼德拉，他是南非人。

02 这个人是英国公民。
   这个人是美国公民。
   这个人是俄国公民。
   这个人是南非公民。

03 这些演员来自希腊。
   这些演员来自荷兰。
   这些演员来自夏威夷。
   这些演员来自日本。

04 他在用汉语写字。
   她在用英语写字。
   这座建筑物在印度。
   这座建筑物在日本。

05 在澳大利亚，大多数人讲英语。
   在中美洲，大多数人讲西班牙语。
   在法国，大多数人讲法语。
   在印度，大多数人讲印度语。

06 一个日本女人
   一个美国牛仔
   英国士兵们
   一个阿拉伯男人

07 路标上写着英语。
   招牌上写着日语。
   标语上写着俄语。
   路标上有动物的标志。

08 这是俄语字体。
   这是日语字体。
   这是印度语字体。
   这是阿拉伯语字体。

09 这是希伯来语字体。
   这是古埃及语字体。
   这是英语字体。
   这是朝鲜语字体。

10 这些人生活在俄国。
   这些人生活在美国。
   这些人生活在中国。
   这些人生活在英国。

15-04

十個國家的人民和語言文字

01 這是查爾斯王子，他是英國人。
   這是羅納德·裡根，他是美國人。
   這是米歇爾·戈爾巴喬夫，他是俄國人。
   這是納爾遜·曼德拉，他是南非人。

02 這個人是英國公民。
   這個人是美國公民。
   這個人是俄國公民。
   這個人是南非公民。

03 這些演員來自希臘。
   這些演員來自荷蘭。
   這些演員來自夏威夷。
   這些演員來自日本。

04 他在用漢語寫字。
   她在用英語寫字。
   這座建築物在印度。
   這座建築物在日本。

05 在澳大利亞，大多數人講英語。
   在中美洲，大多數人講西班牙語。
   在法國，大多數人講法語。
   在印度，大多數人講印度語。

06 一個日本女人
   一個美國牛仔
   英國士兵們
   一個阿拉伯男人

07 路標上寫着英語。
   招牌上寫着日語。
   標語上寫着俄語。
   路標上有動物的標志。

08 這是俄語字體。
   這是日語字體。
   這是印度語字體。
   這是阿拉伯語字體。

09 這是希伯來語字體。
   這是古埃及語字體。
   這是英語字體。
   這是朝鮮語字體。

10 這些人生活在俄國。
   這些人生活在美國。
   這些人生活在中國。
   這些人生活在英國。

15-04

shí gè guó jiā de rén mín hé yǔ yán wén zì

01   zhè shì chá ěr sī wáng zi, tā shì yīng guó rén.
       zhè shì luó nà dé lǐ gēn, tā shì měi guó rén.
       zhè shì mǐ xiē ěr gē ěr bā qiáo fū, tā shì é guó rén.
       zhè shì nà ěr xùn màn dé lā, tā shì nán fēi rén.

02   zhè gè rén shì yīng guó gōng mín.
       zhè gè rén shì měi guó gōng mín.
       zhè gè rén shì é guó gōng mín.
       zhè gè rén shì nán fēi gōng mín.

03   zhè xiē yǎn yuán lái zì xī là.
       zhè xiē yǎn yuán lái zì hé lán.
       zhè xiē yǎn yuán lái zì xià wēi yí.
       zhè xiē yǎn yuán lái zì rì běn.

04   tā zài yòng hàn yǔ xiě zì.
       tā zài yòng yīng yǔ xiě zì.
       zhè zuò jiàn zhù wù zài yìn dù.
       zhè zuò jiàn zhù wù zài rì běn.

05   zài ào dà lì yà, dà duō shù rén jiǎng yīng yǔ.
       zài zhōng měi zhōu, dà duō shù rén jiǎng xī bān yá yǔ.
       zài fǎ guó, dà duō shù rén jiǎng fǎ yǔ.
       zài yìn dù, dà duō shù rén jiǎng yìn dù yǔ.

06   yī gè rì běn nǚ rén
       yī gè měi guó niú zǎi
       yīng guó shì bīng men
       yī gè ā lā bó nán rén

07   lù biāo shàng xiě zhe yīng yǔ.
       zhāo pái shàng xiě zhe rì yǔ.
       biāo yǔ shàng xiě zhe é yǔ.
       lù biāo shàng yǒu dòng wù de biāo zhì.

08   zhè shì é yǔ zì tǐ.
       zhè shì rì yǔ zì tǐ.
       zhè shì yìn dù yǔ zì tǐ.
       zhè shì ā lā bó yǔ zì tǐ.

09   zhè shì xī bó lái yǔ zì tǐ.
       zhè shì gǔ āi jí yǔ zì tǐ.
       zhè shì yīng yǔ zì tǐ.
       zhè shì cháo xiǎn yǔ zì tǐ.

10   zhè xiē rén shēng huó zài é guó.
       zhè xiē rén shēng huó zài měi guó.
       zhè xiē rén shēng huó zài zhōng guó.
       zhè xiē rén shēng huó zài yīng guó.

15-05

从小学到大学的教育

01　这是一所小学。
　　这是一辆校车。
　　这是一所大学。
　　这是一位大学生。

02　这是教室。
　　这是实验室。
　　这是礼堂。
　　这是健身房。

03　这是小学生。
　　这是中学生。
　　这是大学生。
　　这个男人不再上学了。

04　在小学教书的人叫老师。
　　在大学教书的人叫老师。
　　在小学学习的人叫小学生。
　　在大学学习的人叫大学生。

05　这是背包。
　　这是笔记本。
　　学生在笔记本上写字。
　　学生把笔记本放进背包里。

06　男孩在学习。
　　女孩在学习。
　　男人在教书。
　　女人在教书。

07　学生们在做实验。
　　学生们在考试。
　　学生们在学习。
　　学生们在谈话。

08　学生考试不及格。
　　学生考试及格了。
　　学生在考试。
　　学生们不在考试。

09　男人在努力工作。
　　男人在休息。
　　女人在努力工作。
　　女人在休息。

10　他在学习。
　　他们在休息。
　　他们在学习。
　　他在教书。

15-05

從小學到大學的教育

01　這是一所小學。
　　這是一輛校車。
　　這是一所大學。
　　這是一位大學生。

02　這是教室。
　　這是實驗室。
　　這是禮堂。
　　這是健身房。

03　這是小學生。
　　這是中學生。
　　這是大學生。
　　這個男人不再上學了。

04　在小學教書的人叫老師。
　　在大學教書的人叫老師。
　　在小學學習的人叫小學生。
　　在大學學習的人叫大學生。

05　這是背包。
　　這是筆記本。
　　學生在筆記本上寫字。
　　學生把筆記本放進背包裡。

06　男孩在學習。
　　女孩在學習。
　　男人在教書。
　　女人在教書。

07　學生們在做實驗。
　　學生們在考試。
　　學生們在學習。
　　學生們在談話。

08　學生考試不及格。
　　學生考試及格了。
　　學生在考試。
　　學生們不在考試。

09　男人在努力工作。
　　男人在休息。
　　女人在努力工作。
　　女人在休息。

10　他在學習。
　　他們在休息。
　　他們在學習。
　　他在教書。

15-05

cóng xiǎo xué dào dà xué de jiào yù

01 zhè shì yī suǒ xiǎo xué.
zhè shì yī liàng xiào chē.
zhè shì yī suǒ dà xué.
zhè shì yī wèi dà xué shēng.

02 zhè shì jiào shì.
zhè shì shí yàn shì.
zhè shì lǐ táng.
zhè shì jiàn shēn fáng.

03 zhè shì xiǎo xué shēng.
zhè shì zhōng xué shēng.
zhè shì dà xué shēng.
zhè gè nán rén bù zài shàng xué le.

04 zài xiǎo xué jiāo shū de rén jiào lǎo shī.
zài dà xué jiāo shū de rén jiào lǎo shī.
zài xiǎo xué xué xí de rén jiào xiǎo xué shēng.
zài dà xué xué xí de rén jiào dà xué shēng.

05 zhè shì bēi bāo.
zhè shì bǐ jì běn.
xué shēng zài bǐ jì běn shàng xiě zì.
xué shēng bǎ bǐ jì běn fàng jìn bēi bāo lǐ.

06 nán hái zài xué xí.
nǚ hái zài xué xí.
nán rén zài jiāo shū.
nǚ rén zài jiāo shū.

07 xué shēng men zài zuò shí yàn.
xué shēng men zài kǎo shì.
xué shēng men zài xué xí.
xué shēng men zài tán huà.

08 xué shēng kǎo shì bù jí gé.
xué shēng kǎo shì jí gé le.
xué shēng zài kǎo shì.
xué shēng men bù zài kǎo shì.

09 nán rén zài nǔ lì gōng zuò.
nán rén zài xiū xi.
nǚ rén zài nǔ lì gōng zuò.
nǚ rén zài xiū xi.

10 tā zài xué xí.
tā men zài xiū xi.
tā men zài xué xí.
tā zài jiāo shū.

15-06

时间和空间的前后：以前、以后；互相

01　男人在女人的前面。
　　这个人在车的前面。
　　这个人在车的后面。
　　男人在女人的后面。

02　这几天都是星期四的前一天。
　　这几天都是星期六的前一天。
　　这几天都是星期一的后一天。
　　这几天都是星期天的后一天。

03　这个日子在二月以前。
　　这个日子在二月以后。
　　这个日子在十月和十二月之间。
　　这个日子在二月份。

04　剪纸以前
　　正在剪纸的时候
　　剪纸以后
　　跳下以前

05　这是二十三的后一个数字。
　　这个数字在二十三以后，但相差很多。
　　这是二十三的前一个数字。
　　这个数字在二十三以前，但相差很多。

06　女孩在钻栅栏。
　　他绕着栅栏走。
　　她在爬栅栏。
　　男孩在钻栅栏。

07　男人说："从栅栏中钻过来！"
　　男孩在钻栅栏。
　　男人说："从栅栏上爬过来！"
　　男孩在爬栅栏。

08　两个男人互相推着。
　　两个男人一起推着。
　　两个男人互相拉着。
　　两个男人一起拉着。

09　两个男人在谈话。
　　两个男人都在谈话，但没有相互交谈。
　　她帮他把门开着。
　　她把他关在门外。

10　男孩和别人一起推。
　　男孩在推别人。
　　男孩绕着雨伞走。
　　男孩在钻过来。

15-06

時間和空間的前後：以前、以後；互相

01　男人在女人的前面。
　　這個人在車的前面。
　　這個人在車的後面。
　　男人在女人的後面。

02　這幾天都是星期四的前一天。
　　這幾天都是星期六的前一天。
　　這幾天都是星期一的後一天。
　　這幾天都是星期天的後一天。

03　這個日子在二月以前。
　　這個日子在二月以後。
　　這個日子在十月和十二月之間。
　　這個日子在二月份。

04　剪紙以前
　　正在剪紙的時候
　　剪紙以後
　　跳下以前

05　這是二十三的後一個數字。
　　這個數字在二十三以後，但相差很多。
　　這是二十三的前一個數字。
　　這個數字在二十三以前，但相差很多。

06　女孩在鑽柵欄。
　　他繞着柵欄走。
　　她在爬柵欄。
　　男孩在鑽柵欄。

07　男人說："從柵欄中鑽過來！"
　　男孩在鑽柵欄。
　　男人說："從柵欄上爬過來！"
　　男孩在爬柵欄。

08　兩個男人互相推着。
　　兩個男人一起推着。
　　兩個男人互相拉着。
　　兩個男人一起拉着。

09　兩個男人在談話。
　　兩個男人都在談話，但沒有相互交談。
　　她幫他把門開着。
　　她把他關在門外。

10　男孩和別人一起推。
　　男孩在推別人。
　　男孩繞着雨傘走。
　　男孩在鑽過來。

15-06

shí jiān hé kōng jiān de qián hòu: yǐ qián, yǐ hòu; hù xiāng

01   nán rén zài nǔ rén de qián miàn.
      zhè gè rén zài chē de qián miàn.
      zhè gè rén zài chē de hòu miàn.
      nán rén zài nǔ rén de hòu miàn.

02   zhè jǐ tiān dōu shì xīng qī sì de qián yī tiān.
      zhè jǐ tiān dōu shì xīng qī liù de qián yī tiān.
      zhè jǐ tiān dōu shì xīng qī yī de hòu yī tiān.
      zhè jǐ tiān dōu shì xīng qī tiān de hòu yī tiān.

03   zhè gè rì zi zài èr yuè yǐ qián.
      zhè gè rì zi zài èr yuè yǐ hòu.
      zhè gè rì zi zài shí yuè hé shí èr yuè zhī jiān.
      zhè gè rì zi zài èr yuè fèn.

04   jiǎn zhǐ yǐ qián
      zhèng zài jiǎn zhǐ de shí hou
      jiǎn zhǐ yǐ hòu
      tiào xià yǐ qián

05   zhè shì èr shí sān de hòu yī gè shù zì.
      zhè gè shù zì zài èr shí sān yǐ hòu, dàn xiāng chà hěn duō.
      zhè shì èr shí sān de qián yī gè shù zì.
      zhè gè shù zì zài èr shí sān yǐ qián, dàn xiāng chà hěn duō.

06   nǔ hái zài zuān zhà lán.
      tā rào zhe zhà lán zǒu.
      tā zài pá zhà lán.
      nán hái zài zuān zhà lán.

07   nán rén shuō: "cóng zhà lán zhōng zuān guò lái!"
      nán hái zài zuān zhà lán.
      nán rén shuō: "cóng zhà lán shàng pá guò lái!"
      nán hái zài pá zhà lán.

08   liǎng gè nán rén hù xiāng tuī zhe.
      liǎng gè nán rén yī qǐ tuī zhe.
      liǎng gè nán rén hù xiāng lā zhe.
      liǎng gè nán rén yī qǐ lā zhe.

09   liǎng gè nán rén zài tán huà.
      liǎng gè nán rén dōu zài tán huà, dàn méi yǒu xiāng hù jiāo tán.
      tā bāng tā bǎ mén kāi zhe.
      tā bǎ tā guān zài mén wài.

10   nán hái hé bié rén yī qǐ tuī.
      nán hái zài tuī bié rén.
      nán hái rào zhe yǔ sǎn zǒu.
      nán hái zài zuān guò lái.

欧洲人和美国人表达日期的习惯

01 美国人认为，这是二月一日；欧洲人认为，这是一月二日。
美国人认为，这是一月十二日；欧洲人认为，这是十二月一日。
欧洲人和美国人都认为，这是三月三日。
欧洲人认为，这是十一月十二日；美国人认为，这是十二月十一日。

02 今天是几号？用欧洲的方法，今天是一月六号。
今天是几号？用欧洲的方法，今天是二月六号。
今天是几号？用欧洲的方法，今天是一月十四号。
今天是几号？用欧洲的方法，今天是二月十四号。

03 我们知道，这个日子是用欧洲的方法写的。
我们知道，这个日子是用美国的方法写的。
这个日子是用欧洲和美国的方法写的。
如果用欧洲的方法，这个日子在一月份。

04 这是三月。
下一个月是七月，现在是几月？
上一个月是十月，现在是几月？
两个月以后将是四月，现在是几月？

05 今天是星期一。
今天是星期天。
今天是星期三。
今天是星期六。

06 明天是星期天，今天是星期几？
明天是星期二，今天是星期几？
明天是星期四，今天是星期几？
明天是星期六，今天是星期几？

07 明天是星期天，今天是星期几？
明天是星期二，今天是星期几？
明天是星期四，今天是星期几？
明天是星期六，今天是星期几？

08 昨天是星期六，今天是星期几？
昨天是星期一，今天是星期几？
昨天是星期四，今天是星期几？
昨天是星期五，今天是星期几？

09 前天是星期天，今天是星期几？
后天是星期二，今天是星期几？
前天是星期四，今天是星期几？
后天是星期三，今天是星期几？

10 这是一年的第一天。
用美国的方法，这是一年的最后一天。
用欧洲的方法，这是五月的第一天。
用美国的方法，这是五月的最后一天。

15-07

歐洲人和美國人表達日期的習慣

01 美國人認為，這是二月一日；歐洲人認為，這是一月二日。
美國人認為，這是一月十二日；歐洲人認為，這是十二月一日。
歐洲人和美國人都認為，這是三月三日。
歐洲人認為，這是十一月十二日；美國人認為，這是十二月十一日。

02 今天是幾號？用歐洲的方法，今天是一月六號。
今天是幾號？用歐洲的方法，今天是二月六號。
今天是幾號？用歐洲的方法，今天是一月十四號。
今天是幾號？用歐洲的方法，今天是二月十四號。

03 我們知道，這個日子是用歐洲的方法寫的。
我們知道，這個日子是用美國的方法寫的。
這個日子是用歐洲和美國的方法寫的。
如果用歐洲的方法，這個日子在一月份。

04 這是三月。
下一個月是七月，現在是幾月？
上一個月是十月，現在是幾月？
兩個月以後將是四月，現在是幾月？

05 今天是星期一。
今天是星期天。
今天是星期三。
今天是星期六。

06 明天是星期天，今天是星期幾？
明天是星期二，今天是星期幾？
明天是星期四，今天是星期幾？
明天是星期六，今天是星期幾？

07 明天是星期天，今天是星期幾？
明天是星期二，今天是星期幾？
明天是星期四，今天是星期幾？
明天是星期六，今天是星期幾？

08 昨天是星期六，今天是星期幾？
昨天是星期一，今天是星期幾？
昨天是星期四，今天是星期幾？
昨天是星期五，今天是星期幾？

09 前天是星期天，今天是星期幾？
後天是星期二，今天是星期幾？
前天是星期四，今天是星期幾？
後天是星期三，今天是星期幾？

10 這是一年的第一天。
用美國的方法，這是一年的最後一天。
用歐洲的方法，這是五月的第一天。
用美國的方法，這是五月的最後一天。

15-07

ōu zhōu rén hé měi guó rén biǎo dá rì qī de xí guàn

01 měi guó rén rèn wéi, zhè shì èr yuè yī rì; ōu zhōu rén rèn wéi, zhè shì yī yuè èr rì.
měi guó rén rèn wéi, zhè shì yī yuè shí èr rì; ōu zhōu rén rèn wéi, zhè shì shí èr yuè yī rì.
ōu zhōu rén hé měi guó rén dōu rèn wéi, zhè shì sān yuè sān rì.
ōu zhōu rén rèn wéi, zhè shì shí yī yuè shí èr rì; měi guó rén rèn wéi, zhè shì shí èr yuè shí yī rì.

02 jīn tiān shì jǐ hào? yòng ōu zhōu de fāng fǎ, jīn tiān shì yī yuè liù hào.
jīn tiān shì jǐ hào? yòng ōu zhōu de fāng fǎ, jīn tiān shì èr yuè liù hào.
jīn tiān shì jǐ hào? yòng ōu zhōu de fāng fǎ, jīn tiān shì yī yuè shí sì hào.
jīn tiān shì jǐ hào? yòng ōu zhōu de fāng fǎ, jīn tiān shì èr yuè shí sì hào.

03 wǒ men zhī dào, zhè gè rì zi shì yòng ōu zhōu de fāng fǎ xiě de.
wǒ men zhī dào, zhè gè rì zi shì yòng měi guó de fāng fǎ xiě de.
zhè gè rì zi shì yòng ōu zhōu hé měi guó de fāng fǎ xiě de.
rú guǒ yòng ōu zhōu de fāng fǎ, zhè gè rì zi zài yī yuè fèn.

04 zhè shì sān yuè.
xià yī gè yuè shì qī yuè, xiàn zài shì jǐ yuè?
shàng yī gè yuè shì shí yuè, xiàn zài shì jǐ yuè?
liǎng gè yuè yǐ hòu jiāng shì sì yuè, xiàn zài shì jǐ yuè?

05 jīn tiān shì xīng qī yī.
jīn tiān shì xīng qī tiān.
jīn tiān shì xīng qī sān.
jīn tiān shì xīng qī liù.

06 míng tiān shì xīng qī tiān, jīn tiān shì xīng qī jǐ?
míng tiān shì xīng qī èr, jīn tiān shì xīng qī jǐ?
míng tiān shì xīng qī sì, jīn tiān shì xīng qī jǐ?
míng tiān shì xīng qī liù, jīn tiān shì xīng qī jǐ?

07 míng tiān shì xīng qī tiān, jīn tiān shì xīng qī jǐ?
míng tiān shì xīng qī èr, jīn tiān shì xīng qī jǐ?
míng tiān shì xīng qī sì, jīn tiān shì xīng qī jǐ?
míng tiān shì xīng qī liù, jīn tiān shì xīng qī jǐ?

08 zuó tiān shì xīng qī liù, jīn tiān shì xīng qī jǐ?
zuó tiān shì xīng qī yī, jīn tiān shì xīng qī jǐ?
zuó tiān shì xīng qī sì, jīn tiān shì xīng qī jǐ?
zuó tiān shì xīng qī wǔ, jīn tiān shì xīng qī jǐ?

09 qián tiān shì xīng qī tiān, jīn tiān shì xīng qī jǐ?
hòu tiān shì xīng qī èr, jīn tiān shì xīng qī jǐ?
qián tiān shì xīng qī sì, jīn tiān shì xīng qī jǐ?
hòu tiān shì xīng qī sān, jīn tiān shì xīng qī jǐ?

10 zhè shì yī nián de dì yī tiān.
yòng měi guó de fāng fǎ, zhè shì yī nián de zuì hòu yī tiān.
yòng ōu zhōu de fāng fǎ, zhè shì wǔ yuè de dì yī tiān.
yòng měi guó de fāng fǎ, zhè shì wǔ yuè de zuì hòu yī tiān.

15-08

算术运算，教室活动

01 这是加法。
这是减法。
这是乘法。
这是除法。

02 当这些数加起来时，它们的和等于十。
当这些数加起来时，它们的和大于十。
当这些数加起来时，它们的和小于十。
当这些数加起来时，我们不知道它们的和是多少。

03 当这些数加起来时，它们的和稍大于一百。
当这些数加起来时，它们的和远大于一百。
当这些数加起来时，它们的和稍小于一百。
当这些数加起来时，它们的和远小于一百。

04 这个数是十的两倍。
这个数是十的一半。
这个数是二十的两倍。
这个数是二十的一半。

05 三百六十七减五十八等于多少？
三百六十七减五十八等于三百零九。

五百二十九加五十二等于多少？
五百二十九加五十二等于五百八十一。

二百一十七乘以五等于多少？
二百一十七乘以五等于一千零八十五。

六百四十八除以二等于多少？
六百四十八除以二等于三百二十四。

06 他在纸上解一道数学题。
他在计算器上解一道数学题。
他在电脑上解一道数学题。
他在思考一道数学题。

07 有人在削铅笔。
有人把铅笔折断了。
有人在用铅笔写字。
有人在用铅笔画画。

08 有人在用尺量。
有人在黑板上画画。
有人在一张纸上画画。
有人在用橡皮擦。

09 他在用尺画一条线。
他用橡皮把线擦掉。
他在写字。
他把他写在黑板上的字擦掉。

10 有人在黑板上写字。
有人在擦黑板。
有人在黑板上画画。
有人在纸上画画。

15-08

算術運算，教室活動

01 這是加法。
這是減法。
這是乘法。
這是除法。

02 當這些數加起來時，它們的和等於十。
當這些數加起來時，它們的和大於十。
當這些數加起來時，它們的和小於十。
當這些數加起來時，我們不知道它們的和是多少。

03 當這些數加起來時，它們的和稍大於一百。
當這些數加起來時，它們的和遠大於一百。
當這些數加起來時，它們的和稍小於一百。
當這些數加起來時，它們的和遠小於一百。

04 這個數是十的兩倍。
這個數是十的一半。
這個數是二十的兩倍。
這個數是二十的一半。

05 三百六十七減五十八等於多少？
三百六十七減五十八等於三百零九。

五百二十九加五十二等於多少？
五百二十九加五十二等於五百八十一。

二百一十七乘以五等於多少？
二百一十七乘以五等於一千零八十五。

六百四十八除以二等於多少？
六百四十八除以二等於三百二十四。

06 他在紙上解一道數學題。
他在計算器上解一道數學題。
他在電腦上解一道數學題。
他在思考一道數學題。

07 有人在削鉛筆。
有人把鉛筆折斷了。
有人在用鉛筆寫字。
有人在用鉛筆畫畫。

08 有人在用尺量。
有人在黑板上畫畫。
有人在一張紙上畫畫。
有人在用橡皮擦。

09 他在用尺畫一條線。
他用橡皮把線擦掉。
他在寫字。
他把他寫在黑板上的字擦掉。

10 有人在黑板上寫字。
有人在擦黑板。
有人在黑板上畫畫。
有人在紙上畫畫。

15-08

suàn shù yùn suàn, jiào shì huó dòng

01 zhè shì jiā fǎ.
   zhè shì jiǎn fǎ.
   zhè shì chéng fǎ.
   zhè shì chú fǎ.

02 dāng zhè xiē shù jiā qǐ lái shí, tā men de hé děng yú shí.
   dāng zhè xiē shù jiā qǐ lái shí, tā men de hé dà yú shí.
   dāng zhè xiē shù jiā qǐ lái shí, tā men de hé xiǎo yú shí.
   dāng zhè xiē shù jiā qǐ lái shí, wǒ men bù zhī dào tā men de hé shì duō shǎo.

03 dāng zhè xiē shù jiā qǐ lái shí, tā men de hé shāo dà yú yī bǎi.
   dāng zhè xiē shù jiā qǐ lái shí, tā men de hé yuǎn dà yú yī bǎi.
   dāng zhè xiē shù jiā qǐ lái shí, tā men de hé shāo xiǎo yú yī bǎi.
   dāng zhè xiē shù jiā qǐ lái shí, tā men de hé yuǎn xiǎo yú yī bǎi.

04 zhè gè shù shì shí de liǎng bèi.
   zhè gè shù shì shí de yī bàn.
   zhè gè shù shì èr shí de liǎng bèi.
   zhè gè shù shì èr shí de yī bàn.

05 sān bǎi liù shí qī jiǎn wǔ shí bā děng yú duō shǎo?
   sān bǎi liù shí qī jiǎn wǔ shí bā děng yú sān bǎi líng jiǔ.

   wǔ bǎi èr shí jiǔ jiā wǔ shí èr děng yú duō shǎo?
   wǔ bǎi èr shí jiǔ jiā wǔ shí èr děng yú wǔ bǎi bā shí yī.

   èr bǎi yī shí qī chéng yǐ wǔ děng yú duō shǎo?
   èr bǎi yī shí qī chéng yǐ wǔ děng yú yī qiān líng bā shí wǔ.

   liù bǎi sì shí bā chú yǐ èr děng yú duō shǎo?
   liù bǎi sì shí bā chú yǐ èr děng yú sān bǎi èr shí sì.

06 tā zài zhǐ shàng jiě yī dào shù xué tí.
   tā zài jì suàn qì shàng jiě yī dào shù xué tí.
   tā zài diàn nǎo shàng jiě yī dào shù xué tí.
   tā zài sī kǎo yī dào shù xué tí.

07 yǒu rén zài xiāo qiān bǐ.
   yǒu rén bǎ qiān bǐ zhé duàn le.
   yǒu rén zài yòng qiān bǐ xiě zì.
   yǒu rén zài yòng qiān bǐ huà huà.

08 yǒu rén zài yòng chǐ liáng.
   yǒu rén zài hēi bǎn shàng huà huà.
   yǒu rén zài yī zhāng zhǐ shàng huà huà.
   yǒu rén zài yòng xiàng pí cā.

09 tā zài yòng chǐ huà yī tiáo xiàn.
   tā yòng xiàng pí bǎ xiàn cā diào.
   tā zài xiě zì.
   tā bǎ tā xiě zài hēi bǎn shàng de zì cā diào.

10 yǒu rén zài hēi bǎn shàng xiě zì.
   yǒu rén zài cā hēi bǎn.
   yǒu rén zài hēi bǎn shàng huà huà.
   yǒu rén zài zhǐ shàng huà huà.

15-09

地理，方位和指向

01 箭头向上。
箭头向下。
箭头向左。
箭头向右。

02 箭头指向正方形。
箭头指着离开正方形的方向。
箭头指向三角形。
箭头指着离开三角形的方向。

03 箭头指向北方。
箭头指向南方。
箭头指向东方。
箭头指向西方。

04 箭头指向西北方。
箭头指向东北方。
箭头指向西南方。
箭头指向东南方。

05 箭头指向欧洲。
箭头指着离开欧洲的方向。
箭头指向非洲。
箭头指着离开亚洲的方向。

06 着成红色的国家在着成绿色的国家的南面。
着成红色的国家在着成绿色的国家的北面。
着成红色的国家在着成绿色的国家的西面。
着成红色的国家在着成绿色的国家的东面。

07 绿点在大西洋里。
绿点在太平洋里。
红点在地中海里。
红点在大西洋里。

08 这个国家是岛国。
这个国家不是岛国，但她的海岸线很长。
这个国家没有海岸，她被陆地围着。
这个国家不是岛国，她的海岸线很短。

09 海水把着成红色的国家和其它所有的国家隔开了。
着成红色的国家只和另外一个国家接壤。
着成红色的国家只和另外两个国家接壤。
着成红色的国家和六个以上的其它国家接壤。

10 这个国家有两条海岸。
这个国家有一条大西洋海岸和一条地中海海岸。
这个国家有一条地中海海岸和一条黑海海岸。
这个国家只有一条海岸，它在黑海边。

15-09

地理，方位和指向

01 箭頭向上。
箭頭向下。
箭頭向左。
箭頭向右。

02 箭頭指向正方形。
箭頭指著離開正方形的方向。
箭頭指向三角形。
箭頭指著離開三角形的方向。

03 箭頭指向北方。
箭頭指向南方。
箭頭指向東方。
箭頭指向西方。

04 箭頭指向西北方。
箭頭指向東北方。
箭頭指向西南方。
箭頭指向東南方。

05 箭頭指向歐洲。
箭頭指著離開歐洲的方向。
箭頭指向非洲。
箭頭指著離開亞洲的方向。

06 着成紅色的國家在着成綠色的國家的南面。
着成紅色的國家在着成綠色的國家的北面。
着成紅色的國家在着成綠色的國家的西面。
着成紅色的國家在着成綠色的國家的東面。

07 綠點在大西洋裡。
綠點在太平洋裡。
紅點在地中海裡。
紅點在大西洋裡。

08 這個國家是島國。
這個國家不是島國，但她的海岸線很長。
這個國家沒有海岸，她被陸地圍着。
這個國家不是島國，她的海岸線很短。

09 海水把着成紅色的國家和其它所有的國家隔開了。
着成紅色的國家祇和另外一個國家接壤。
着成紅色的國家祇和另外兩個國家接壤。
着成紅色的國家和六個以上的其它國家接壤。

10 這個國家有兩條海岸。
這個國家有一條大西洋海岸和一條地中海海岸。
這個國家有一條地中海海岸和一條黑海海岸。
這個國家祇有一條海岸，它在黑海邊。

15-09

dì lǐ, fāng wèi hé zhǐ xiàng

01 jiàn tóu xiàng shàng.
   jiàn tóu xiàng xià.
   jiàn tóu xiàng zuǒ.
   jiàn tóu xiàng yòu.

02 jiàn tóu zhǐ xiàng zhèng fāng xíng.
   jiàn tóu zhǐ zhe lí kāi zhèng fāng xíng de fāng xiàng.
   jiàn tóu zhǐ xiàng sān jiǎo xíng.
   jiàn tóu zhǐ zhe lí kāi sān jiǎo xíng de fāng xiàng.

03 jiàn tóu zhǐ xiàng běi fāng.
   jiàn tóu zhǐ xiàng nán fāng.
   jiàn tóu zhǐ xiàng dōng fāng.
   jiàn tóu zhǐ xiàng xī fāng.

04 jiàn tóu zhǐ xiàng xī běi fāng.
   jiàn tóu zhǐ xiàng dōng běi fāng.
   jiàn tóu zhǐ xiàng xī nán fāng.
   jiàn tóu zhǐ xiàng dōng nán fāng.

05 jiàn tóu zhǐ xiàng ōu zhōu.
   jiàn tóu zhǐ zhe lí kāi ōu zhōu de fāng xiàng.
   jiàn tóu zhǐ xiàng fēi zhōu.
   jiàn tóu zhǐ zhe lí kāi yà zhōu de fāng xiàng.

06 zhuó chéng hóng sè de guó jiā zài zhuó chéng lǜ sè de guó jiā de nán miàn.
   zhuó chéng hóng sè de guó jiā zài zhuó chéng lǜ sè de guó jiā de běi miàn.
   zhuó chéng hóng sè de guó jiā zài zhuó chéng lǜ sè de guó jiā de xī miàn.
   zhuó chéng hóng sè de guó jiā zài zhuó chéng lǜ sè de guó jiā de dōng miàn.

07 lǜ diǎn zài dà xī yáng lǐ.
   lǜ diǎn zài tài píng yáng lǐ.
   hóng diǎn zài dì zhōng hǎi lǐ.
   hóng diǎn zài dà xī yáng lǐ.

08 zhè gè guó jiā shì dǎo guó.
   zhè gè guó jiā bù shì dǎo guó, dàn tā de hǎi àn xiàn hěn cháng.
   zhè gè guó jiā méi yǒu hǎi àn, tā bèi lù dì wéi zhe.
   zhè gè guó jiā bù shì dǎo guó, tā de hǎi àn xiàn hěn duǎn.

09 hǎi shuǐ bǎ zhuó chéng hóng sè de guó jiā hé qí tā suǒ yǒu de guó jiā gé kāi le.
   zhuó chéng hóng sè de guó jiā zhǐ hé lìng wài yī gè guó jiā jiē rǎng.
   zhuó chéng hóng sè de guó jiā zhǐ hé lìng wài liǎng gè guó jiā jiē rǎng.
   zhuó chéng hóng sè de guó jiā hé liù gè yǐ shàng de qí tā guó jiā jiē rǎng.

10 zhè gè guó jiā yǒu liǎng tiáo hǎi àn.
   zhè gè guó jiā yǒu yī tiáo dà xī yáng hǎi àn hé yī tiáo dì zhōng hǎi hǎi àn.
   zhè gè guó jiā yǒu yī tiáo dì zhōng hǎi hǎi àn hé yī tiáo hēi hǎi hǎi àn.
   zhè gè guó jiā zhǐ yǒu yī tiáo hǎi àn, tā zài hēi hǎi biān.

15-10

试图、成功和失败

01　他在争取赢这场比赛。
　　他没有争取赢任何比赛。
　　她试图够到架子上的东西。
　　她没有试图够架子上的任何东西。

02　他试图打开瓶子。
　　他没有试图打开瓶子，他试图打开窗户。
　　他试图打开瓶子，他成功了。
　　他试图打开瓶子，但他失败了。

03　他试图打开窗户。
　　他没有试图打开窗户，他试图打开瓶子。
　　他试图打开窗户，他成功了。
　　他试图打开窗户，但他失败了。

04　他在做家庭作业。
　　他做完了家庭作业。
　　他在洗衣服。
　　他洗完了衣服。

05　你洗盘子了吗？
　　是的，我洗了。

　　你叠衣服了吗？
　　是的，我叠了。

　　你洗盘子了吗？
　　没有，我没洗。

　　你叠衣服了吗？
　　没有，我没叠。

06　他离开房子。
　　他向房子走去。
　　他离开了李慧。
　　他向李慧走来。

07　我们应该往哪边走？
　　我们应该往左边走。
　　我感到厌烦了。你想做什么？
　　我想打牌。

08　她们向她走来。
　　她们离开了她。
　　她向他走来。
　　她离开了他。

09　他试图看见。
　　他试图讲话。
　　他试图把这个抬起来。
　　他试图把这个折弯。

15-10

試圖、成功和失敗

01　他在爭取贏這場比賽。
　　他沒有爭取贏任何比賽。
　　她試圖夠到架子上的東西。
　　她沒有試圖夠架子上的任何東西。

02　他試圖打開瓶子。
　　他沒有試圖打開瓶子，他試圖打開窗戶。
　　他試圖打開瓶子，他成功了。
　　他試圖打開瓶子，但他失敗了。

03　他試圖打開窗戶。
　　他沒有試圖打開窗戶，他試圖打開瓶子。
　　他試圖打開窗戶，他成功了。
　　他試圖打開窗戶，但他失敗了。

04　他在做家庭作業。
　　他做完了家庭作業。
　　他在洗衣服。
　　他洗完了衣服。

05　你洗盤子了嗎？
　　是的，我洗了。

　　你叠衣服了嗎？
　　是的，我叠了。

　　你洗盤子了嗎？
　　沒有，我沒洗。

　　你叠衣服了嗎？
　　沒有，我沒叠。

06　他離開房子。
　　他向房子走去。
　　他離開了李慧。
　　他向李慧走來。

07　我們應該往哪邊走？
　　我們應該往左邊走。
　　我感到厭煩了。你想做什麼？
　　我想打牌。

08　她們向她走來。
　　她們離開了她。
　　她向他走來。
　　她離開了他。

09　他試圖看見。
　　他試圖講話。
　　他試圖把這個抬起來。
　　他試圖把這個折彎。

（继续）

15-10

shì tú, chéng gōng hé shī bài

01 tā zài zhēng qǔ yíng zhè cháng bǐ sài.
tā méi yǒu zhēng qǔ yíng rèn hé bǐ sài.
tā shì tú gòu dào jià zi shàng de dōng xi.
tā méi yǒu shì tú gòu jià zi shàng de rèn hé dōng xi.

02 tā shì tú dǎ kāi píng zi.
tā méi yǒu shì tú dǎ kāi píng zi, tā shì tú dǎ kāi chuāng hu.
tā shì tú dǎ kāi píng zi, tā chéng gōng le.
tā shì tú dǎ kāi píng zi, dàn tā shī bài le.

03 tā shì tú dǎ kāi chuāng hu.
tā méi yǒu shì tú dǎ kāi chuāng hu, tā shì tú dǎ kāi píng zi.
tā shì tú dǎ kāi chuāng hu, tā chéng gōng le.
tā shì tú dǎ kāi chuāng hu, dàn tā shī bài le.

04 tā zài zuò jiā tíng zuò yè.
tā zuò wán le jiā tíng zuò yè.
tā zài xǐ yī fu.
tā xǐ wán le yī fu.

05 nǐ xǐ pán zi le ma?
shì de, wǒ xǐ le.

nǐ dié yī fu le ma?
shì de, wǒ dié le.

nǐ xǐ pán zi le ma?
méi yǒu, wǒ méi xǐ.

nǐ dié yī fu le ma?
méi yǒu, wǒ méi dié.

06 tā lí kāi fáng zi.
tā xiàng fáng zi zǒu qù.
tā lí kāi le lǐ huì.
tā xiàng lǐ huì zǒu lái.

07 wǒ men yīng gāi wǎng nǎ biān zǒu?
wǒ men yīng gāi wǎng zuǒ biān zǒu.
wǒ gǎn dào yàn fán le. nǐ xiǎng zuò shén me?
wǒ xiǎng dǎ pái.

08 tā men xiàng tā zǒu lái.
tā men lí kāi le tā.
tā xiàng tā zǒu lái.
tā lí kāi le tā.

09 tā shì tú kàn jiàn.
tā shì tú jiǎng huà.
tā shì tú bǎ zhè gè tái qǐ lái.
tā shì tú bǎ zhè gè zhé wān.

(jì xù)

10　他正在进门。
　　他试图进门。
　　他将试图进门。
　　他的确进了门。

10　他正在進門。
　　他試圖進門。
　　他將試圖進門。
　　他的確進了門。

15-10

10 tā zhèng zài jìn mén.
    tā shì tú jìn mén.
    tā jiāng shì tú jìn mén.
    tā dí què jìn le mén.

15-11

复习第十五部分

01　女人怕被浇湿。
　　女人在哭，因为她伤心。
　　女人很高兴，因为她的孩子们都爱她。
　　女人感到厌烦了，因为她没有事情可做。

02　一月
　　四月
　　六月
　　九月

03　男人在拍球。
　　女人在拍球。
　　男人在转球。
　　女人在转球。

04　这是俄语字体。
　　这是日语字体。
　　这是印度语字体。
　　这是阿拉伯语字体。

05　学生们在做实验。
　　学生们在考试。
　　学生们在学习。
　　学生们在谈话。

06　男孩和别人一起推。
　　男孩在推别人。
　　男孩绕着雨伞走。
　　男孩在钻过来。

07　前天是星期天，今天是星期几？
　　后天是星期二，今天是星期几？
　　前天是星期四，今天是星期几？
　　后天是星期三，今天是星期几？

08　三百六十七减五十八等于多少？
　　三百六十七减五十八等于三百零九。

　　五百二十九加五十二等于多少？
　　五百二十九加五十二等于五百八十一。

　　二百一十七乘以五等于多少？
　　二百一十七乘以五等于一千零八十五。

　　六百四十八除以二等于多少？
　　六百四十八除以二等于三百二十四。

09　箭头指向北方。
　　箭头指向南方。
　　箭头指向东方。
　　箭头指向西方。

10　他正在进门。
　　他试图进门。
　　他将试图进门。
　　他的确进了门。

15-11

復習第十五部分

01　女人怕被澆濕。
　　女人在哭，因為她傷心。
　　女人很高興，因為她的孩子們都愛她。
　　女人感到厭煩了，因為她沒有事情可做。

02　一月
　　四月
　　六月
　　九月

03　男人在拍球。
　　女人在拍球。
　　男人在轉球。
　　女人在轉球。

04　這是俄語字體。
　　這是日語字體。
　　這是印度語字體。
　　這是阿拉伯語字體。

05　學生們在做實驗。
　　學生們在考試。
　　學生們在學習。
　　學生們在談話。

06　男孩和別人一起推。
　　男孩在推別人。
　　男孩繞着雨傘走。
　　男孩在鑽過來。

07　前天是星期天，今天是星期幾？
　　後天是星期二，今天是星期幾？
　　前天是星期四，今天是星期幾？
　　後天是星期三，今天是星期幾？

08　三百六十七減五十八等於多少？
　　三百六十七減五十八等於三百零九。

　　五百二十九加五十二等於多少？
　　五百二十九加五十二等於五百八十一。

　　二百一十七乘以五等於多少？
　　二百一十七乘以五等於一千零八十五。

　　六百四十八除以二等於多少？
　　六百四十八除以二等於三百二十四。

09　箭頭指向北方。
　　箭頭指向南方。
　　箭頭指向東方。
　　箭頭指向西方。

10　他正在進門。
　　他試圖進門。
　　他將試圖進門。
　　他的確進了門。

15-11

fù xí dì shí wǔ bù fèn

01 nǚ rén pà bèi jiāo shī.
nǚ rén zài kū, yīn wéi tā shāng xīn.
nǚ rén hěn gāo xìng, yīn wéi tā de hái zi men dōu ài tā.
nǚ rén gǎn dào yàn fán le, yīn wéi tā méi yǒu shì qing kě zuò.

02 yī yuè
sì yuè
liù yuè
jiǔ yuè

03 nán rén zài pāi qiú.
nǚ rén zài pāi qiú.
nán rén zài zhuàn qiú.
nǚ rén zài zhuàn qiú.

04 zhè shì é yǔ zì tǐ.
zhè shì rì yǔ zì tǐ.
zhè shì yìn dù yǔ zì tǐ.
zhè shì ā lā bó yǔ zì tǐ.

05 xué shēng men zài zuò shí yàn.
xué shēng men zài kǎo shì.
xué shēng men zài xué xí.
xué shēng men zài tán huà.

06 nán hái hé bié rén yī qǐ tuī.
nán hái zài tuī bié rén.
nán hái rào zhe yǔ sǎn zǒu.
nán hái zài zuān guò lái.

07 qián tiān shì xīng qī tiān, jīn tiān shì xīng qī jǐ?
hòu tiān shì xīng qī èr, jīn tiān shì xīng qī jǐ?
qián tiān shì xīng qī sì, jīn tiān shì xīng qī jǐ?
hòu tiān shì xīng qī sān, jīn tiān shì xīng qī jǐ?

08 sān bǎi liù shí qī jiǎn wǔ shí bā děng yú duō shǎo?
sān bǎi liù shí qī jiǎn wǔ shí bā děng yú sān bǎi líng jiǔ.

wǔ bǎi èr shí jiǔ jiā wǔ shí èr děng yú duō shǎo?
wǔ bǎi èr shí jiǔ jiā wǔ shí èr děng yú wǔ bǎi bā shí yī.

èr bǎi yī shí qī chéng yǐ wǔ děng yú duō shǎo?
èr bǎi yī shí qī chéng yǐ wǔ děng yú yī qiān líng bā shí wǔ.

liù bǎi sì shí bā chú yǐ èr děng yú duō shǎo?
liù bǎi sì shí bā chú yǐ èr děng yú sān bǎi èr shí sì.

09 jiàn tóu zhǐ xiàng běi fāng.
jiàn tóu zhǐ xiàng nán fāng.
jiàn tóu zhǐ xiàng dōng fāng.
jiàn tóu zhǐ xiàng xī fāng.

10 tā zhèng zài jìn mén.
tā shì tú jìn mén.
tā jiāng shì tú jìn mén.
tā dí què jìn le mén.

16-01

气候和穿戴，时间

01　雨
　　云
　　太阳
　　雪

02　下雨了。
　　天晴了。
　　下雪了。
　　是阴天，但没有下雨。

03　下雨时，你会撑雨伞。
　　天晴时，你会撑阳伞。
　　天冷时，你会戴帽子、围围巾。
　　天热时，你会穿游泳衣。

04　几点啦？手表上显示着四点半。
　　几点啦？手表上显示着十二点。
　　天气怎么样？天气又晴又暖。
　　天气怎么样？天气又阴又冷。

05　现在是早上七点半。
　　现在是晚上七点半。
　　现在是凌晨一点。
　　现在是下午一点。

06　人们在早上六点到九点之间吃早饭。
　　人们在上午十一点到下午两点之间吃午饭。
　　人们在晚上六点到九点之间吃晚饭。
　　大多数人在晚上十一点到早上七点之间睡觉。

07　外面在下雨，我需要什么？
　　外面在下雪，我需要什么？
　　外面是晴天，我需要什么？
　　我在月球上，我需要什么？

08　他该醒了。
　　他该开车去工作了。
　　他该吃午饭了。
　　他该开车回家了。

09　现在是早上六点半。
　　现在是中午十二点。
　　现在是下午三点半。
　　现在是晚上七点半。

10　阴天时，你从这上面看不出时间。

　　几点啦？
　　对不起，我没有手表。

　　几点啦？
　　五点半。

　　尽管是阴天，你也能从这上面看出时间。

16-01

氣候和穿戴，時間

01　雨
　　雲
　　太陽
　　雪

02　下雨了。
　　天晴了。
　　下雪了。
　　是陰天，但沒有下雨。

03　下雨時，你會撑雨傘。
　　天晴時，你會撑陽傘。
　　天冷時，你會戴帽子、圍圍巾。
　　天熱時，你會穿游泳衣。

04　幾點啦？手錶上顯示着四點半。
　　幾點啦？手錶上顯示着十二點。
　　天氣怎麼樣？天氣又晴又暖。
　　天氣怎麼樣？天氣又陰又冷。

05　現在是早上七點半。
　　現在是晚上七點半。
　　現在是凌晨一點。
　　現在是下午一點。

06　人們在早上六點到九點之間喫早飯。
　　人們在上午十一點到下午兩點之間喫午飯。
　　人們在晚上六點到九點之間喫晚飯。
　　大多數人在晚上十一點到早上七點之間睡覺。

07　外面在下雨，我需要什麼？
　　外面在下雪，我需要什麼？
　　外面是晴天，我需要什麼？
　　我在月球上，我需要什麼？

08　他該醒了。
　　他該開車去工作了。
　　他該喫午飯了。
　　他該開車回家了。

09　現在是早上六點半。
　　現在是中午十二點。
　　現在是下午三點半。
　　現在是晚上七點半。

10　陰天時，你從這上面看不出時間。

　　幾點啦？
　　對不起，我沒有手錶。

　　幾點啦？
　　五點半。

　　儘管是陰天，你也能從這上面看出時間。

16-01

qì hòu hé chuān dài, shí jiān

01 yǔ
yún
tài yáng
xuě

02 xià yǔ le.
tiān qíng le.
xià xuě le.
shì yīn tiān, dàn méi yǒu xià yǔ.

03 xià yǔ shí, nǐ huì chēng yǔ sǎn.
tiān qíng shí, nǐ huì chēng yáng sǎn.
tiān lěng shí, nǐ huì dài mào zi, wéi wéi jīn.
tiān rè shí, nǐ huì chuān yóu yǒng yī.

04 jǐ diǎn la? shǒu biǎo shàng xiǎn shì zhe sì diǎn bàn.
jǐ diǎn la? shǒu biǎo shàng xiǎn shì zhe shí èr diǎn.
tiān qì zěn me yàng? tiān qì yòu qíng yòu nuǎn.
tiān qì zěn me yàng? tiān qì yòu yīn yòu lěng.

05 xiàn zài shì zǎo shàng qī diǎn bàn.
xiàn zài shì wǎn shàng qī diǎn bàn.
xiàn zài shì líng chén yī diǎn.
xiàn zài shì xià wǔ yī diǎn.

06 rén men zài zǎo shàng liù diǎn dào jiǔ diǎn zhī jiān chī zǎo fàn.
rén men zài shàng wǔ shí yī diǎn dào xià wǔ liǎng diǎn zhī jiān chī wǔ fàn.
rén men zài wǎn shàng liù diǎn dào jiǔ diǎn zhī jiān chī wǎn fàn.
dà duō shù rén zài wǎn shàng shí yī diǎn dào zǎo shàng qī diǎn zhī jiān shuì jiào.

07 wài miàn zài xià yǔ, wǒ xū yào shén me?
wài miàn zài xià xuě, wǒ xū yào shén me?
wài miàn shì qíng tiān, wǒ xū yào shén me?
wǒ zài yuè qiú shàng, wǒ xū yào shén me?

08 tā gāi xǐng le.
tā gāi kāi chē qù gōng zuò le.
tā gāi chī wǔ fàn le.
tā gāi kāi chē huí jiā le.

09 xiàn zài shì zǎo shàng liù diǎn bàn.
xiàn zài shì zhōng wǔ shí èr diǎn.
xiàn zài shì xià wǔ sān diǎn bàn.
xiàn zài shì wǎn shàng qī diǎn bàn.

10 yīn tiān shí, nǐ cóng zhè shàng miàn kàn bù chū shí jiān.

jǐ diǎn la?
duì bù qǐ, wǒ méi yǒu shǒu biǎo.

jǐ diǎn la?
wǔ diǎn bàn.

jǐn guǎn shì yīn tiān, nǐ yě néng cóng zhè shàng miàn kàn chū shí jiān.

16-02

在餐馆吃饭，和服务员的对话

01 我饿了。
试一下这家餐馆。
请给我们俩一张桌子。
这边请。

02 菜单
账单
男服务员
女服务员

03 这是菜单。
你推荐什么？
我推荐牛排。
你们想先喝点什么吗？

04 你们点菜吗？
我想要牛排。
我想要沙拉。
小姐，您的沙拉；先生，您的牛排。

05 请递给我胡椒粉。
给你胡椒粉。
请递给我盐。
给你盐。

06 先生，我需要一个盘子。
对不起，给您盘子。
先生，我需要一把叉子。
对不起，给您叉子。

07 你们想要甜点吗？
我想要蛋糕。
我想要冰淇淋。
这是你们的甜点。

08 请问，男洗手间在哪儿？
男洗手间在那儿。
请问，女洗手间在哪儿？
女洗手间在那儿。

09 先生，请给我们账单。
这是你们的账单。
韩立把餐费付给服务员。
韩立把小费放在桌上。

10 这边请。
你们点菜吗？
这是你们的甜点。
这是菜单。

16-02

在餐館喫飯，和服務員的對話

01 我餓了。
試一下這家餐館。
請給我們倆一張桌子。
這邊請。

02 菜單
賬單
男服務員
女服務員

03 這是菜單。
你推薦什麼？
我推薦牛排。
你們想先喝點什麼嗎？

04 你們點菜嗎？
我想要牛排。
我想要沙拉。
小姐，您的沙拉；先生，您的牛排。

05 請遞給我胡椒粉。
給你胡椒粉。
請遞給我鹽。
給你鹽。

06 先生，我需要一個盤子。
對不起，給您盤子。
先生，我需要一把叉子。
對不起，給您叉子。

07 你們想要甜點嗎？
我想要蛋糕。
我想要冰淇淋。
這是你們的甜點。

08 請問，男洗手間在哪兒？
男洗手間在那兒。
請問，女洗手間在哪兒？
女洗手間在那兒。

09 先生，請給我們賬單。
這是你們的賬單。
韓立把餐費付給服務員。
韓立把小費放在桌上。

10 這邊請。
你們點菜嗎？
這是你們的甜點。
這是菜單。

16-02

zài cān guǎn chī fàn, hé fú wù yuán de duì huà

01 wǒ è le.
   shì yī xià zhè jiā cān guǎn.
   qǐng gěi wǒ men liǎ yī zhāng zhuō zi.
   zhè biān qǐng.

02 cài dān
   zhàng dān
   nán fú wù yuán
   nǚ fú wù yuán

03 zhè shì cài dān.
   nǐ tuī jiàn shén me?
   wǒ tuī jiàn niú pái.
   nǐ men xiǎng xiān hē diǎn shén me ma?

04 nǐ men diǎn cài ma?
   wǒ xiǎng yào niú pái.
   wǒ xiǎng yào shā lā.
   xiǎo jiě, nín de shā lā; xiān sheng, nín de niú pái.

05 qǐng dì gěi wǒ hú jiāo fěn.
   gěi nǐ hú jiāo fěn.
   qǐng dì gěi wǒ yán.
   gěi nǐ yán.

06 xiān sheng, wǒ xū yào yī gè pán zi.
   duì bù qǐ, gěi nín pán zi.
   xiān sheng, wǒ xū yào yī bǎ chā zi.
   duì bù qǐ, gěi nín chā zi.

07 nǐ men xiǎng yào tián diǎn ma?
   wǒ xiǎng yào dàn gāo.
   wǒ xiǎng yào bīng qí lín.
   zhè shì nǐ men de tián diǎn.

08 qǐng wèn, nán xǐ shǒu jiān zài nǎr?
   nán xǐ shǒu jiān zài nàr.
   qǐng wèn, nǚ xǐ shǒu jiān zài nǎr?
   nǚ xǐ shǒu jiān zài nàr.

09 xiān sheng, qǐng gěi wǒ men zhàng dān.
   zhè shì nǐ men de zhàng dān.
   hán lì bǎ cān fèi fù gěi fú wù yuán.
   hán lì bǎ xiǎo fèi fàng zài zhuō shàng.

10 zhè biān qǐng.
   nǐ men diǎn cài ma?
   zhè shì nǐ men de tián diǎn.
   zhè shì cài dān.

16-03

爱情和婚姻

01 这对男女相爱了。
这两个人没有相爱，他们也不是朋友。
这两个人没有相爱，他们只是朋友。
这是一群朋友们。

02 男人走到门前。
男人在敲门。
男人的女朋友到门口迎接他。
男人把花给他的女朋友。

03 男人和女人在餐馆里吃饭。
男人和女人在跳舞。
男人和女人在购物。
男人和女人在接吻。

04 这个男人是女人的丈夫，他们刚结婚。
这个男人是女人的朋友，他们一起工作。
这个男人是女人的男朋友，他们彼此相爱。
男人不认识女人。

05 这个女人是男人的妻子。
这个女人是男人的朋友。
这个女人是男人的女朋友。
女人不认识男人。

06 这两个人刚结婚。
这两个人太年轻，不能结婚。
这对夫妇结婚很久了。
这是结婚戒指。

07 母亲爱她的孩子们。
男人和女人彼此相爱。
我喜欢冰淇淋。
我们喜欢这个电视节目。

08 她们在野餐。
她们在吃一顿便饭。
他们在吃一顿浪漫的晚餐。
他们在吃小吃。

09 我爱你，爸爸。
我爱你，妈妈。
我爱你，方玲。
我爱你，石文。

10 我爱你，艾莲。
我也爱你，立宣。
你愿意嫁给我吗？
是的，我愿意嫁给你。

16-03

愛情和婚姻

01 這對男女相愛了。
這兩個人沒有相愛，他們也不是朋友。
這兩個人沒有相愛，他們衹是朋友。
這是一群朋友們。

02 男人走到門前。
男人在敲門。
男人的女朋友到門口迎接他。
男人把花給他的女朋友。

03 男人和女人在餐館裡喫飯。
男人和女人在跳舞。
男人和女人在購物。
男人和女人在接吻。

04 這個男人是女人的丈夫，他們剛結婚。
這個男人是女人的朋友，他們一起工作。
這個男人是女人的男朋友，他們彼此相愛。
男人不認識女人。

05 這個女人是男人的妻子。
這個女人是男人的朋友。
這個女人是男人的女朋友。
女人不認識男人。

06 這兩個人剛結婚。
這兩個人太年輕，不能結婚。
這對夫婦結婚很久了。
這是結婚戒指。

07 母親愛她的孩子們。
男人和女人彼此相愛。
我喜歡冰淇淋。
我們喜歡這個電視節目。

08 她們在野餐。
她們在喫一頓便飯。
他們在喫一頓浪漫的晚餐。
他們在喫小喫。

09 我愛你，爸爸。
我愛你，媽媽。
我愛你，方玲。
我愛你，石文。

10 我愛你，艾蓮。
我也愛你，立宣。
你願意嫁給我嗎？
是的，我願意嫁給你。

16-03

ài qíng hé hūn yīn

01   zhè duì nán nǚ xiāng ài le.
      zhè liǎng gè rén méi yǒu xiāng ài, tā men yě bù shì péng yǒu.
      zhè liǎng gè rén méi yǒu xiāng ài, tā men zhǐ shì péng yǒu.
      zhè shì yī qún péng yǒu men.

02   nán rén zǒu dào mén qián.
      nán rén zài qiāo mén.
      nán rén de nǚ péng yǒu dào mén kǒu yíng jiē tā.
      nán rén bǎ huā gěi tā de nǚ péng yǒu.

03   nán rén hé nǚ rén zài cān guǎn lǐ chī fàn.
      nán rén hé nǚ rén zài tiào wǔ.
      nán rén hé nǚ rén zài gòu wù.
      nán rén hé nǚ rén zài jiē wěn.

04   zhè gè nán rén shì nǚ rén de zhàng fu, tā men gāng jié hūn.
      zhè gè nán rén shì nǚ rén de péng yǒu, tā men yī qǐ gōng zuò.
      zhè gè nán rén shì nǚ rén de nán péng yǒu, tā men bǐ cǐ xiāng ài.
      nán rén bù rèn shi nǚ rén.

05   zhè gè nǚ rén shì nán rén de qī zi.
      zhè gè nǚ rén shì nán rén de péng yǒu.
      zhè gè nǚ rén shì nán rén de nǚ péng yǒu.
      nǚ rén bù rèn shi nán rén.

06   zhè liǎng gè rén gāng jié hūn.
      zhè liǎng gè rén tài nián qīng, bù néng jié hūn.
      zhè duì fū fù jié hūn hěn jiǔ le.
      zhè shì jié hūn jiè zhi.

07   mǔ qīn ài tā de hái zi men.
      nán rén hé nǚ rén bǐ cǐ xiāng ài.
      wǒ xǐ huān bīng qí lín.
      wǒ men xǐ huān zhè gè diàn shì jié mù.

08   tā men zài yě cān.
      tā men zài chī yī dùn biàn fàn.
      tā men zài chī yī dùn làng màn de wǎn cān.
      tā men zài chī xiǎo chī.

09   wǒ ài nǐ, bà ba.
      wǒ ài nǐ, mā ma.
      wǒ ài nǐ, fāng líng.
      wǒ ài nǐ, shí wén.

10   wǒ ài nǐ, ài lián.
      wǒ yě ài nǐ, lì xuān.
      nǐ yuàn yì jià gěi wǒ ma?
      shì de, wǒ yuàn yì jià gěi nǐ.

通过建筑、服装、科技和军事了解历史

01 从十二到十六世纪，骑士们穿盔甲。
在十九世纪，士兵们用大炮。
如今，士兵们用坦克。
如今，士兵们用机枪。

02 这种建筑建于现代。
这种建筑建于十二到十六世纪之间，它叫做大教堂。
这座建筑建于一八八九年。
这座建筑建于几千年以前。

03 这座建筑建于十二到十六世纪之间，它叫做城堡。
这座建筑是在十七到十八世纪之间建于印度。
这座建筑两千年以前建于中国。
这座建筑两千年以前建于意大利，如今它已经成为废墟。

04 这种交通方式始于一七八〇年。
这种交通方式始于二十世纪后期。
这种交通方式始于二十世纪初。
这种交通方式已经用了几千年了。

05 中世纪的骑士穿盔甲。
罗马士兵穿这种服装。
王后穿这种服装。
国王穿这种服装。

06 很久以前，士兵们穿这种制服，但他们不再穿了。
很久以前，士兵们穿这种制服，如今他们仍然穿着。
如今，士兵们穿着这样的制服，但很久以前没有穿。
士兵们不穿这样的制服。

07 在中东，人们穿这种服装。
在宇宙空间或月球上，人们穿这种服装。
在欧洲，人们曾经穿过这种服装。
这是美国印第安人的服装。

08 这座建筑在埃及。
这座建筑在美国。
这座建筑在中国。
这座建筑在意大利。

09 这些纪念碑在美国。
这座纪念馆在印度。
这座纪念像在美国。
这些纪念塔在埃及。

16-04

通過建築、服裝、科技和軍事了解歷史

01 從十二到十六世紀，騎士們穿盔甲。
在十九世紀，士兵們用大炮。
如今，士兵們用坦克。
如今，士兵們用機槍。

02 這種建築建於現代。
這種建築建於十二到十六世紀之間，它叫做大教堂。
這座建築建於一八八九年。
這座建築建於幾千年以前。

03 這座建築建於十二到十六世紀之間，它叫做城堡。
這座建築是在十七到十八世紀之間建於印度。
這座建築兩千年以前建於中國。
這座建築兩千年以前建於意大利，如今它已經成為廢墟。

04 這種交通方式始於一七八〇年。
這種交通方式始於二十世紀後期。
這種交通方式始於二十世紀初。
這種交通方式已經用了幾千年了。

05 中世紀的騎士穿盔甲。
羅馬士兵穿這種服裝。
王后穿這種服裝。
國王穿這種服裝。

06 很久以前，士兵們穿這種制服，但他們不再穿了。
很久以前，士兵們穿這種制服，如今他們仍然穿着。
如今，士兵們穿着這樣的制服，但很久以前沒有穿。
士兵們不穿這樣的制服。

07 在中東，人們穿這種服裝。
在宇宙空間或月球上，人們穿這種服裝。
在歐洲，人們曾經穿過這種服裝。
這是美國印第安人的服裝。

08 這座建築在埃及。
這座建築在美國。
這座建築在中國。
這座建築在意大利。

09 這些紀念碑在美國。
這座紀念館在印度。
這座紀念像在美國。
這些紀念塔在埃及。

（继续）

16-04

tōng guò jiàn zhù, fú zhuāng, kē jì hé jūn shì liáo jiě lì shǐ

01 cóng shí èr dào shí liù shì jì, qí shì men chuān kuī jiǎ.
    zài shí jiǔ shì jì, shì bīng men yòng dà pào.
    rú jīn, shì bīng men yòng tǎn kè.
    rú jīn, shì bīng men yòng jī qiāng.

02 zhè zhǒng jiàn zhù jiàn yú xiàn dài.
    zhè zhǒng jiàn zhù jiàn yú shí èr dào shí liù shì jì zhī jiān, tā jiào zuò dà jiào táng.
    zhè zuò jiàn zhù jiàn yú yī bā bā jiǔ nián.
    zhè zuò jiàn zhù jiàn yú jǐ qiān nián yǐ qián.

03 zhè zuò jiàn zhù jiàn yú shí èr dào shí liù shì jì zhī jiān, tā jiào zuò chéng bǎo.
    zhè zuò jiàn zhù shì zài shí qī dào shí bā shì jì zhī jiān jiàn yú yìn dù.
    zhè zuò jiàn zhù liǎng qiān nián yǐ qián jiàn yú zhōng guó.
    zhè zuò jiàn zhù liǎng qiān nián yǐ qián jiàn yú yì dà lì, rú jīn tā yǐ jīng chéng wéi fèi xū.

04 zhè zhǒng jiāo tōng fāng shì shǐ yú yī qī bā líng nián.
    zhè zhǒng jiāo tōng fāng shì shǐ yú èr shí shì jì hòu qī.
    zhè zhǒng jiāo tōng fāng shì shǐ yú èr shí shì jì chū.
    zhè zhǒng jiāo tōng fāng shì yǐ jīng yòng le jǐ qiān nián le.

05 zhōng shì jì de qí shì chuān kuī jiǎ.
    luó mǎ shì bīng chuān zhè zhǒng fú zhuāng.
    wáng hòu chuān zhè zhǒng fú zhuāng.
    guó wáng chuān zhè zhǒng fú zhuāng.

06 hěn jiǔ yǐ qián, shì bīng men chuān zhè zhǒng zhì fú, dàn tā men bù zài chuān le.
    hěn jiǔ yǐ qián, shì bīng men chuān zhè zhǒng zhì fú, rú jīn tā men réng rán chuān zhe.
    rú jīn, shì bīng men chuān zhe zhè yàng de zhì fú, dàn hěn jiǔ yǐ qián méi yǒu chuān.
    shì bīng men bù chuān zhè yàng de zhì fú.

07 zài zhōng dōng, rén men chuān zhè zhǒng fú zhuāng.
    zài yǔ zhòu kōng jiān huò yuè qiú shàng, rén men chuān zhè zhǒng fú zhuāng.
    zài ōu zhōu, rén men céng jīng chuān guò zhè zhǒng fú zhuāng.
    zhè shì měi guó yìn dì ān rén de fú zhuāng.

08 zhè zuò jiàn zhù zài āi jí.
    zhè zuò jiàn zhù zài měi guó.
    zhè zuò jiàn zhù zài zhōng guó.
    zhè zuò jiàn zhù zài yì dà lì.

09 zhè xiē jì niàn bēi zài měi guó.
    zhè zuò jì niàn guǎn zài yìn dù.
    zhè zuò jì niàn xiàng zài měi guó.
    zhè xiē jì niàn tǎ zài āi jí.

(jì xù)

10 只有在巴黎，人们才能看到这座建筑，它是独一无二的。

只有在旧金山，人们才能看到这座建筑，它是独一无二的。

只有在北京，人们才能看到这座建筑，它是独一无二的。

只有在莫斯科，人们才能看到这座建筑，它是独一无二的。

10 祇有在巴黎，人們才能看到這座建築，它是獨一無二的。

祇有在舊金山，人們才能看到這座建築，它是獨一無二的。

祇有在北京，人們才能看到這座建築，它是獨一無二的。

祇有在莫斯科，人們才能看到這座建築，它是獨一無二的。

10 zhǐ yǒu zài bā lí, rén men cái néng kàn dào zhè zuò jiàn zhù, tā shì dú yī wú èr de.
     zhǐ yǒu zài jiù jīn shān, rén men cái néng kàn dào zhè zuò jiàn zhù, tā shì dú yī wú èr de.
     zhǐ yǒu zài běi jīng, rén men cái néng kàn dào zhè zuò jiàn zhù, tā shì dú yī wú èr de.
     zhǐ yǒu zài mò sī kē, rén men cái néng kàn dào zhè zuò jiàn zhù, tā shì dú yī wú èr de.

16-05

警察，法律，公共事业

01 这是一位警察。
这是一辆警车。
这是一副手铐。
这是一辆救护车。

02 在法国，在路的这边开车是违章的。
在英国，在路的这边开车是违章的。
在这儿回转是违章的。
在这儿左转弯是违章的。

03 在这儿停车是合法的。
在这儿停车是违章的。
在这儿左转弯是合法的。
在这儿左转弯是违章的。

04 这是消防站。
这是消防车。
这是消防队员。
这些是消防水龙带。

05 这是一个信箱。
这是一名邮递员。
这是一个包裹。
这是一封信。

06 这是一名清洁工。
这是一袋垃圾。
这是图书馆。
这是图书馆管理员。

07 一个男人在偷另一个男人的钱包。
男人说："他偷了我的钱包。"
警察抓住了小偷。
小偷在监狱里。

08 邮递员
急救人员
实验员
护理人员

09 小偷在偷东西。
男人在和警察谈话。
小偷被抓住了。
小偷不能偷任何东西了，他在监狱里。

10 偷东西是违法的。
在这儿停车是合法的。
在这儿停车是违章的。
在有些国家，在路的这边开车是合法的。

16-05

警察，法律，公共事業

01 這是一位警察。
這是一輛警車。
這是一副手鈔。
這是一輛救護車。

02 在法國，在路的這邊開車是違章的。
在英國，在路的這邊開車是違章的。
在這兒回轉是違章的。
在這兒左轉彎是違章的。

03 在這兒停車是合法的。
在這兒停車是違章的。
在這兒左轉彎是合法的。
在這兒左轉彎是違章的。

04 這是消防站。
這是消防車。
這是消防隊員。
這些是消防水龍帶。

05 這是一個信箱。
這是一名郵遞員。
這是一個包裹。
這是一封信。

06 這是一名清潔工。
這是一袋垃圾。
這是圖書館。
這是圖書館管理員。

07 一個男人在偷另一個男人的錢包。
男人說："他偷了我的錢包。"
警察抓住了小偷。
小偷在監獄裡。

08 郵遞員
急救人員
實驗員
護理人員

09 小偷在偷東西。
男人在和警察談話。
小偷被抓住了。
小偷不能偷任何東西了，他在監獄裡。

10 偷東西是違法的。
在這兒停車是合法的。
在這兒停車是違章的。
在有些國家，在路的這邊開車是合法的。

16-05

jǐng chá, fǎ lǜ, gōng gòng shì yè

01 zhè shì yī wèi jǐng chá.
   zhè shì yī liàng jǐng chē.
   zhè shì yī fù shǒu kào.
   zhè shì yī liàng jiù hù chē.

02 zài fǎ guó, zài lù de zhè biān kāi chē shì wéi zhāng de.
   zài yīng guó, zài lù de zhè biān kāi chē shì wéi zhāng de.
   zài zhèr huí zhuǎn shì wéi zhāng de.
   zài zhèr zuǒ zhuǎn wān shì wéi zhāng de.

03 zài zhèr tíng chē shì hé fǎ de.
   zài zhèr tíng chē shì wéi zhāng de.
   zài zhèr zuǒ zhuǎn wān shì hé fǎ de.
   zài zhèr zuǒ zhuǎn wān shì wéi zhāng de.

04 zhè shì xiāo fáng zhàn.
   zhè shì xiāo fáng chē.
   zhè shì xiāo fáng duì yuán.
   zhè xiē shì xiāo fáng shuǐ lóng dài.

05 zhè shì yī gè xìn xiāng.
   zhè shì yī míng yóu dì yuán.
   zhè shì yī gè bāo guǒ.
   zhè shì yī fēng xìn.

06 zhè shì yī míng qīng jié gōng.
   zhè shì yī dài lā jī.
   zhè shì tú shū guǎn.
   zhè shì tú shū guǎn guǎn lǐ yuán.

07 yī gè nán rén zài tōu lìng yī gè nán rén de qián bāo.
   nán rén shuō: "tā tōu le wǒ de qián bāo."
   jǐng chá zhuā zhù le xiǎo tōu.
   xiǎo tōu zài jiān yù lǐ.

08 yóu dì yuán
   jí jiù rén yuán
   shí yàn yuán
   hù lǐ rén yuán

09 xiǎo tōu zài tōu dōng xi.
   nán rén zài hé jǐng chá tán huà.
   xiǎo tōu bèi zhuā zhù le.
   xiǎo tōu bù néng tōu rèn hé dōng xi le, tā zài jiān yù lǐ.

10 tōu dōng xi shì wéi fǎ de.
   zài zhèr tíng chē shì hé fǎ de.
   zài zhèr tíng chē shì wéi zhāng de.
   zài yǒu xiē guó jiā, zài lù de zhè biān kāi chē shì hé fǎ de.

16-06

看时间：早、晚

01　手表
　　钟
　　日晷
　　沙漏

02　这是钟的分针。
　　这是钟的秒针。
　　这是钟的时针。
　　这是数字显示表，它没有指针。

03　按照这块手表，现在是一点钟。
　　按照这块手表，现在是三点半。
　　按照这块手表，现在是四点过一刻。
　　按照这块手表，现在是四点差一刻。

04　现在是两点过一秒。
　　现在是两点过一分。
　　现在是两点过一个小时。
　　现在正好是两点钟。

05　如果现在是两点钟，那么这块手表一定快了五分钟。
　　如果现在是两点钟，那么这块手表一定快了十分钟。
　　如果现在是两点钟，那么这块手表一定慢了五分钟。
　　如果现在是两点钟，那么这块手表一定是准的。

06　很久以前，人们用这个计时。
　　不久以前，人们用这个计时。
　　如今，人们用这个计时。
　　这不是用来计时的。

07　早晨太阳升起来，我们把这叫做日出。
　　中午太阳很高。
　　傍晚太阳落下，我们把这叫做日落。
　　夜里我们看不到太阳。

08　早晨
　　夜晚
　　幼年
　　晚年

09　商店九点开门，我们来早了。
　　商店五点关门，我们来晚了。
　　教堂礼拜十点五十分开始，我们来早了。
　　教堂礼拜十点五十分开始，我们来晚了。

10　许多人在这个时候吃早饭，这是早晨。
　　许多人在这个时候吃午饭。
　　许多人在这个时候吃晚饭。
　　许多人在这个时候睡觉，这是夜晚。

16-06

看時間：早、晚

01　手錶
　　鐘
　　日晷
　　沙漏

02　這是鐘的分針。
　　這是鐘的秒針。
　　這是鐘的時針。
　　這是數字顯示錶，它沒有指針。

03　按照這塊手錶，現在是一點鐘。
　　按照這塊手錶，現在是三點半。
　　按照這塊手錶，現在是四點過一刻。
　　按照這塊手錶，現在是四點差一刻。

04　現在是兩點過一秒。
　　現在是兩點過一分。
　　現在是兩點過一個小時。
　　現在正好是兩點鐘。

05　如果現在是兩點鐘，那麼這塊手錶一定快了五分鐘。
　　如果現在是兩點鐘，那麼這塊手錶一定快了十分鐘。
　　如果現在是兩點鐘，那麼這塊手錶一定慢了五分鐘。
　　如果現在是兩點鐘，那麼這塊手錶一定是準的。

06　很久以前，人們用這個計時。
　　不久以前，人們用這個計時。
　　如今，人們用這個計時。
　　這不是用來計時的。

07　早晨太陽升起來，我們把這叫做日出。
　　中午太陽很高。
　　傍晚太陽落下，我們把這叫做日落。
　　夜裡我們看不到太陽。

08　早晨
　　夜晚
　　幼年
　　晚年

09　商店九點開門，我們來早了。
　　商店五點關門，我們來晚了。
　　教堂禮拜十點五十分開始，我們來早了。
　　教堂禮拜十點五十分開始，我們來晚了。

10　許多人在這個時候喫早飯，這是早晨。
　　許多人在這個時候喫午飯。
　　許多人在這個時候喫晚飯。
　　許多人在這個時候睡覺，這是夜晚。

16-06

kàn shí jiān: zǎo, wǎn

01 shǒu biǎo
    zhōng
    rì guǐ
    shā lòu

02 zhè shì zhōng de fēn zhēn.
    zhè shì zhōng de miǎo zhēn.
    zhè shì zhōng de shí zhēn.
    zhè shì shù zì xiǎn shì biǎo, tā méi yǒu zhǐ zhēn.

03 àn zhào zhè kuài shǒu biǎo, xiàn zài shì yī diǎn zhōng.
    àn zhào zhè kuài shǒu biǎo, xiàn zài shì sān diǎn bàn.
    àn zhào zhè kuài shǒu biǎo, xiàn zài shì sì diǎn guò yī kè.
    àn zhào zhè kuài shǒu biǎo, xiàn zài shì sì diǎn chà yī kè.

04 xiàn zài shì liǎng diǎn guò yī miǎo.
    xiàn zài shì liǎng diǎn guò yī fēn.
    xiàn zài shì liǎng diǎn guò yī gè xiǎo shí.
    xiàn zài zhèng hǎo shì liǎng diǎn zhōng.

05 rú guǒ xiàn zài shì liǎng diǎn zhōng, nà me zhè kuài shǒu biǎo yī dìng kuài le wǔ fēn zhōng.
    rú guǒ xiàn zài shì liǎng diǎn zhōng, nà me zhè kuài shǒu biǎo yī dìng kuài le shí fēn zhōng.
    rú guǒ xiàn zài shì liǎng diǎn zhōng, nà me zhè kuài shǒu biǎo yī dìng màn le wǔ fēn zhōng.
    rú guǒ xiàn zài shì liǎng diǎn zhōng, nà me zhè kuài shǒu biǎo yī dìng shì zhǔn de.

06 hěn jiǔ yǐ qián, rén men yòng zhè gè jì shí.
    bù jiǔ yǐ qián, rén men yòng zhè gè jì shí.
    rú jīn, rén men yòng zhè gè jì shí.
    zhè bù shì yòng lái jì shí de.

07 zǎo chén tài yáng shēng qǐ lái, wǒ men bǎ zhè jiào zuò rì chū.
    zhōng wǔ tài yáng hěn gāo.
    bàng wǎn tài yáng luò xià, wǒ men bǎ zhè jiào zuò rì luò.
    yè lǐ wǒ men kàn bù dào tài yáng.

08 zǎo chén
    yè wǎn
    yòu nián
    wǎn nián

09 shāng diàn jiǔ diǎn kāi mén, wǒ men lái zǎo le.
    shāng diàn wǔ diǎn guān mén, wǒ men lái wǎn le.
    jiào táng lǐ bài shí diǎn wǔ shí fēn kāi shǐ, wǒ men lái zǎo le.
    jiào táng lǐ bài shí diǎn wǔ shí fēn kāi shǐ, wǒ men lái wǎn le.

10 xǔ duō rén zài zhè gè shí hou chī zǎo fàn, zhè shì zǎo chén.
    xǔ duō rén zài zhè gè shí hou chī wǔ fàn.
    xǔ duō rén zài zhè gè shí hou chī wǎn fàn.
    xǔ duō rén zài zhè gè shí hou shuì jiào, zhè shì yè wǎn.

16-07

世界历史和地理：从古罗马到现在

01 这个国家的人口比任何其它国家的都多。
这是世界上最大的国家。
这是唯一的洲国。
这个国家是一个岛，它不是一个洲。

02 这个国家的人们讲斯瓦希里语。
这个国家的人们讲日语。
这个国家的人们讲西班牙语。
这个国家的人们讲阿拉伯语。

03 这个国家的语言是西班牙语。
这个国家的语言是汉语。
这个国家的语言是英语。
这个国家的语言是法语。

04 因为西班牙曾经统治过这些国家，所以那里的人们讲西班牙语。
因为法国曾经统治过这个省，所以那里的人们讲法语。
因为英国曾经统治过这些国家，所以那里的人们讲英语。
因为葡萄牙曾经统治过这个国家，所以那里的人们讲葡萄牙语。

05 英国曾经统治过这个国家。
法国曾经统治过这个国家。
西班牙曾经统治过这个国家。
日本曾经统治过这个国家。

06 英国曾经统治过所有这些国家，它曾是英帝国。
法国曾经统治过所有这些国家，它曾是法兰西帝国。
罗马曾经统治过所有这些国家，它曾是罗马帝国。
西班牙曾经统治过所有这些国家，它曾是西班牙帝国。

07 这曾是英帝国。
这曾是法兰西帝国。
这是现在的英国。
这是现在的法国。

08 这些国家曾经是英帝国的一部分，现在它们独立了。
这些国家曾经是法兰西帝国的一部分，现在它们独立了。
这些国家曾经是西班牙帝国的一部分，现在它们独立了。
这些国家曾经是苏联的一部分，现在它们独立了。

16-07

世界歷史和地理：從古羅馬到現在

01 這個國家的人口比任何其它國家的都多。
這是世界上最大的國家。
這是唯一的洲國。
這個國家是一個島，它不是一個洲。

02 這個國家的人們講斯瓦希裡語。
這個國家的人們講日語。
這個國家的人們講西班牙語。
這個國家的人們講阿拉伯語。

03 這個國家的語言是西班牙語。
這個國家的語言是漢語。
這個國家的語言是英語。
這個國家的語言是法語。

04 因為西班牙曾經統治過這些國家，所以那裡的人們講西班牙語。
因為法國曾經統治過這個省，所以那裡的人們講法語。
因為英國曾經統治過這些國家，所以那裡的人們講英語。
因為葡萄牙曾經統治過這個國家，所以那裡的人們講葡萄牙語。

05 英國曾經統治過這個國家。
法國曾經統治過這個國家。
西班牙曾經統治過這個國家。
日本曾經統治過這個國家。

06 英國曾經統治過所有這些國家，它曾是英帝國。
法國曾經統治過所有這些國家，它曾是法蘭西帝國。
羅馬曾經統治過所有這些國家，它曾是羅馬帝國。
西班牙曾經統治過所有這些國家，它曾是西班牙帝國。

07 這曾是英帝國。
這曾是法蘭西帝國。
這是現在的英國。
這是現在的法國。

08 這些國家曾經是英帝國的一部分，現在它們獨立了。
這些國家曾經是法蘭西帝國的一部分，現在它們獨立了。
這些國家曾經是西班牙帝國的一部分，現在它們獨立了。
這些國家曾經是蘇聯的一部分，現在它們獨立了。

（继续）

16-07

shì jiè lì shǐ hé dì lǐ: cóng gǔ luó mǎ dào xiàn zài

01 zhè gè guó jiā de rén kǒu bǐ rèn hé qí tā guó jiā de dōu duō.
zhè shì shì jiè shàng zuì dà de guó jiā.
zhè shì wéi yī de zhōu guó.
zhè gè guó jiā shì yī gè dǎo, tā bù shì yī gè zhōu.

02 zhè gè guó jiā de rén men jiǎng sī wǎ xī lǐ yǔ.
zhè gè guó jiā de rén men jiǎng rì yǔ.
zhè gè guó jiā de rén men jiǎng xī bān yá yǔ.
zhè gè guó jiā de rén men jiǎng ā lā bó yǔ.

03 zhè gè guó jiā de yǔ yán shì xī bān yá yǔ.
zhè gè guó jiā de yǔ yán shì hàn yǔ.
zhè gè guó jiā de yǔ yán shì yīng yǔ.
zhè gè guó jiā de yǔ yán shì fǎ yǔ.

04 yīn wéi xī bān yá céng jīng tǒng zhì guò zhè xiē guó jiā, suǒ yǐ nà lǐ de rén men jiǎng xī bān yá yǔ.
yīn wéi fǎ guó céng jīng tǒng zhì guò zhè gè shěng, suǒ yǐ nà lǐ de rén men jiǎng fǎ yǔ.
yīn wéi yīng guó céng jīng tǒng zhì guò zhè xiē guó jiā, suǒ yǐ nà lǐ de rén men jiǎng yīng yǔ.
yīn wéi pú táo yá céng jīng tǒng zhì guò zhè gè guó jiā, suǒ yǐ nà lǐ de rén men jiǎng pú táo yá yǔ.

05 yīng guó céng jīng tǒng zhì guò zhè gè guó jiā.
fǎ guó céng jīng tǒng zhì guò zhè gè guó jiā.
xī bān yá céng jīng tǒng zhì guò zhè gè guó jiā.
rì běn céng jīng tǒng zhì guò zhè gè guó jiā.

06 yīng guó céng jīng tǒng zhì guò suǒ yǒu zhè xiē guó jiā, tā céng shì yīng dì guó.
fǎ guó céng jīng tǒng zhì guò suǒ yǒu zhè xiē guó jiā, tā céng shì fǎ lán xī dì guó.
luó mǎ céng jīng tǒng zhì guò suǒ yǒu zhè xiē guó jiā, tā céng shì luó mǎ dì guó.
xī bān yá céng jīng tǒng zhì guò suǒ yǒu zhè xiē guó jiā, tā céng shì xī bān yá dì guó.

07 zhè céng shì yīng dì guó.
zhè céng shì fǎ lán xī dì guó.
zhè shì xiàn zài de yīng guó.
zhè shì xiàn zài de fǎ guó.

08 zhè xiē guó jiā céng jīng shì yīng dì guó de yī bù fèn, xiàn zài tā men dú lì le.
zhè xiē guó jiā céng jīng shì fǎ lán xī dì guó de yī bù fèn, xiàn zài tā men dú lì le.
zhè xiē guó jiā céng jīng shì xī bān yá dì guó de yī bù fèn, xiàn zài tā men dú lì le.
zhè xiē guó jiā céng jīng shì sū lián de yī bù fèn, xiàn zài tā men dú lì le.

(jì xù)

09　在修建苏伊士运河以前，从伦敦到孟买的轮船沿着这条航线航行。
　　在修建苏伊士运河以后，从伦敦到孟买的轮船沿着这条航线航行。
　　在修建巴拿马运河以前，从纽约到旧金山的轮船沿着这条航线航行。
　　在修建巴拿马运河以后，从纽约到旧金山的轮船沿着这条航线航行。

10　现在，这是一个独立的国家。
　　这不是一个独立的国家，它是美国的一部分。
　　这不是一个国家，这是一个洲。
　　很久以前，这曾是一个独立的国家，现在，它是英国的一部分。

09　在修建蘇伊士運河以前，從倫敦到孟買的輪船沿着這條航線航行。
　　在修建蘇伊士運河以後，從倫敦到孟買的輪船沿着這條航線航行。
　　在修建巴拿馬運河以前，從紐約到舊金山的輪船沿着這條航線航行。
　　在修建巴拿馬運河以後，從紐約到舊金山的輪船沿着這條航線航行。

10　現在，這是一個獨立的國家。
　　這不是一個獨立的國家，它是美國的一部分。
　　這不是一個國家，這是一個洲。
　　很久以前，這曾是一個獨立的國家，現在，它是英國的一部分。

09 zài xiū jiàn sū yī shì yùn hé yǐ qián, cóng lún dūn dào mèng mǎi de lún chuán yán zhe zhè tiáo háng
     xiàn háng xíng.
    zài xiū jiàn sū yī shì yùn hé yǐ hòu, cóng lún dūn dào mèng mǎi de lún chuán yán zhe zhè tiáo háng xiàn
     háng xíng.
    zài xiū jiàn bā ná mǎ yùn hé yǐ qián, cóng niǔ yuē dào jiù jīn shān de lún chuán yán zhe zhè tiáo háng
     xiàn háng xíng.
    zài xiū jiàn bā ná mǎ yùn hé yǐ hòu, cóng niǔ yuē dào jiù jīn shān de lún chuán yán zhe zhè tiáo háng
     xiàn háng xíng.

10 xiàn zài, zhè shì yī gè dú lì de guó jiā.
    zhè bù shì yī gè dú lì de guó jiā, tā shì měi guó de yī bù fèn.
    zhè bù shì yī gè guó jiā, zhè shì yī gè zhōu.
    hěn jiǔ yǐ qián, zhè céng shì yī gè dú lì de guó jiā, xiàn zài, tā shì yīng guó de yī bù fèn.

16-08

名人

01　这位皇帝生于公元七百四十二年，死于公元八百一十四年。
　　这位艺术家生于一六〇六年，死于一六六九年。
　　这位科学家生于一五六四年，死于一六四二年。
　　这位发明家生于一四〇〇年，死于一四六八年。

02　这位政治领袖生于一八九〇年，死于一九七〇年。
　　这位科学家生活在一六四二年到一七二七年之间。
　　这位作曲家生活在一七七〇年到一八二七年之间。
　　这位发明家生活在一八四七年到一九三一年之间。

03　这个人是一位探险者。
　　这个人是一位画家。
　　这个人是一位哲学家。
　　这个人是一位将军。

04　这个人是一位王后。
　　这个人是一位国王。
　　这个人是一位哲学家。
　　这个人是一位戏剧作家。

05　这个人曾经统治过蒙古。
　　这个人曾经是希腊教师。
　　这位宗教领袖与麦加城有关。
　　这位宗教领袖与十诫有关。

06　这个人写了小说《战争与和平》。
　　这个人写诗歌。
　　这个人写了《物种起源》。
　　这个人写了太阳学说。

07　这个人是画家。
　　这个人是科学家。
　　这个人是政治领袖。
　　这个人是宗教领袖。

08　这个人是军队首领。
　　这个人是科学家。
　　这个人是宗教领袖。
　　这个人是哲学家。

09　这个人曾经统治过埃及。
　　这个人发明了电话。
　　这位将军曾经在滑铁卢战役中作战过。
　　这个人是罗马将军。

10　这个人为印度的独立而工作。
　　这个人是天主教领袖。
　　这个人是罗马皇帝。
　　这个人是美国作家。

16-08

名人

01　這位皇帝生於公元七百四十二年，死於公元八百一十四年。
　　這位藝術家生於一六〇六年，死於一六六九年。
　　這位科學家生於一五六四年，死於一六四二年。
　　這位發明家生於一四〇〇年，死於一四六八年。

02　這位政治領袖生於一八九〇年，死於一九七〇年。
　　這位科學家生活在一六四二年到一七二七年之間。
　　這位作曲家生活在一七七〇年到一八二七年之間。
　　這位發明家生活在一八四七年到一九三一年之間。

03　這個人是一位探險者。
　　這個人是一位畫家。
　　這個人是一位哲學家。
　　這個人是一位將軍。

04　這個人是一位王后。
　　這個人是一位國王。
　　這個人是一位哲學家。
　　這個人是一位戲劇作家。

05　這個人曾經統治過蒙古。
　　這個人曾經是希臘教師。
　　這位宗教領袖與麥加城有關。
　　這位宗教領袖與十誡有關。

06　這個人寫了小説《戰爭與和平》。
　　這個人寫詩歌。
　　這個人寫了《物種起源》。
　　這個人寫了太陽學説。

07　這個人是畫家。
　　這個人是科學家。
　　這個人是政治領袖。
　　這個人是宗教領袖。

08　這個人是軍隊首領。
　　這個人是科學家。
　　這個人是宗教領袖。
　　這個人是哲學家。

09　這個人曾經統治過埃及。
　　這個人發明了電話。
　　這位將軍曾經在滑鐵盧戰役中作戰過。
　　這個人是羅馬將軍。

10　這個人為印度的獨立而工作。
　　這個人是天主教領袖。
　　這個人是羅馬皇帝。
　　這個人是美國作家。

16-08

míng rén

01   zhè wèi huáng dì shēng yú gōng yuán qī bǎi sì shí èr nián, sǐ yú gōng yuán bā bǎi yī shí sì nián.
      zhè wèi yì shù jiā shēng yú yī liù líng liù nián, sǐ yú yī liù liù jiǔ nián.
      zhè wèi kē xué jiā shēng yú yī wǔ liù sì nián, sǐ yú yī liù sì èr nián.
      zhè wèi fā míng jiā shēng yú yī sì líng líng nián, sǐ yú yī sì liù bā nián.

02   zhè wèi zhèng zhì lǐng xiù shēng yú yī bā jiǔ líng nián, sǐ yú yī jiǔ qī líng nián.
      zhè wèi kē xué jiā shēng huó zài yī liù sì èr nián dào yī qī èr qī nián zhī jiān.
      zhè wèi zuò qǔ jiā shēng huó zài yī qī qī líng nián dào yī bā èr qī nián zhī jiān.
      zhè wèi fā míng jiā shēng huó zài yī bā sì qī nián dào yī jiǔ sān yī nián zhī jiān.

03   zhè gè rén shì yī wèi tàn xiǎn zhě.
      zhè gè rén shì yī wèi huà jiā.
      zhè gè rén shì yī wèi zhé xué jiā.
      zhè gè rén shì yī wèi jiāng jūn.

04   zhè gè rén shì yī wèi wáng hòu.
      zhè gè rén shì yī wèi guó wáng.
      zhè gè rén shì yī wèi zhé xué jiā.
      zhè gè rén shì yī wèi xì jù zuò jiā.

05   zhè gè rén céng jīng tǒng zhì guò měng gǔ.
      zhè gè rén céng jīng shì xī là jiào shī.
      zhè wèi zōng jiào lǐng xiù yǔ mài jiā chéng yǒu guān.
      zhè wèi zōng jiào lǐng xiù yǔ shí jiè yǒu guān.

06   zhè gè rén xiě le xiǎo shuō zhàn zhēng yǔ hé píng.
      zhè gè rén xiě shī gē.
      zhè gè rén xiě le wù zhǒng qǐ yuán.
      zhè gè rén xiě le tài yáng xué shuō.

07   zhè gè rén shì huà jiā.
      zhè gè rén shì kē xué jiā.
      zhè gè rén shì zhèng zhì lǐng xiù.
      zhè gè rén shì zōng jiào lǐng xiù.

08   zhè gè rén shì jūn duì shǒu lǐng.
      zhè gè rén shì kē xué jiā.
      zhè gè rén shì zōng jiào lǐng xiù.
      zhè gè rén shì zhé xué jiā.

09   zhè gè rén céng jīng tǒng zhì guò āi jí.
      zhè gè rén fā míng le diàn huà.
      zhè wèi jiāng jūn céng jīng zài huá tiě lú zhàn yì zhōng zuò zhàn guò.
      zhè gè rén shì luó mǎ jiāng jūn.

10   zhè gè rén wèi yìn dù de dú lì ér gōng zuò.
      zhè gè rén shì tiān zhǔ jiào lǐng xiù.
      zhè gè rén shì luó mǎ huáng dì.
      zhè gè rén shì měi guó zuò jiā.

16-09

可能、不可能，机会

01 她能看书。
    她不可能看书。
    他能看见。
    他不可能看见。

02 男人试图做不可能的事情。
    男人试图做可能的事情。
    女人试图做不可能的事情。
    女人试图做可能的事情。

03 他试图抬起这个，但这是不可能的。
    他试图抬起这个，这是可能的。
    他试图把这个折弯，但这是不可能的。
    他试图把这个折弯，这是可能的。

04 这个人身上当然不会弄湿。
    这个人身上当然会弄湿。
    这个人身上可能会弄湿。
    这个人身上弄湿了。

05 书当然不会从桌子上掉下来。
    书可能会掉下来。
    书当然会从桌子上掉下来。
    书掉了下来。

06 这是可能的，并且经常发生。
    这是不可能的，并且从不发生。
    他也许能掷出这样的色子，但不太可能。
    他们也许能把车抬起来，但不太可能。

07 她可能会摔下来。
    她不会摔下来。
    他们可能会把身上弄湿。
    他们不会把身上弄湿。

08 男人在掷色子。
    男人在往上抛硬币。
    他有四分之一的机会选十。
    他有四分之一的机会选五。

09 这匹马是真的。
    这匹马是想象的。
    这只爬行动物是真的。
    这只爬行动物是想象的。

10 这个女人是真的。
    这个女人的图像是由艺术家创作的。
    这些动物是真的。
    这些动物的图像是由艺术家创作的。

16-09

可能、不可能，機會

01 她能看書。
    她不可能看書。
    他能看見。
    他不可能看見。

02 男人試圖做不可能的事情。
    男人試圖做可能的事情。
    女人試圖做不可能的事情。
    女人試圖做可能的事情。

03 他試圖抬起這個，但這是不可能的。
    他試圖抬起這個，這是可能的。
    他試圖把這個折彎，但這是不可能的。
    他試圖把這個折彎，這是可能的。

04 這個人身上當然不會弄濕。
    這個人身上當然會弄濕。
    這個人身上可能會弄濕。
    這個人身上弄濕了。

05 書當然不會從桌子上掉下來。
    書可能會掉下來。
    書當然會從桌子上掉下來。
    書掉了下來。

06 這是可能的，並且經常發生。
    這是不可能的，並且從不發生。
    他也許能擲出這樣的色子，但不太可能。
    他們也許能把車抬起來，但不太可能。

07 她可能會摔下來。
    她不會摔下來。
    他們可能會把身上弄濕。
    他們不會把身上弄濕。

08 男人在擲色子。
    男人在往上拋硬幣。
    他有四分之一的機會選十。
    他有四分之一的機會選五。

09 這疋馬是真的。
    這疋馬是想象的。
    這隻爬行動物是真的。
    這隻爬行動物是想象的。

10 這個女人是真的。
    這個女人的圖像是由藝術家創作的。
    這些動物是真的。
    這些動物的圖像是由藝術家創作的。

16-09

kě néng, bù kě néng, jī huì

01 tā néng kàn shū.
   tā bù kě néng kàn shū.
   tā néng kàn jiàn.
   tā bù kě néng kàn jiàn.

02 nán rén shì tú zuò bù kě néng de shì qing.
   nán rén shì tú zuò kě néng de shì qing.
   nǚ rén shì tú zuò bù kě néng de shì qing.
   nǚ rén shì tú zuò kě néng de shì qing.

03 tā shì tú tái qǐ zhè gè, dàn zhè shì bù kě néng de.
   tā shì tú tái qǐ zhè gè, zhè shì kě néng de.
   tā shì tú bǎ zhè gè zhé wān, dàn zhè shì bù kě néng de.
   tā shì tú bǎ zhè gè zhé wān, zhè shì kě néng de.

04 zhè gè rén shēn shàng dāng rán bù huì nòng shī.
   zhè gè rén shēn shàng dāng rán huì nòng shī.
   zhè gè rén shēn shàng kě néng huì nòng shī.
   zhè gè rén shēn shàng nòng shī le.

05 shū dāng rán bù huì cóng zhuō zi shàng diào xià lái.
   shū kě néng huì diào xià lái.
   shū dāng rán huì cóng zhuō zi shàng diào xià lái.
   shū diào le xià lái.

06 zhè shì kě néng de, bìng qiě jīng cháng fā shēng.
   zhè shì bù kě néng de, bìng qiě cóng bù fā shēng.
   tā yě xǔ néng zhī chū zhè yàng de shǎi zi, dàn bù tài kě néng.
   tā men yě xǔ néng bǎ chē tái qǐ lái, dàn bù tài kě néng.

07 tā kě néng huì shuāi xià lái.
   tā bù huì shuāi xià lái.
   tā men kě néng huì bǎ shēn shàng nòng shī.
   tā men bù huì bǎ shēn shàng nòng shī.

08 nán rén zài zhī shǎi zi.
   nán rén zài wǎng shàng pāo yìng bì.
   tā yǒu sì fēn zhī yī de jī huì xuǎn shí.
   tā yǒu sì fēn zhī yī de jī huì xuǎn wǔ.

09 zhè pǐ mǎ shì zhēn de.
   zhè pǐ mǎ shì xiǎng xiàng de.
   zhè zhī pá xíng dòng wù shì zhēn de.
   zhè zhī pá xíng dòng wù shì xiǎng xiàng de.

10 zhè gè nǚ rén shì zhēn de.
   zhè gè nǚ rén de tú xiàng shì yóu yì shù jiā chuàng zuò de.
   zhè xiē dòng wù shì zhēn de.
   zhè xiē dòng wù de tú xiàng shì yóu yì shù jiā chuàng zuò de.

描写物体，表达喜好

01 看那辆汽车。
哪辆？
红色的那辆。

看那些汽车。
哪些？
红色的那些。

那儿有一辆黄色的汽车。
哪儿？
在那张有男人和男孩的图片里。
别逗了，那不是汽车。

看那辆黄色的小汽车，真可爱，我喜欢。
我不喜欢，我认为它很难看。
不过，我认为它很可爱。

02 你喜欢这辆汽车吗？
不，我不喜欢粉红色的汽车，也不喜欢老式汽车。

你喜欢这辆汽车吗？
是的，我喜欢黄色的汽车，也喜欢老式汽车。

你喜欢那辆蓝色的汽车吗？
是的，那是辆好车，我希望有一辆那样的车。

你喜欢这辆汽车吗？
是的，我喜欢赛车，我喜欢开快一些。
不过，任何颜色的赛车都能跑得快。

03 你喜欢这辆汽车吗？
不，它太老式了。

你喜欢这辆汽车吗？
不喜欢，它太大了。

你喜欢这辆汽车吗？
不喜欢，它太小了。

你喜欢这辆汽车吗？
撞坏以前我会喜欢它。

04 你喜欢这辆汽车吗？
我看不出，它被盖着。
我敢打赌，它是辆好车。
也许是。

你喜欢这辆汽车吗？
不。
我以为你喜欢老式汽车。
是的，但是这辆是黑色的，我不喜欢黑色汽车。

你喜欢这辆汽车吗？
你知道我不喜欢老式汽车，这是我见过的最老式的汽车。

你喜欢这辆汽车吗？
是的，我喜欢敞篷汽车。

16-10

描寫物體，表達喜好

01 看那輛汽車。
哪輛？
紅色的那輛。

看那些汽車。
哪些？
紅色的那些。

那兒有一輛黃色的汽車。
哪兒？
在那張有男人和男孩的圖片裡。
別逗了，那不是汽車。

看那輛黃色的小汽車，真可愛，我喜歡。
我不喜歡，我認為它很難看。
不過，我認為它很可愛。

02 你喜歡這輛汽車嗎？
不，我不喜歡粉紅色的汽車，也不喜歡老式汽車。

你喜歡這輛汽車嗎？
是的，我喜歡黃色的汽車，也喜歡老式汽車。

你喜歡那輛藍色的汽車嗎？
是的，那是輛好車，我希望有一輛那樣的車。

你喜歡這輛汽車嗎？
是的，我喜歡賽車，我喜歡開快一些。
不過，任何顏色的賽車都能跑得快。

03 你喜歡這輛汽車嗎？
不，它太老式了。

你喜歡這輛汽車嗎？
不喜歡，它太大了。

你喜歡這輛汽車嗎？
不喜歡，它太小了。

你喜歡這輛汽車嗎？
撞壞以前我會喜歡它。

04 你喜歡這輛汽車嗎？
我看不出，它被蓋着。
我敢打賭，它是輛好車。
也許是。

你喜歡這輛汽車嗎？
不。
我以為你喜歡老式汽車。
是的，但是這輛是黑色的，我不喜歡黑色汽車。

你喜歡這輛汽車嗎？
你知道我不喜歡老式汽車，這是我見過的最老式的汽車。

你喜歡這輛汽車嗎？
是的，我喜歡敞篷汽車。

（继续）

16-10

miáo xiě wù tǐ, biǎo dá xǐ hào

01 kàn nà liàng qì chē.
    nǎ liàng?
    hóng sè de nà liàng.

    kàn nà xiē qì chē.
    nǎ xiē?
    hóng sè de nà xiē.

    nàr yǒu yī liàng huáng sè de qì chē.
    nǎr?
    zài nà zhāng yǒu nán rén hé nán hái de tú piàn lǐ.
    bié dòu le, nà bù shì qì chē.

    kàn nà liàng huáng sè de xiǎo qì chē, zhēn kě ài, wǒ xǐ huān.
    wǒ bù xǐ huān, wǒ rèn wéi tā hěn nán kàn.
    bù guò, wǒ rèn wéi tā hěn kě ài.

02 nǐ xǐ huān zhè liàng qì chē ma?
    bù, wǒ bù xǐ huān fěn hóng sè de qì chē, yě bù xǐ huān lǎo shì qì chē.

    nǐ xǐ huān zhè liàng qì chē ma?
    shì de, wǒ xǐ huān huáng sè de qì chē, yě xǐ huān lǎo shì qì chē.

    nǐ xǐ huān nà liàng lán sè de qì chē ma?
    shì de, nà shì liàng hǎo chē, wǒ xī wàng yǒu yī liàng nà yàng de chē.

    nǐ xǐ huān zhè liàng qì chē ma?
    shì de, wǒ xǐ huān sài chē, wǒ xǐ huān kāi kuài yī xiē.
    bù guò, rèn hé yán sè de sài chē dōu néng páo de kuài.

03 nǐ xǐ huān zhè liàng qì chē ma?
    bù, tā tài lǎo shì le.

    nǐ xǐ huān zhè liàng qì chē ma?
    bù xǐ huān, tā tài dà le.

    nǐ xǐ huān zhè liàng qì chē ma?
    bù xǐ huān, tā tài xiǎo le.

    nǐ xǐ huān zhè liàng qì chē ma?
    zhuàng huài yǐ qián wǒ huì xǐ huān tā.

04 nǐ xǐ huān zhè liàng qì chē ma?
    wǒ kàn bù chū, tā bèi gài zhe.
    wǒ gǎn dǎ dǔ, tā shì liàng hǎo chē.
    yě xǔ shì.

    nǐ xǐ huān zhè liàng qì chē ma?
    bù.
    wǒ yǐ wéi nǐ xǐ huān lǎo shì qì chē.
    shì de, dàn shì zhè liàng shì hēi sè de, wǒ bù xǐ huān hēi sè qì chē.

    nǐ xǐ huān zhè liàng qì chē ma?
    nǐ zhī dào wǒ bù xǐ huān lǎo shì qì chē, zhè shì wǒ jiàn guò de zuì lǎo shì de qì chē.

    nǐ xǐ huān zhè liàng qì chē ma?
    shì de, wǒ xǐ huān chǎng péng qì chē.

(jì xù)

05　你喜欢船吗？
　　是的，尤其是帆船。

　　你喜欢船吗？
　　是的，但我更喜欢独木舟。
　　为什么？
　　我想是因为它比较小。

　　你喜欢飞机吗？
　　我喜欢看飞机，但害怕坐飞机。
　　真的吗？
　　是的，我真的害怕。

　　热气球怎么样？你想乘一个吗？
　　不，我会害怕的。

06　你最喜欢哪条船？
　　我喜欢有许多白帆的那条船。

　　你最喜欢哪条船？
　　我想，我喜欢有红、黄色帆的那条船。

　　你乘过潜水艇吗？
　　我没乘过。你呢？
　　我也没乘过。

　　你喜欢冲浪吗？
　　我不知道，我从来没有玩过。
　　这个人看上去玩得挺容易，其实挺难的。

07　你最喜欢哪辆汽车？
　　我哪辆都不喜欢。
　　你最不喜欢哪辆汽车？
　　噢，当然是撞坏的那辆。

　　这些车中有你喜欢的吗？
　　不，不喜欢。
　　你最不喜欢哪辆汽车？
　　我实在不喜欢那辆粉色的老式汽车。

　　那辆出租汽车看上去很旧，不是吗？
　　是的，它看上去很旧。

　　面包车一点不好看。
　　你说对了，我也不喜欢它。

05　你喜歡船嗎？
　　是的，尤其是帆船。

　　你喜歡船嗎？
　　是的，但我更喜歡獨木舟。
　　為什麼？
　　我想是因為它比較小。

　　你喜歡飛機嗎？
　　我喜歡看飛機，但害怕坐飛機。
　　真的嗎？
　　是的，我真的害怕。

　　熱氣球怎麼樣？你想乘一個嗎？
　　不，我會害怕的。

06　你最喜歡哪條船？
　　我喜歡有許多白帆的那條船。

　　你最喜歡哪條船？
　　我想，我喜歡有紅、黃色帆的那條船。

　　你乘過潛水艇嗎？
　　我沒乘過。你呢？
　　我也沒乘過。

　　你喜歡衝浪嗎？
　　我不知道，我從來沒有玩過。
　　這個人看上去玩得挺容易，其實挺難的。

07　你最喜歡哪輛汽車？
　　我哪輛都不喜歡。
　　你最不喜歡哪輛汽車？
　　噢，當然是撞壞的那輛。

　　這些車中有你喜歡的嗎？
　　不，不喜歡。
　　你最不喜歡哪輛汽車？
　　我實在不喜歡那輛粉色的老式汽車。

　　那輛出租汽車看上去很舊，不是嗎？
　　是的，它看上去很舊。

　　麵包車一點不好看。
　　你說對了，我也不喜歡它。

（继续）

05 nǐ xǐ huān chuán ma?
shì de, yóu qí shì fān chuán.

nǐ xǐ huān chuán ma?
shì de, dàn wǒ gèng xǐ huān dú mù zhōu.
wèi shén me?
wǒ xiǎng shì yīn wéi tā bǐ jiào xiǎo.

nǐ xǐ huān fēi jī mǎ?
wǒ xǐ huān kàn fēi jī, dàn hài pà zuò fēi jī.
zhēn de ma?
shì de, wǒ zhēn de hài pà.

rè qì qiú zěn me yàng? nǐ xiǎng chéng yī gè ma?
bù, wǒ huì hài pà de.

06 nǐ zuì xǐ huān nǎ tiáo chuán?
wǒ xǐ huān yǒu xǔ duō bái fān de nà tiáo chuán.

nǐ zuì xǐ huān nǎ tiáo chuán?
wǒ xiǎng, wǒ xǐ huān yǒu hóng, huáng sè fān de nà tiáo chuán.

nǐ chéng guò qián shuǐ tǐng ma?
wǒ méi chéng guò. nǐ ne?
wǒ yě méi chéng guò.

nǐ xǐ huān chōng làng ma?
wǒ bù zhī dào, wǒ cóng lái méi yǒu wán guò.
zhè gè rén kàn shàng qù wán de tǐng róng yì, qí shí tǐng nán de.

07 nǐ zuì xǐ huān nǎ liàng qì chē?
wǒ nǎ liàng dōu bù xǐ huān.
nǐ zuì bù xǐ huān nǎ liàng qì chē?
ō, dāng rán shì zhuàng huài de nà liàng.

zhè xiē chē zhōng yǒu nǐ xǐ huān de ma?
bù, bù xǐ huān.
nǐ zuì bù xǐ huān nǎ liàng qì chē?
wǒ shí zài bù xǐ huān nà liàng fěn sè de lǎo shì qì chē.

nà liàng chū zū qì chē kàn shàng qù hěn jiù, bù shì ma?
shì de, tā kàn shàng qù hěn jiù.

miàn bāo chē yī diǎn bù hǎo kàn.
nǐ shuō duì le, wǒ yě bù xǐ huān tā.

(jì xù)

08　你更喜欢做什么，游泳还是划船？
　　我更喜欢划船。

　　你呢？你更喜欢做什么？
　　我更喜欢游泳。

　　你更喜欢去哪儿，海边还是山上？
　　去山上。
　　为什么？
　　因为我喜欢徒步旅行。

　　你呢？你更喜欢去哪儿？
　　去海边。
　　为什么？
　　因为我喜欢太阳和沙滩。

09　你最喜欢住在哪儿，城市、乡村还是小镇？
　　我更喜欢小镇。
　　为什么？
　　因为它清静，但离其他人又不太远。

　　那你喜欢住在哪儿？
　　在大城市。
　　为什么？
　　因为那里有许多事情可做。

　　我也喜欢住在乡村的房子里。
　　是的，那里也许很清静。

　　我喜欢住在山顶的城堡里。
　　是的，那也很好。

10　你喜欢哪个季节？
　　我喜欢夏天，因为那时花很美丽。

　　你喜欢哪个季节？
　　我喜欢春天，因为那时搞体育运动不冷也不热。

　　你更喜欢哪个季节，冬天还是秋天？
　　我喜欢冬天，因为我可以去滑雪。

　　你更喜欢哪个季节，秋天还是冬天？
　　我更喜欢秋天，因为那时树叶很美丽。

16-10

08　你更喜歡做什麼，游泳還是划船？
　　我更喜歡划船。

　　你呢？你更喜歡做什麼？
　　我更喜歡游泳。

　　你更喜歡去哪兒，海邊還是山上？
　　去山上。
　　為什麼？
　　因為我喜歡徒步旅行。

　　你呢？你更喜歡去哪兒？
　　去海邊。
　　為什麼？
　　因為我喜歡太陽和沙灘。

09　你最喜歡住在哪兒，城市、鄉村還是小鎮？
　　我更喜歡小鎮。
　　為什麼？
　　因為它清靜，但離其他人又不太遠。

　　那你喜歡住在哪兒？
　　在大城市。
　　為什麼？
　　因為那裡有許多事情可做。

　　我也喜歡住在鄉村的房子裡。
　　是的，那裡也許很清靜。

　　我喜歡住在山頂的城堡裡。
　　是的，那也很好。

10　你喜歡哪個季節？
　　我喜歡夏天，因為那時花很美麗。

　　你喜歡哪個季節？
　　我喜歡春天，因為那時搞體育運動不冷也不熱。

　　你更喜歡哪個季節，冬天還是秋天？
　　我喜歡冬天，因為我可以去滑雪。

　　你更喜歡哪個季節，秋天還是冬天？
　　我更喜歡秋天，因為那時樹葉很美麗。

08   nǐ gèng xǐ huān zuò shén me, yóu yǒng hái shì huá chuán?
     wǒ gèng xǐ huān huá chuán.

     nǐ ne? nǐ gèng xǐ huān zuò shén me?
     wǒ gèng xǐ huān yóu yǒng.

     nǐ gèng xǐ huān qù nǎr, hǎi biān hái shì shān shàng?
     qù shān shàng.
     wèi shén me?
     yīn wéi wǒ xǐ huān tú bù lǚ xíng.

     nǐ ne? nǐ gèng xǐ huān qù nǎr?
     qù hǎi biān.
     wèi shén me?
     yīn wéi wǒ xǐ huān tài yáng hé shā tān.

09   nǐ zuì xǐ huān zhù zài nǎr, chéng shì, xiāng cūn hái shì xiǎo zhèn?
     wǒ gèng xǐ huān xiǎo zhèn.
     wèi shén me?
     yīn wéi tā qīng jìng, dàn lí qí tā rén yòu bù tài yuǎn.

     nà nǐ xǐ huān zhù zài nǎr?
     zài dà chéng shì.
     wèi shén me?
     yīn wéi nà lǐ yǒu xǔ duō shì qing kě zuò.

     wǒ yě xǐ huān zhù zài xiāng cūn de fáng zi lǐ.
     shì de, nà lǐ yě xǔ hěn qīng jìng.

     wǒ xǐ huān zhù zài shān dǐng de chéng bǎo lǐ.
     shì de, nà yě hěn hǎo.

10   nǐ xǐ huān nǎ gè jì jié?
     wǒ xǐ huān xià tiān, yīn wéi nà shí huā hěn měi lì.

     nǐ xǐ huān nǎ gè jì jié?
     wǒ xǐ huān chūn tiān, yīn wéi nà shí gǎo tǐ yù yùn dòng bù lěng yě bù rè.

     nǐ gèng xǐ huān nǎ gè jì jié, dōng tiān hái shì qiū tiān?
     wǒ xǐ huān dōng tiān, yīn wéi wǒ kě yǐ qù huá xuě.

     nǐ gèng xǐ huān nǎ gè jì jié, qiū tiān hái shì dōng tiān?
     wǒ gèng xǐ huān qiū tiān, yīn wéi nà shí shù yè hěn měi lì.

16-11

复习第十六部分

01　外面在下雨，我需要什么？
　　外面在下雪，我需要什么？
　　外面是晴天，我需要什么？
　　我在月球上，我需要什么？

02　你们点菜吗？
　　我想要牛排。
　　我想要沙拉。
　　小姐，您的沙拉；先生，您的牛排。

03　这个男人是女人的丈夫，他们刚结婚。
　　这个男人是女人的朋友，他们一起工作。
　　这个男人是女人的男朋友，他们彼此相爱。
　　男人不认识女人。

04　这种建筑建于现代。
　　这种建筑建于十二到十六世纪之间，它叫做大教堂。
　　这座建筑建于一八八九年。
　　这座建筑建于几千年以前。

05　偷东西是违法的。
　　在这儿停车是合法的。
　　在这儿停车是违章的。
　　在有些国家，在路的这边开车是合法的。

06　如果现在是两点钟，那么这块手表一定快了五分钟。
　　如果现在是两点钟，那么这块手表一定快了十分钟。
　　如果现在是两点钟，那么这块手表一定慢了五分钟。
　　如果现在是两点钟，那么这块手表一定是准的。

07　英国曾经统治过所有这些国家，它曾是英帝国。
　　法国曾经统治过所有这些国家，它曾是法兰西帝国。
　　罗马曾经统治过所有这些国家，它曾是罗马帝国。
　　西班牙曾经统治过所有这些国家，它曾是西班牙帝国。

08　这个人是一位王后。
　　这个人是一位国王。
　　这个人是一位哲学家。
　　这个人是一位戏剧作家。

09　这是可能的，并且经常发生。
　　这是不可能的，并且从不发生。
　　他也许能掷出这样的色子，但不太可能。
　　他们也许能把车抬起来，但不太可能。

16-11

復習第十六部分

01　外面在下雨，我需要什麼？
　　外面在下雪，我需要什麼？
　　外面是晴天，我需要什麼？
　　我在月球上，我需要什麼？

02　你們點菜嗎？
　　我想要牛排。
　　我想要沙拉。
　　小姐，您的沙拉；先生，您的牛排。

03　這個男人是女人的丈夫，他們剛結婚。
　　這個男人是女人的朋友，他們一起工作。
　　這個男人是女人的男朋友，他們彼此相愛。
　　男人不認識女人。

04　這種建築建於現代。
　　這種建築建於十二到十六世紀之間，它叫做大教堂。
　　這座建築建於一八八九年。
　　這座建築建於幾千年以前。

05　偷東西是違法的。
　　在這兒停車是合法的。
　　在這兒停車是違章的。
　　在有些國家，在路的這邊開車是合法的。

06　如果現在是兩點鐘，那麼這塊手錶一定快了五分鐘。
　　如果現在是兩點鐘，那麼這塊手錶一定快了十分鐘。
　　如果現在是兩點鐘，那麼這塊手錶一定慢了五分鐘。
　　如果現在是兩點鐘，那麼這塊手錶一定是準的。

07　英國曾經統治過所有這些國家，它曾是英帝國。
　　法國曾經統治過所有這些國家，它曾是法蘭西帝國。
　　羅馬曾經統治過所有這些國家，它曾是羅馬帝國。
　　西班牙曾經統治過所有這些國家，它曾是西班牙帝國。

08　這個人是一位王后。
　　這個人是一位國王。
　　這個人是一位哲學家。
　　這個人是一位戲劇作家。

09　這是可能的，並且經常發生。
　　這是不可能的，並且從不發生。
　　他也許能擲出這樣的色子，但不太可能。
　　他們也許能把車抬起來，但不太可能。

（继续）

16-11

fù xí dì shí liù bù fèn

01 wài miàn zài xià yǔ, wǒ xū yào shén me?
   wài miàn zài xià xuě, wǒ xū yào shén me?
   wài miàn shì qíng tiān, wǒ xū yào shén me?
   wǒ zài yuè qiú shàng, wǒ xū yào shén me?

02 nǐ men diǎn cài ma?
   wǒ xiǎng yào niú pái.
   wǒ xiǎng yào shā lā.
   xiǎo jiě, nín de shā lā; xiān sheng, nín de niú pái.

03 zhè gè nán rén shì nǚ rén de zhàng fu, tā men gāng jié hūn.
   zhè gè nán rén shì nǚ rén de péng yǒu, tā men yī qǐ gōng zuò.
   zhè gè nán rén shì nǚ rén de nán péng yǒu, tā men bǐ cǐ xiāng ài.
   nán rén bù rèn shi nǚ rén.

04 zhè zhǒng jiàn zhù jiàn yú xiàn dài.
   zhè zhǒng jiàn zhù jiàn yú shí èr dào shí liù shì jì zhī jiān, tā jiào zuò dà jiào táng.
   zhè zuò jiàn zhù jiàn yú yī bā bā jiǔ nián.
   zhè zuò jiàn zhù jiàn yú jǐ qiān nián yǐ qián.

05 tōu dōng xi shì wéi fǎ de.
   zài zhèr tíng chē shì hé fǎ de.
   zài zhèr tíng chē shì wéi zhāng de.
   zài yǒu xiē guó jiā, zài lù de zhè biān kāi chē shì hé fǎ de.

06 rú guǒ xiàn zài shì liǎng diǎn zhōng, nà me zhè kuài shǒu biǎo yī dìng kuài le wǔ fēn zhōng.
   rú guǒ xiàn zài shì liǎng diǎn zhōng, nà me zhè kuài shǒu biǎo yī dìng kuài le shí fēn zhōng.
   rú guǒ xiàn zài shì liǎng diǎn zhōng, nà me zhè kuài shǒu biǎo yī dìng màn le wǔ fēn zhōng.
   rú guǒ xiàn zài shì liǎng diǎn zhōng, nà me zhè kuài shǒu biǎo yī dìng shì zhǔn de.

07 yīng guó céng jīng tǒng zhì guò suǒ yǒu zhè xiē guó jiā, tā céng shì yīng dì guó.
   fǎ guó céng jīng tǒng zhì guò suǒ yǒu zhè xiē guó jiā, tā céng shì fǎ lán xī dì guó.
   luó mǎ céng jīng tǒng zhì guò suǒ yǒu zhè xiē guó jiā, tā céng shì luó mǎ dì guó.
   xī bān yá céng jīng tǒng zhì guò suǒ yǒu zhè xiē guó jiā, tā céng shì xī bān yá dì guó.

08 zhè gè rén shì yī wèi wáng hòu.
   zhè gè rén shì yī wèi guó wáng.
   zhè gè rén shì yī wèi zhé xué jiā.
   zhè gè rén shì yī wèi xì jù zuò jiā.

09 zhè shì kě néng de, bìng qiě jīng cháng fā shēng.
   zhè shì bù kě néng de, bìng qiě cóng bù fā shēng.
   tā yě xǔ néng zhī chū zhè yàng de shǎi zi, dàn bù tài kě néng.
   tā men yě xǔ néng bǎ chē tái qǐ lái, dàn bù tài kě néng.

(jì xù)

10　你最喜欢哪条船？
　　我喜欢有许多白帆的那条船。

　　你最喜欢哪条船？
　　我想，我喜欢有红、黄色帆的那条船。

　　你乘过潜水艇吗？
　　我没乘过。你呢？
　　我也没乘过。

　　你喜欢冲浪吗？
　　我不知道，我从来没有玩过。
　　这个人看上去玩得挺容易，其实挺难的。

10　你最喜歡哪條船？
　　我喜歡有許多白帆的那條船。

　　你最喜歡哪條船？
　　我想，我喜歡有紅、黄色帆的那條船。

　　你乘過潛水艇嗎？
　　我沒乘過。你呢？
　　我也沒乘過。

　　你喜歡衝浪嗎？
　　我不知道，我從來沒有玩過。
　　這個人看上去玩得挺容易，其實挺難的。

10 nǐ zuì xǐ huān nǎ tiáo chuán?
    wǒ xǐ huān yǒu xǔ duō bái fān de nà tiáo chuán.

    nǐ zuì xǐ huān nǎ tiáo chuán?
    wǒ xiǎng, wǒ xǐ huān yǒu hóng, huáng sè fān de nà tiáo chuán.

    nǐ chéng guò qián shuǐ tǐng ma?
    wǒ méi chéng guò. nǐ ne?
    wǒ yě méi chéng guò.

    nǐ xǐ huān chōng làng ma?
    wǒ bù zhī dào, wǒ cóng lái méi yǒu wán guò.
    zhè gè rén kàn shàng qù wán de tǐng róng yì, qí shí tǐng nán de.

动画一

01 皮带呢？
护士！
夫人，这是您的孩子吗？
他当然高兴，他坐在猫的身上。

02 噢，它记得我！
看在上帝的份上，现在别惹他！
我们就把它叫做猫吧。
嘿，等一下，我先到的。

03 我们都到了，四个聪明人，要是算上阿木，那就是五个……
其实，他并不高兴。
我觉得阿林还没清醒。
你的矛倒过来啦！

04 万一那不是雨伞呢？
抓住那个球，快把它扔出去！
蛋，哥们儿，把蛋扔给我！
这肯定比看上去的要冷多了。

05 没什么可担心的，亨特，它们只吃鱼。
什么朋友？这是我的手套！
我儿子八岁，他爸三十四岁。
乔治！我们把孩子忘了！

06 乔治抽烟很凶。
噢，太好了！他把蝴蝶抓住了！
照相机，阿笨，把照相机扔给我！
对不起，先生，这条是我的。

07 它已经完全长大了，我们希望是这样！
我也不会游泳。
咖啡一定好了。
我最近做的每一件事好像都惹你生气。

08 乔治经常出事。
救命啊！小偷！
我需要三个自愿者。
它是一只好宠物。

09 不过，这儿的饭好吃极了。
我找到啦。
我要报告一起交通事故。
查一下也没什么不好，但我几乎敢肯定是两条狗。

10 我的手表可能稍快了一点儿，阿德，我这上面是四点二十一分。
救命啊！
现在怎么办？
我一定会为你找到你妈妈而高兴的。

17-01

動畫一

01 皮帶呢？
護士！
夫人，這是您的孩子嗎？
他當然高興，他坐在貓的身上。

02 噢，牠記得我！
看在上帝的份上，現在別惹他！
我們就把牠叫做貓吧。
嘿，等一下，我先到的。

03 我們都到了，四個聰明人，要是算上阿木，那就是五個……
其實，他並不高興。
我覺得阿林還沒清醒。
你的矛倒過來啦！

04 萬一那不是雨傘呢？
抓住那個球，快把它扔出去！
蛋，哥們兒，把蛋扔給我！
這肯定比看上去的要冷多了。

05 沒什麼可擔心的，亨特，牠們只喫魚。
什麼朋友？這是我的手套！
我兒子八歲，他爸三十四歲。
喬治！我們把孩子忘了！

06 喬治抽煙很兇。
噢，太好了！他把蝴蝶抓住了！
照相機，阿笨，把照相機扔給我！
對不起，先生，這條是我的。

07 牠已經完全長大了，我們希望是這樣！
我也不會游泳。
咖啡一定好了。
我最近做的每一件事好像都惹你生氣。

08 喬治經常出事。
救命啊！小偷！
我需要三個自願者。
牠是一隻好寵物。

09 不過，這兒的飯好喫極了。
我找到啦。
我要報告一起交通事故。
查一下也沒什麼不好，但我幾乎敢肯定是兩條狗。

10 我的手錶可能稍快了一點兒，阿德，我這上面是四點二十一分。
救命啊！
現在怎麼辦？
我一定會為你找到你媽媽而高興的。

17-01

dòng huà yī

01 pí dài ne?
hù shì!
fū rén, zhè shì nín de hái zi ma?
tā dāng rán gāo xìng, tā zuò zài māo de shēn shàng.

02 ō, tā jì de wǒ!
kàn zài shàng dì de fèn shàng, xiàn zài bié rě tā!
wǒ men jiù bǎ tā jiào zuò māo ba.
hei, děng yī xià, wǒ xiān dào de.

03 wǒ men dōu dào le, sì gè cōng míng rén, yào shì suàn shàng ā mù, nà jiù shì wǔ gè......
qí shí, tā bìng bù gāo xìng.
wǒ jué de ā lín hái méi qīng xǐng.
nǐ de máo dào guò lái la!

04 wàn yī nà bù shì yǔ sǎn ne?
zhuā zhù nà gè qiú, kuài bǎ tā rēng chū qù!
dàn, gē men ér, bǎ dàn rēng gěi wǒ!
zhè kěn dìng bǐ kàn shàng qù de yào lěng duō le.

05 méi shén me kě dān xīn de, hēng tè, tā men zhǐ chī yú.
shén me péng yǒu? zhè shì wǒ de shǒu tào!
wǒ ér zi bā suì, tā bà sān shí sì suì.
qiáo zhì! wǒ men bǎ hái zi wàng le!

06 qiáo zhì chōu yān hěn xiōng.
ō, tài hǎo le! tā bǎ hú dié zhuā zhù le!
zhào xiàng jī, ā bèn, bǎ zhào xiàng jī rēng gěi wǒ!
duì bù qǐ, xiān sheng, zhè tiáo shì wǒ de.

07 tā yǐ jīng wán quán zhǎng dà le, wǒ men xī wàng shì zhè yàng!
wǒ yě bù huì yóu yǒng.
kā fēi yī dìng hǎo le.
wǒ zuì jìn zuò de měi yī jiàn shì hǎo xiàng dōu rě nǐ shēng qì.

08 qiáo zhì jīng cháng chū shì.
jiù mìng ā! xiǎo tōu!
wǒ xū yào sān gè zì yuàn zhě.
tā shì yī zhī hǎo chǒng wù.

09 bù guò, zhèr de fàn hǎo chī jí le.
wǒ zhǎo dào la.
wǒ yào bào gào yī qǐ jiāo tōng shì gù.
chá yī xià yě méi shén me bù hǎo, dàn wǒ jī hu gǎn kěn dìng shì liǎng tiáo gǒu.

10 wǒ de shǒu biǎo kě néng shāo kuài le yī diǎn ér, ā dé, wǒ zhè shàng miàn shì sì diǎn èr shí yī fēn.
jiù mìng ā!
xiàn zài zěn me bàn?
wǒ yī dìng huì wèi nǐ zhǎo dào nǐ mā ma ér gāo xìng de.

17-02

动画二

01 五楼，差不多。
在坡上它的马力不太大。
太棒啦，你抓到了它，现在怎么办？
把你的手指从耳朵里拿出来，听我的。

02 好吧，你抓住我了，现在我们怎么办？
他是全国最快的赛跑运动员。
号码错了。
是的，他在。

03 我们现在该做什么呢？
马上！
救命啊！
喂！

04 我也很高兴听到你的声音。
你们该原谅阿本，他上夜班。
男士服装部，请！
准备好了吗？

05 他们有一个房间给我们，兵兵呢？
这只鞋配你靠近窗户的那只脚。
嘿，李四，慢点儿！
它终于抓到了车！

06 现在？
二保很幸运，他总钓到大鱼。
不过，他没显得高多少。
就半杯，我还拿不动一整杯。

07 我又看到你在床上吃东西了。
我以为我们再也不会把照相机从那头熊那儿拿回来！
绝对是传染病。
就把它种在这儿吧。

08 我从来没见过这个女人！
噢，他穿着红色的茄克。
妈妈，这孩子是谁？
好，我知道你吃过药了。

09 与平常的一百十克相比，星期一她喝了一百克牛奶。
还有别人在吗？
汪！汪！
对初学者来说，够响了吧？

10 你不能一边做家庭作业，一边看电视。
怕它逃走吗？
你爸的照片很逼真。
你不能找些别的东西读？

17-02

動畫二

01 五樓，差不多。
在坡上它的馬力不太大。
太棒啦，你抓到了牠，現在怎麼辦？
把你的手指從耳朵裡拿出來，聽我的。

02 好吧，你抓住我了，現在我們怎麼辦？
他是全國最快的賽跑運動員。
號碼錯了。
是的，他在。

03 我們現在該做什麼呢？
馬上！
救命啊！
喂！

04 我也很高興聽到你的聲音。
你們該原諒阿本，他上夜班。
男士服裝部，請！
準備好了嗎？

05 他們有一個房間給我們，兵兵呢？
這隻鞋配你靠近窗戶的那隻腳。
嘿，李四，慢點兒！
牠終於抓到了車！

06 現在？
二保很幸運，他總釣到大魚。
不過，他沒顯得高多少。
就半盃，我還拿不動一整盃。

07 我又看到你在床上喫東西了。
我以為我們再也不會把照相機從那頭熊那兒拿回來！
絕對是傳染病。
就把它種在這兒吧。

08 我從來沒見過這個女人！
噢，他穿着紅色的茄克。
媽媽，這孩子是誰？
好，我知道你喫過藥了。

09 與平常的一百十克相比，星期一她喝了一百克牛奶。
還有別人在嗎？
汪！汪！
對初學者來說，夠響了吧？

10 你不能一邊做家庭作業，一邊看電視。
怕它逃走嗎？
你爸的照片很逼真。
你不能找些別的東西讀？

17-02

dòng huà èr

01 wǔ lóu, chà bù duō.
   zài pō shàng tā de mǎ lì bù tài dà.
   tài bàng la, nǐ zhuā dào le tā, xiàn zài zěn me bàn?
   bǎ nǐ de shǒu zhǐ cóng ěr duo lǐ ná chū lái, tīng wǒ de.

02 hǎo ba, nǐ zhuā zhù wǒ le, xiàn zài wǒ men zěn me bàn?
   tā shì quán guó zuì kuài de sài pǎo yùn dòng yuán.
   hào mǎ cuò le.
   shì de, tā zài.

03 wǒ men xiàn zài gāi zuò shén me ne?
   mǎ shàng!
   jiù mìng ā!
   wèi!

04 wǒ yě hěn gāo xìng tīng dào nǐ de shēng yīn.
   nǐ men gāi yuán liàng ā běn, tā shàng yè bān.
   nán shì fú zhuāng bù, qǐng!
   zhǔn bèi hǎo le ma?

05 tā men yǒu yī gè fáng jiān gěi wǒ men, bīng bīng ne?
   zhè zhī xié pèi nǐ kào jìn chuāng hu de nà zhī jiǎo.
   hēi, lǐ sì, màn diǎn ér!
   tā zhōng yú zhuā dào le chē!

06 xiàn zài?
   èr bǎo hěn xìng yùn, tā zǒng diào dào dà yú.
   bù guò, tā méi xiǎn de gāo duō shǎo.
   jiù bàn bēi, wǒ hái ná bù dòng yī zhěng bēi.

07 wǒ yòu kàn dào nǐ zài chuáng shàng chī dōng xi le.
   wǒ yǐ wéi wǒ men zài yě bù huì bǎ zhào xiàng jī cóng nà tóu xióng nàr ná huí lái!
   jué duì shì chuán rǎn bìng.
   jiù bǎ tā zhòng zài zhèr ba.

08 wǒ cóng lái méi jiàn guò zhè gè nǚ rén!
   ō, tā chuān zhe hóng sè de jiā kè.
   mā ma, zhè hái zi shì shéi?
   hǎo, wǒ zhī dào nǐ chī guò yào le.

09 yǔ píng cháng de yī bǎi shí kè xiāng bǐ, xīng qī yī tā hē le yī bǎi kè niú nǎi.
   hái yǒu bié rén zài ma?
   wāng! wāng!
   duì chū xué zhě lái shuō, gòu xiǎng le ba?

10 nǐ bù néng yī biān zuò jiā tíng zuò yè, yī biān kàn diàn shì.
   pà tā táo zǒu ma?
   nǐ bà de zhào piān hěn bī zhēn.
   nǐ bù néng zhǎo xiē bié de dōng xi dú?

动画三

01 再来一个冬天吧，求求你啦！
今天感觉好一点吗？
我该按哪个按钮？
经过办公室闷热的一天，阿兵急需洗个凉水澡。

02 否则事情会怎么样？
听上去好像她的脚给他踩到啦。
天哪！爸爸踩在丹尼的鼓上啦。
没有你小弟弟在，真安静。

03 你的麻烦来了。
阿色觉得她戴着镇上最贵的帽子。
橄榄、热狗、土豆沙拉、柠檬汁，不幸的是我们把妈
    妈忘了。
再见，美美。再见，丽丽、芳芳、菲菲。

04 这么多鸟，说明这儿有鱼！
我把好的糖都吃了。
我妈妈就下来，她在给我洗澡。
今天爸爸的儿子表现怎么样？

05 左脚的鞋有点紧。
请把糖递过来。
如果你不告诉任何人，我就告诉你得了什么病。我不
    想制造恐慌。
别对他太厉害，安梅，我肯定他是不小心。

06 我只进来暖和一下。
小家伙，今天你干了些什么？
致我贪婪的弟弟唯利……
你抓的，你煮了它！

07 我告诉你，那东西偷了我的午饭。
现在你们知道他为什么一年只演两场了吗？
赶紧回家上床，你的病很容易传染。
看上去阿德抓到了什么。

08 所有的车对我来说都差不多。
别抓住那块石头！
噢，太好啦，你在给狗洗澡！
噢，太好啦，爸爸找到它啦。

09 阿福来啦！
你真不该学鸟叫。
轮子在转吗？
我们不久会给你一匹马。

10 看着，接下来就是我给你讲过的那部分。
你的 X 光片就在这儿。
请问，先生，您为了过马路等多久了？
我觉得它想告诉你什么。

17-03

動畫三

01 再來一個冬天吧，求求你啦！
今天感覺好一點嗎？
我該按哪個按鈕？
經過辦公室悶熱的一天，阿兵急需洗個涼水澡。

02 否則事情會怎麼樣？
聽上去好像她的腳給他踩到啦。
天哪！爸爸踩在丹尼的鼓上啦。
沒有你小弟弟在，真安靜。

03 你的麻煩來了。
阿色覺得她戴着鎮上最貴的帽子。
橄欖、熱狗、土豆沙拉、檸檬汁，不幸的是我們把媽
    媽忘了。
再見，美美。再見，麗麗、芳芳、菲菲。

04 這麼多鳥，說明這兒有魚！
我把好的糖都喫了。
我媽媽就下來，她在給我洗澡。
今天爸爸的兒子表現怎麼樣？

05 左腳的鞋有點緊。
請把糖遞過來。
如果你不告訴任何人，我就告訴你得了什麼病。我不
    想制造恐慌。
別對他太厲害，安梅，我肯定他是不小心。

06 我只進來暖和一下。
小家伙，今天你幹了些什麼？
致我貪婪的弟弟唯利……
你抓的，你煮了牠！

07 我告訴你，那東西偷了我的午飯。
現在你們知道他為什麼一年祇演兩場了嗎？
趕緊回家上床，你的病很容易傳染。
看上去阿德抓到了什麼。

08 所有的車對我來說都差不多。
別抓住那塊石頭！
噢，太好啦，你在給狗洗澡！
噢，太好啦，爸爸找到它啦。

09 阿福來啦！
你真不該學鳥叫。
輪子在轉嗎？
我們不久就會給你一疋馬。

10 看着，接下來就是我給你講過的那部分。
你的 X 光片就在這兒。
請問，先生，您為了過馬路等多久了？
我覺得它想告訴你什麼。

17-03

dòng huà sān

01   zài lái yī gè dōng tiān bā, qiú qiú nǐ la!
    jīn tiān gǎn jué hǎo yī diǎn ma?
    wǒ gāi àn nǎ gè àn niǔ?
    jīng guò bàn gōng shì mēn rè de yī tiān, ā bīng jí xū xǐ gè liáng shuǐ zǎo.

02   fǒu zé shì qing huì zěn me yàng?
    tīng shàng qù hǎo xiàng tā de jiǎo gěi tā cǎi dào la.
    tiān na! bà ba cǎi zài dān nǐ de gǔ shàng la.
    méi yǒu nǐ xiǎo dì di zài, zhēn ān jìng.

03   nǐ de má fan lái le.
    ā sè jué de tā dài zhe zhèn shàng zuì guì de mào zi.
    gǎn lǎn, rè gǒu, tǔ dòu shā lā, níng méng zhī, bù xìng de shì wǒ men bǎ mā ma wàng le.
    zài jiàn, měi měi. zài jiàn, lì lì, fāng fāng, fēi fēi.

04   zhè me duō niǎo, shuō míng zhèr yǒu yú!
    wǒ bǎ hǎo de táng dōu chī le.
    wǒ mā ma jiù xià lái, tā zài gěi wǒ xǐ zǎo.
    jīn tiān bà ba de ér zi biǎo xiàn zěn me yàng?

05   zuǒ jiǎo de xié yǒu diǎn jǐn.
    qǐng bǎ táng dì guò lái.
    rú guǒ nǐ bù gào sù rèn hé rén, wǒ jiù gào sù nǐ dé le shén me bìng. wǒ bù xiǎng zhì zào kǒng huāng.
    bié duì tā tài lì hài, ān méi, wǒ kěn dìng tā shì bù xiǎo xīn.

06   wǒ zhǐ jìn lái nuǎn huo yī xià.
    xiǎo jiā huo, jīn tiān nǐ gàn le xiē shén me?
    zhì wǒ tān lán de dì di wéi lì......
    nǐ zhuā de, nǐ zhǔ le tā!

07   wǒ gào sù nǐ, nà dōng xi tōu le wǒ de wǔ fàn.
    xiàn zài nǐ men zhī dào tā wèi shén me yī nián zhǐ yǎn liǎng chǎng le ma?
    gǎn jǐn huí jiā shàng chuáng, nǐ de bìng hěn róng yì chuán rǎn.
    kàn shàng qù ā dé zhuā dào le shén me.

08   suǒ yǒu de chē duì wǒ lái shuō dōu chà bù duō.
    bié zhuā zhù nà kuài shí tou!
    ō, tài hǎo la, nǐ zài gěi gǒu xǐ zǎo!
    ō, tài hǎo la, bà ba zhǎo dào tā la.

09   ā fú lái la!
    nǐ zhēn bù gāi xué niǎo jiào.
    lún zi zài zhuàn ma?
    wǒ men bù jiǔ jiù huì gěi nǐ yī pǐ mǎ.

10   kàn zhe, jiē xià lái jiù shì wǒ gěi nǐ jiǎng guò de nà bù fèn.
    nǐ de X guāng piàn jiù zài zhèr.
    qǐng wèn, xiān sheng, nín wèi le guò mǎ lù děng duō jiǔ le?
    wǒ jué de tā xiǎng gào sù nǐ shén me.

动画四

01 当心后面！
我们讨论过了，他说服了我让他这样做。
现在怎么办？
阿莉，别往刷子上蘸这么多油漆。

02 现在，你想让我做什么？
这是本店比较好的一个模仿鸟叫的哨子。
终于过了！还以为这列火车没有尽头呢。
你的电话。

03 那声音听上去像消防车过大街。
你的电话。
城里今天很热吗，亲爱的？
你真乖！

04 我能给你回电话吗？
有什么新闻？
老李，你在读什么？
你想成为马戏团的大明星吗？

05 你的电话。
谢谢，宝贝，请再把咖啡递给我。
四米零五。
你希望我不抽烟？

06 第一次坐飞机？
我梳过头了！
阿伦告诉我你打篮球。
上面说答案是二。

07 我能吻你并说晚安吗，罗西？爱丽？莎莎？
到现在为止，我外面有六个，你有几个？
这是个新记录，妈妈，这里面有我们五个！
人类当然不会思考，他们只是重复他们所听到的。

08 噢，是你啊。
这件新大衣真好！能装二百个雪球！
金先生掉进复印机里了！
真逗！你很清楚我只迟到了三分钟。

09 你是我的孩子吗？
巴龙，再告诉我们一些你到非洲旅游的事。
你肯定地址是对的吗，马莎？
你能想象在这样的天气里还呆在室内的人吗？

10 上次我们在那儿的时候，那个地方到处是恐龙！
进来，进来！很高兴再见到你们！
你的电话。
别往下看！

17-04

動畫四

01 當心後面！
我們討論過了，他說服了我讓他這樣做。
現在怎麼辦？
阿莉，別往刷子上蘸這麼多油漆。

02 現在，你想讓我做什麼？
這是本店比較好的一個模倣鳥叫的哨子。
終於過了！還以為這列火車沒有盡頭呢。
你的電話。

03 那聲音聽上去像消防車過大街。
你的電話。
城裡今天很熱嗎，親愛的？
你真乖！

04 我能給你回電話嗎？
有什麼新聞？
老李，你在讀什麼？
你想成為馬戲團的大明星嗎？

05 你的電話。
謝謝，寶貝，請再把咖啡遞給我。
四米零五。
你希望我不抽煙？

06 第一次坐飛機？
我梳過頭了！
阿倫告訴我你打籃球。
上面說答案是二。

07 我能吻你並說晚安嗎，羅西？愛麗？莎莎？
到現在為止，我外面有六個，你有幾個？
這是個新記錄，媽媽，這裡面有我們五個！
人類當然不會思考，他們祇是重復他們所聽到的。

08 噢，是你啊。
這件新大衣真好！能裝二百個雪球！
金先生掉進復印機裡了！
真逗！你很清楚我祇遲到了三分鐘。

09 你是我的孩子嗎？
巴龍，再告訴我們一些你到非洲旅遊的事。
你肯定地址是對的嗎，馬莎？
你能想象在這樣的天氣裡還呆在室內的人嗎？

10 上次我們在那兒的時候，那個地方到處是恐龍！
進來，進來！很高興再見到你們！
你的電話。
別往下看！

17-04

dòng huà sì

01 dāng xīn hòu miàn!
wǒ men tǎo lùn guò le, tā shuō fú le wǒ ràng tā zhè yàng zuò.
xiàn zài zěn me bàn?
ā lì, bié wǎng shuā zi shàng zhàn zhè me duō yóu qī.

02 xiàn zài nǐ xiǎng ràng wǒ zuò shén me?
zhè shì běn diàn bǐ jiào hǎo de yī gè mó fǎng niǎo jiào de shào zi.
zhōng yú guò le! hái yǐ wéi zhè liè huǒ chē méi yǒu jìn tóu ne.
nǐ de diàn huà.

03 nà shēng yīn tīng shàng qù xiàng xiāo fáng chē guò dà jiē.
nǐ de diàn huà.
chéng lǐ jīn tiān hěn rè ma, qīn ài de?
nǐ zhēn guāi!

04 wǒ néng gěi nǐ huí diàn huà ma?
yǒu shén me xīn wén?
lǎo lǐ, nǐ zài dú shén me?
nǐ xiǎng chéng wéi mǎ xì tuán de dà míng xīng ma?

05 nǐ de diàn huà.
xiè xiè, bǎo bèi, qǐng zài bǎ kā fēi dì gěi wǒ.
sì mǐ líng wǔ.
nǐ xī wàng wǒ bù chōu yān?

06 dì yī cì zuò fēi jī?
wǒ shū guò tóu le!
ā lún gào sù wǒ nǐ dǎ lán qiú.
shàng miàn shuō dá àn shì èr.

07 wǒ néng wèn nǐ bìng shuō wǎn ān ma, luó xī? ài lì? shā shā?
dào xiàn zài wéi zhǐ, wǒ wài miàn yǒu liù gè, nǐ yǒu jǐ gè?
zhè shì gè xīn jì lù, mā ma, zhè lǐ miàn yǒu wǒ men wǔ gè!
rén lèi dāng rán bù huì sī kǎo, tā men zhǐ shì chóng fù tā men suǒ tīng dào de.

08 ō, shì nǐ a.
zhè jiàn xīn dà yī zhēn hǎo! néng zhuāng èr bǎi gè xuě qiú!
jīn xiān sheng diào jìn fù yìn jī lǐ le!
zhēn dòu! nǐ hěn qīng chǔ wǒ zhǐ chí dào le sān fēn zhōng.

09 nǐ shì wǒ de hái zi ma?
bā lóng, zài gào sù wǒ men yī xiē nǐ dào fēi zhōu lǚ yóu de shì.
nǐ kěn dìng dì zhǐ shì duì de ma, mǎ shā?
nǐ néng xiǎng xiàng zài zhè yàng de tiān qì lǐ hái dāi zài shì nèi de rén ma?

10 shàng cì wǒ men zài nàr de shí hou, nà gè dì fāng dào chù shì kǒng lóng!
jìn lái, jìn lái! hěn gāo xìng zài jiàn dào nǐ men!
nǐ de diàn huà.
bié wǎng xià kàn!

动画五

01 妈，谢谢你送给乔治的那条领带，他几乎每天都用它。
请问你是谁？
对不起，我丈夫不在家。
每个人都往后站！真不敢相信是我的电话！

02 现在该怎么办？
它需要一个大一点的狗窝。
他说他什么都看不见，给他往下送一盏灯。
噢，洗衣机开着的时候把门关上。

03 现在数目对啦，您满意了吗，先生？
我重复一遍：别开门！
把你的耳朵靠近电话，让我告诉你我收到了什么生日礼物。
准备好了吗？要砍啦！

04 饭很难吃，但服务很好！
来吧，贺博！离开办公室几天对你有好处。
很热，是吗？
我猜测地图上的那条蓝线根本不是路。

05 数一下孩子们！数一下孩子们！
你能说大声点吗，阿德？
电话！
张开！

06 嘿，你得说大声点！
它们的大小都不对！
在我看来，这实在太冷了。
根据你的体重，你的身高应该是两米八六。

07 嘘！他睡了！
你的钥匙丢了吗？
不过，当然啦，如果你寻找错误，你总能找到一些。
钥匙！钥匙！你拿了我的车钥匙！

08 爸爸把钥匙锁在车里啦。
行，你能停进来。
爸爸醒啦！
那是你吗，亲爱的？你知道你的照片登在了报纸上了吗？

09 你有时间吗？
噢，乔治！他不是我们的孩子！
你的胳膊太短了。
那是个很好的开端。

10 我觉得刚才看见这儿有只兔子。
他是独生子。
除此以外，你好吗？
当然，那只是第一道油漆。

17-05

動畫五

01 媽，謝謝你送給喬治的那條領帶，他幾乎每天都用它。
請問你是誰？
對不起，我丈夫不在家。
每個人都往後站！真不敢相信是我的電話！

02 現在該怎麼辦？
牠需要一個大一點的狗窩。
他說他什麼都看不見，給他往下送一盞燈。
噢，洗衣機開着的時候把門關上。

03 現在數目對啦，您滿意了嗎，先生？
我重復一遍：別開門！
把你的耳朵靠近電話，讓我告訴你我收到了什麼生日禮物。
準備好了嗎？要砍啦！

04 飯很難喫，但服務很好！
來吧，賀博！離開辦公室幾天對你有好處。
很熱，是嗎？
我猜測地圖上的那條藍線根本不是路。

05 數一下孩子們！數一下孩子們！
你能説大聲點嗎，阿德？
電話！
張開！

06 嘿，你得説大聲點！
它們的大小都不對！
在我看來，這實在太冷了。
根據你的體重，你的身高應該是兩米八六。

07 嘘！他睡了！
你的鑰匙丟了嗎？
不過，當然啦，如果你尋找錯誤，你總能找到一些。
鑰匙！鑰匙！你拿了我的車鑰匙！

08 爸爸把鑰匙鎖在車裡啦。
行，你能停進來。
爸爸醒啦！
那是你嗎，親愛的？你知道你的照片登在了報紙上了嗎？

09 你有時間嗎？
噢，喬治！他不是我們的孩子！
你的胳膊太短了。
那是個很好的開端。

10 我覺得剛才看見這兒有隻兔子。
他是獨生子。
除此以外，你好嗎？
當然，那祇是第一道油漆。

17-05

dòng huà wǔ

01 mā, xiè xiè nǐ sòng gěi qiáo zhì de nà tiáo lǐng dài, tā jǐ hu měi tiān dōu yòng tā.
qǐng wèn nǐ shì shéi?
duì bù qǐ, wǒ zhàng fu bù zài jiā.
měi gè rén dōu wǎng hòu zhàn! zhēn bù gǎn xiāng xìn shì wǒ de diàn huà!

02 xiàn zài gāi zěn me bàn?
tā xū yào yī gè dà yī diǎn de gǒu wō.
tā shuō tā shén me dōu kàn bù jiàn, gěi tā wǎng xià sòng yī zhǎn dēng.
ō, xǐ yī jī kāi zhe de shí hou bǎ mén guān shàng.

03 xiàn zài shù mù duì la, nín mǎn yì le ma, xiān sheng?
wǒ chóng fù yī biàn: bié kāi mén!
bǎ nǐ de ěr duo kào jìn diàn huà, ràng wǒ gào sù nǐ wǒ shōu dào le shén me shēng ri lǐ wù.
zhǔn bèi hǎo le ma? yào kǎn la!

04 fàn hěn nán chī, dàn fú wù hěn hǎo!
lái ba, hè bó! lí kāi bàn gōng shì jǐ tiān duì nǐ yǒu hǎo chù.
hěn rè, shì ma?
wǒ cāi cè dì tú shàng de nà tiáo lán xiàn gēn běn bù shì lù.

05 shǔ yī xià hái zi men! shǔ yī xià hái zi men!
nǐ néng shuō dà shēng diǎn ma, ā dé?
diàn huà!
zhāng kāi!

06 hēi, nǐ děi shuō dà shēng diǎn!
tā men de dà xiǎo dōu bù duì!
zài wǒ kàn lái, zhè shí zài tài lěng le.
gēn jù nǐ de tǐ zhòng, nǐ de shēn gāo yīng gāi shì liǎng mǐ bā liù.

07 shī! tā shuì le!
nǐ de yào shi diū le ma?
bù guò, dāng rán la, rú guǒ nǐ xún zhǎo cuò wù, nǐ zǒng néng zhǎo dào yī xiē.
yào shi! yào shi! nǐ ná le wǒ de chē yào shi!

08 bà ba bǎ yào shi suǒ zài chē lǐ la.
xíng, nǐ néng tíng jìn lái.
bà ba xǐng la!
nà shì nǐ ma, qīn ài de? nǐ zhī dào nǐ de zhào piān dēng zài le bào zhǐ shàng le ma?

09 nǐ yǒu shí jiān ma?
ō, qiáo zhì! tā bù shì wǒ men de hái zi!
nǐ de gē bo tài duǎn le.
nà shì gè hěn hǎo de kāi duān.

10 wǒ jué de gāng cái kàn jiàn zhèr yǒu zhī tù zi.
tā shì dú shēng zi.
chú cǐ yǐ wài, nǐ hǎo ma?
dāng rán, nà zhǐ shì dì yī dào yóu qī.

17-06

动画六

01　是，先生，六人一桌。
　　你做汽车修理工多久了？
　　我希望你能在湿玻璃杯下面垫样东西，然后再把它放
　　　　到桌上。
　　给你们讲熊的故事的人都是在开玩笑，这附近没 熊。

02　如果他打扰了你们，请告诉我。
　　如果我告诉你我这辈子从没学过跳舞，你会说什么？
　　如果那是狮王，那么这是谁？
　　尊敬的先生们：你们的生发剂很有效，不过……

03　把它种在这儿吧。
　　我终于让他睡觉了。
　　他在等什么？
　　你有一条身上有花点的大狗吗？

04　老潘，我又抓到一个！
　　在早晨快速步行会使你很快地清醒。
　　现在，学我做的每一个动作。
　　我在家里有另一副和这一样的手套。

05　它们看上去是很干净的动物。
　　我认为它想告诉我们什么。
　　我们离河还有多远，小三？这东西越来越重。
　　我认为他们俩在聊天。

06　你的意思是他还没有记住他的台词？
　　我们走这边吧，看看它从哪儿来。
　　如果这样打扰你了，请告诉我。
　　我猜你是新来的吧？

07　我认为他今天感觉好多了。
　　你听见我说话了吗？头儿？我在动物园里遇到了点麻
　　　　烦。
　　这绝对是寒冬的迹象。
　　你预约了吗？

08　你怎么知道你不喜欢？你又看不见！
　　你应该学会放松。
　　噢，老罗，这真漂亮！你是怎么对你银行出纳员的工
　　　　资做手脚的？
　　我们恐怕来晚了。

09　他们当中的一个正向我们靠近！形象太可怕啦，难以
　　　　形容。
　　你见过一个穿着像印第安人的男孩经过这儿吗？
　　小庄真是个好售货员。
　　他们很会娱乐。

10　我丈夫认为……，我跟你说话时你好好坐着……。他
　　　　认为我是支配型的。
　　我看他们还没有找到麻烦的所在。
　　告诉我，如果这噪音打扰你了。
　　别麻烦站起来啦，阿兰，我能行。

17-06

動畫六

01　是，先生，六人一桌。
　　你做汽車修理工多久了？
　　我希望你能在濕玻璃盃下面墊樣東西，然後再把它放
　　　　到桌上。
　　給你們講熊的故事的人都是在開玩笑，這附近沒 熊。

02　如果他打擾了你們，請告訴我。
　　如果我告訴你我這輩子從沒學過跳舞，你會說什麼？
　　如果那是獅王，那麼這是誰？
　　尊敬的先生們：你們的生髮劑很有效，不過……

03　把它種在這兒吧。
　　我終於讓他睡覺了。
　　他在等什麼？
　　你有一條身上有花點的大狗嗎？

04　老潘，我又抓到一個！
　　在早晨快速步行會使你很快地清醒。
　　現在，學我做的每一個動作。
　　我在家裡有另一副和這一樣的手套。

05　牠們看上去是很乾淨的動物。
　　我認為牠想告訴我們什麼。
　　我們離河還有多遠，小三？這東西越來越重。
　　我認為他們倆在聊天。

06　你的意思是他還沒有記住他的臺詞？
　　我們走這邊吧，看看牠從哪兒來。
　　如果這樣打擾你了，請告訴我。
　　我猜你是新來的吧？

07　我認為他今天感覺好多了。
　　你聽見我說話了嗎？頭兒？我在動物園裡遇到了點麻
　　　　煩。
　　這絕對是寒冬的跡象。
　　你預約了嗎？

08　你怎麼知道你不喜歡？你又看不見！
　　你應該學會放鬆。
　　噢，老羅，這真漂亮！你是怎麼對你銀行出納員的工
　　　　資做手腳的？
　　我們恐怕來晚了。

09　他們當中的一個正向我們靠近！形象太可怕啦，難以
　　　　形容。
　　你見過一個穿著像印第安人的男孩經過這兒嗎？
　　小庄真是個好售貨員。
　　他們很會娛樂。

10　我丈夫認為……，我跟你說話時你好好坐着……。他
　　　　認為我是支配型的。
　　我看他們還沒有找到麻煩的所在。
　　告訴我，如果這噪音打擾你了。
　　別麻煩站起來啦，阿蘭，我能行。

17-06

dòng huà liù

01 shì, xiān sheng, liù rén yī zhuō.
   nǐ zuò qì chē xiū lǐ gōng duō jiǔ le?
   wǒ xī wàng nǐ néng zài shī bō li bēi xià miàn diàn yàng dōng xi, rán hòu zài bǎ tā fàng dào zhuō shàng.
   gěi nǐ men jiǎng xióng de gù shì de rén dōu shì zài kāi wán xiào, zhè fù jìn méi yǒu xióng.

02 rú guǒ tā dǎ rǎo le nǐ men, qǐng gào sù wǒ.
   rú guǒ wǒ gào sù nǐ wǒ zhè bèi zi cóng méi xué guò tiào wǔ, nǐ huì shuō shén me?
   rú guǒ nà shì shī wáng, nà me zhè shì shéi?
   zūn jìng de xiān sheng men: nǐ men de shēng fà jì hěn yǒu xiào, bù guò......

03 bǎ tā zhòng zài zhèr ba.
   wǒ zhōng yú ràng tā shuì jiào le.
   tā zài děng shén me?
   nǐ yǒu yī tiáo shēn shàng yǒu huā diǎn de dà gǒu ma?

04 lǎo pān, wǒ yòu zhuā dào yī gè!
   zài zǎo chén kuài sù bù xíng huì shǐ nǐ hěn kuài de qīng xǐng.
   xiàn zài, xué wǒ zuò de měi yī gè dòng zuò.
   wǒ zài jiā lǐ yǒu lìng yī fù hé zhè yī yàng de shǒu tào.

05 tā men kàn shàng qù shì hěn gān jìng de dòng wù.
   wǒ rèn wéi tā xiǎng gào sù wǒ men shén me.
   wǒ men lí hé hái yǒu duō yuǎn, xiǎo sān? zhè dōng xi yuè lái yuè zhòng.
   wǒ rèn wéi tā men liǎ zài liáo tiān.

06 nǐ de yì si shì tā hái méi yǒu jì zhù tā de tái cí?
   wǒ men zǒu zhè biān ba, kàn kàn tā cóng nǎr lái.
   rú guǒ zhè yàng dǎ rǎo nǐ le, qǐng gào sù wǒ.
   wǒ cāi nǐ shì xīn lái de ba?

07 wǒ rèn wéi tā jīn tiān gǎn jué hǎo duō le.
   nǐ tīng jiàn wǒ shuō huà le ma? tóu ér? wǒ zài dòng wù yuán lǐ yù dào le diǎn má fan.
   zhè jué duì shì hán dōng de jī xiàng.
   nǐ yù yuē le ma?

08 nǐ zěn me zhī dào nǐ bù xǐ huān? nǐ yòu kàn bù jiàn!
   nǐ yīng gāi xué huì fàng sōng.
   ō, lǎo luó, zhè zhēn piào liàng! nǐ shì zěn me duì nǐ yín háng chū nà yuán de gōng zī zuò shǒu jiǎo de?
   wǒ men kǒng pà lái wǎn le.

09 tā men dāng zhōng de yī gè zhèng xiàng wǒ men kào jìn! xíng xiàng tài kě pà la, nán yǐ xíng róng.
   nǐ jiàn guò yī gè chuān zhe xiàng yìn dì ān rén de nán hái jīng guò zhèr ma?
   xiǎo zhuāng zhèn shì gè hǎo shòu huò yuán.
   tā men hěn huì yú lè.

10 wǒ zhàng fu rèn wéi......, wǒ gēn nǐ shuō huà shí nǐ hǎo hao zuò zhe....... tā rèn wéi wǒ shì zhī pèi xíng
   de.
   wǒ kàn tā men hái méi yǒu zhǎo dào má fan de suǒ zài.
   gào sù wǒ rú guǒ zhè zào yīn dǎ rǎo nǐ le.
   bié má fan zhàn qǐ lái la, ā lán, wǒ néng xíng.

17-07

动画七

01 噢，别担心爸爸，他几个小时以前就上楼睡觉了。
   等一下，小伙子！
   我们应该常去那儿吃饭，他们在盘子下面给你放钱。
   你们回来啦，我真高兴！

02 关门了，先生。
   在车库里辛苦了一天？
   带我们到最近的理发店！
   噢，你注意到了！是的，其实我减轻了些体重！

03 好大的浪啊，是吗？
   让我再看看那些计划，韩克。
   哎哟！
   哎呀！

04 他温柔、善良、诚实、体贴、助人为乐、礼貌、善解
   人意、忠诚，而且是一个彻底令人讨厌的人。
   我认为我们可以排除营养不良的结论。
   不过，至少喇叭还响。
   我知道你还能张大点。

05 我肯定没什么事，亲爱的……乡下这里有很多奇怪的
   声音。
   你当然认识到了，阿色，这是离婚的基础。
   但万一那不是某种广告花招呢？
   我们为什么不掉下呢，老闻？

06 我真不知道，你为什么嫁给我这个毛手毛脚的笨 呢？
   我听说你发现了很管用的节食方法。
   我很渴望了解你旅行的情况。
   我能问你脑子里在想什么吗？

07 亲爱的朋友们：自从我们上次寄给你们圣诞卡以来，
   我家发生了很多新鲜事……
   是谁？
   还生气吗，宝贝？
   好吧，我们在这儿野营。

08 我所做的只是问他感觉怎么样。
   我怎么知道他们什么时候想单独在一起。
   你把球放得太早了。
   在你习惯以前，你会感到这些稍大了些。

09 尽量不要去想它。
   那么，我们同意在房子里装上空调。
   马丽告诉我你在学当牙医。
   别麻烦啦，亲爱的，我来接！

10 我说人们因为某种原因不喜欢我，竖起你的耳朵听
   着，呆子！
   是的，先生，我常说幸福婚姻的秘诀是两个人一起做
   事。
   别麻烦啦，昨天我用了最后一卷胶卷。
   今天早上，你的一只香喷喷的鸡到了我的花园里。

17-07

動畫七

01 噢，別擔心爸爸，他幾個小時以前就上樓睡覺了。
   等一下，小伙子！
   我們應該常去那兒喫飯，他們在盤子下面給你放錢。
   你們回來啦，我真高興！

02 關門了，先生。
   在車庫裡辛苦了一天？
   帶我們到最近的理髮店！
   噢，你注意到了！是的，其實我減輕了些體重！

03 好大的浪啊，是嗎？
   讓我再看看那些計劃，韓克。
   哎喲！
   哎呀！

04 他溫柔、善良、誠實、體貼、助人為樂、禮貌、善解
   人意、忠誠，而且是一個徹底令人討厭的人。
   我認為我們可以排除營養不良的結論。
   不過，至少喇叭還響。
   我知道你還能張大點。

05 我肯定沒什麼事，親愛的……鄉下這裡有很多奇怪的
   聲音。
   你當然認識到了，阿色，這是離婚的基礎。
   但萬一那不是某種廣告花招呢？
   我們為什麼不掉下呢，老聞？

06 我真不知道，你為什麼嫁給我這個毛手毛腳的笨 呢？
   我聽説你發現了很管用的節食方法。
   我很渴望了解你旅行的情況。
   我能問你腦子裡在想什麼嗎？

07 親愛的朋友們：自從我們上次寄給你們聖誕卡以來，
   我家發生了很多新鮮事……
   是誰？
   還生氣嗎，寶貝？
   好吧，我們在這兒野營。

08 我所做的祇是問他感覺怎麼樣。
   我怎麼知道他們什麼時候想單獨在一起。
   你把球放得太早了。
   在你習慣以前，你會感到這些稍大了些。

09 盡量不要去想它。
   那麼，我們同意在房子裡裝上空調。
   馬麗告訴我你在學當牙醫。
   別麻煩啦，親愛的，我來接！

10 我說人們因為某種原因不喜歡我，豎起你的耳朵聽
   着，獃子！
   是的，先生，我常說幸福婚姻的秘訣是兩個人一起做
   事。
   別麻煩啦，昨天我用了最後一卷膠卷。
   今天早上，你的一隻香噴噴的雞到了我的花園裡。

17-07

dòng huà qī

01 ō, bié dān xīn bà ba, tā jǐ gè xiǎo shí yǐ qián jiù shàng lóu shuì jiào le.
   děng yī xià, xiǎo huǒ zi!
   wǒ men yīng gāi cháng qù nàr chī fàn, tā men zài pán zi xià miàn gěi nǐ fàng qián.
   nǐ men huí lái la, wǒ zhēn gāo xìng!

02 guān mén le, xiān sheng.
   zài chē kù lǐ xīn kǔ le yī tiān?
   dài wǒ men dào zuì jìn de lǐ fà diàn!
   ō, nǐ zhù yì dào le! shì de, qí shí wǒ jiǎn qīng le xiē tǐ zhòng!

03 hǎo dà de làng a, shì ma?
   ràng wǒ zài kàn kàn nà xiē jì huà, hàn kè.
   āi yo!
   āi ya!

04 tā wēn róu, shàn liáng, chéng shí, tǐ tiē, zhù rén wéi lè, lǐ mào, shàn jiě rén yì, zhōng chéng, ér qiě shì yī
      gè chè dǐ lìng rén tǎo yàn de rén.
   wǒ rèn wéi wǒ men kě yǐ pái chú yíng yǎng bù liáng de jié lùn.
   bù guò, zhì shǎo lǎ ba hái xiǎng.
   wǒ zhī dào nǐ hái néng zhāng dà diǎn.

05 wǒ kěn dìng méi shén me shì, qīn ài de...... xiāng xià zhè lǐ yǒu hěn duō qí guài de shēng yīn.
   nǐ dāng rán rèn shí dào le, ā sè, zhè shì lí hūn de jī chǔ.
   dàn wàn yī nà bù shì mǒu zhǒng guǎng gào huā zhāo ne?
   wǒ men wèi shén me bù diào xià ne, lǎo wén?

06 wǒ zhēn bù zhī dào, nǐ wèi shén me jià gěi wǒ zhè gè máo shǒu máo jiǎo de bèn dàn ne?
   wǒ tīng shuō nǐ fā xiàn le hěn guǎn yòng de jié shí fāng fǎ.
   wǒ hěn kě wàng liáo jiě nǐ lǚ xíng de qíng kuàng.
   wǒ néng wèn nǐ nǎo zi lǐ zài xiǎng shén me ma?

07 qīn ài de péng yǒu men: zì cóng wǒ men shàng cì jì gěi nǐ men shèng dān kǎ yǐ lái, wǒ jiā fā shēng le
      hěn duō xīn xiān shì......
   shì shuí?
   hái shēng qì ma, bǎo bèi?
   hǎo ba, wǒ men zài zhèr yě yíng.

08 wǒ suǒ zuò de zhǐ shì wèn tā gǎn jué zěn me yàng.
   wǒ zěn me zhī dào tā men shén me shí hou xiǎng dān dú zài yī qǐ.
   nǐ bǎ qiú fàng de tài zǎo le.
   zài nǐ xí guàn yǐ qián, nǐ huì gǎn dào zhè xiē shāo dà le xiē.

09 jìn liàng bù yào qù xiǎng tā.
   nà me, wǒ men tóng yì zài fáng zi lǐ zhuāng shàng kōng tiáo.
   mǎ lì gào sù wǒ nǐ zài xué dāng yá yī.
   bié má fan la, qīn ài de, wǒ lái jiē!

10 wǒ shuō rén men yīn wéi mǒu zhǒng yuán yīn bù xǐ huān wǒ, shù qǐ nǐ de ěr duo tīng zhe, dāi zi!
   shì de, xiān sheng, wǒ cháng shuō xìng fú hūn yīn de mì jué shì liǎng gè rén yī qǐ zuò shì.
   bié má fan la, zuó tiān wǒ yòng le zuì hòu yī juǎn jiāo juǎn.
   jīn tiān zǎo shàng, nǐ de yī zhī xiāng pēn pēn de jī dào le wǒ de huā yuán lǐ.

17-08

动画八

01 可是我以为它们是草食动物。
上一次你去野营是什么时候，阿本？
我打电话告诉你老板你今天不去了，他说，"那好啊！"
看见老王钓鱼带回来的东西了吗？

02 太好了！明天我们开始练你的腿。
如果他提起奶牛的事，尽量改变话题。
你是条调皮的蟒蛇！
睡个好觉，亲爱的，有些事明天早晨我再对你说。

03 这是我的爱好！
出什么事了，长官？
你们错过吃点心啦。
任何人都会犯错误！

04 是用这车的最大马力的时候了！
你不会相信，这个剧目第一次上演后，评论界认为它糟糕透了。
它是条警犬。
任何一个傻瓜都知道这个方案不行，小史，你告 他！

05 我没有担心，你总有办法的。
你不想让鱼上钩！
可是这里一定有错误，我没有那么多钱。
你攒够了钱后，再来见我。

06 噢，别抱怨啦！每个男人都应该有一种爱好。
这次尽量把它抱紧些。
请试着这样休息一会儿。
我怀疑有人会居住在这个行星上。

07 我不知道你是否有时间？
我绕着马路开了三圈，然后过了桥，穿过了市区，再把它放在垃圾堆旁，我们再也不会看见这只野猫了。
今天我不会进去，来福。
好吧，阿生，这次又有什么借口？

08 别理他。
你们俩错过了里面的开心场面！
天哪！他们见到你们会很吃惊的！
赶快好起来，傅林，你的假期从明天开始。

09 现在把灯关上，大声喊，说要喝水！
谢谢，阿德，请再把盐递过来。
再干点活，对，不过最好先有把握。
凯文病了，今天不能去学校了，这是我爸。

10 我十五年没上独木舟了。
有其它症状吗？
是你们来接待我呢，还是让我把孩子们放开？
对阿罗来说，早上是一天中最糟糕的时候。

17-08

動畫八

01 可是我以為牠們是草食動物。
上一次你去野營是什麼時候，阿本？
我打電話告訴你老闆你今天不去了，他說，"那好啊！"
看見老王釣魚帶回來的東西了嗎？

02 太好了！明天我們開始練你的腿。
如果他提起奶牛的事，盡量改變話題。
你是條調皮的蟒蛇！
睡個好覺，親愛的，有些事明天早晨我再對你說。

03 這是我的愛好！
出什麼事了，長官？
你們錯過喫點心啦。
任何人都會犯錯誤！

04 是用這車的最大馬力的時候了！
你不會相信，這個劇目第一次上演後，評論界認為它糟糕透了。
牠是條警犬。
任何一個傻瓜都知道這個方案不行，小史，你告 他！

05 我沒有擔心，你總有辦法的。
你不想讓魚上鉤！
可是這裡一定有錯誤，我沒有那麼多錢。
你攢夠了錢後，再來見我。

06 噢，別抱怨啦！每個男人都應該有一種愛好。
這次盡量把牠抱緊些。
請試著這樣休息一會兒。
我懷疑有人會居住在這個行星上。

07 我不知道你是否有時間？
我繞着馬路開了三圈，然後過了橋，穿過了市區，再把牠放在垃圾堆旁，我們再也不會看見這隻野貓了。
今天我不會進去，來福。
好吧，阿生，這次又有什麼借口？

08 別理他。
你們倆錯過了裡面的開心場面！
天哪！他們見到你們會很喫驚的！
趕快好起來，傅林，你的假期從明天開始。

09 現在把燈關上，大聲喊，說要喝水！
謝謝，阿德，請再把鹽遞過來。
再幹點活，對，不過最好先有把握。
凱文病了，今天不能去學校了，這是我爸。

10 我十五年沒上獨木舟了。
有其它癥狀嗎？
是你們來接待我呢，還是讓我把孩子們放開？
對阿羅來說，早上是一天中最糟糕的時候。

17-08

dòng huà bā

01 kě shì wǒ yǐ wéi tā men shì cǎo shí dòng wù.
   shàng yī cì nǐ qù yě yíng shì shén me shí hou, ā běn?
   wǒ dǎ diàn huà gào sù nǐ lǎo bǎn nǐ jīn tiān bù qù le, tā shuō, "nà hǎo a!"
   kàn jiàn lǎo wáng diào yú dài huí lái de dōng xi le ma?

02 tài hǎo le! míng tiān wǒ men kāi shǐ liàn nǐ de tuǐ.
   rú guǒ tā tí qǐ nǎi niú de shì, jìn liàng gǎi biàn huà tí.
   nǐ shì tiáo tiáo pí de mǎng shé!
   shuì gè hǎo jiào, qīn ài de, yǒu xiē shì míng tiān zǎo chén wǒ zài duì nǐ shuō.

03 zhè shì wǒ de ài hào!
   chū shén me shì le, zhǎng guān?
   nǐ men cuò guò chī diǎn xīn la.
   rèn hé rén dōu huì fàn cuò wù!

04 shì yòng zhè chē de zuì dà mǎ lì de shí hou le!
   nǐ bù huì xiāng xìn, zhè gè jù mù dì yī cì shàng yǎn hòu, píng lùn jiè rèn wéi tā zāo gāo tòu le.
   tā shì tiáo jǐng quǎn.
   rèn hé yī gè shǎ guā dōu zhī dào zhè gè fāng àn bù xíng, xiǎo shǐ, nǐ gào sù tā!

05 wǒ méi yǒu dān xīn, nǐ zǒng yǒu bàn fǎ de.
   nǐ bù xiǎng ràng yú shàng gōu!
   kě shì zhè lǐ yī dìng yǒu cuò wù, wǒ méi yǒu nà me duō qián.
   nǐ zǎn gòu le qián hòu, zài lái jiàn wǒ.

06 ō, bié bào yuàn la! měi gè nán rén dōu yīng gāi yǒu yī zhǒng ài hào.
   zhè cì jìn liàng bǎ tā bào jǐn xiē.
   qǐng shì zhe zhè yàng xiū xi yī huì ér.
   wǒ huái yí yǒu rén huì jū zhù zài zhè gè xíng xīng shàng.

07 wǒ bù zhī dào nǐ shì fǒu yǒu shí jiān?
   wǒ rào zhe mǎ lù kāi le sān juān, rán hòu guò le qiáo, chuān guò le shì qū, zài bǎ tā fàng zài lā jī duī
      páng, wǒ men zài yě bù huì kàn jiàn zhè zhī yě māo le.
   jīn tiān wǒ bù huì jìn qù, lái fú.
   hǎo ba, ā shēng, zhè cì yòu yǒu shén me jiè kǒu?

08 bié lǐ tā.
   nǐ men liǎ cuò guò le lǐ miàn de kāi xīn chǎng miàn!
   tiān na! tā men jiàn dào nǐ men huì hěn chī jīng de!
   gǎn kuài hǎo qǐ lái, fù lín, nǐ de jià qī cóng míng tiān kāi shǐ.

09 xiàn zài bǎ dēng guān shàng, dà shēng hǎn, shuō yào hē shuǐ!
   xiè xiè, ā dé, qǐng zài bǎ yán dì guò lái.
   zài gàn diǎn huó, duì, bù guò zuì hǎo xiān yǒu bǎ wò.
   kǎi wén bìng le, jīn tiān bù néng qù xué xiào le, zhè shì wǒ bà.

10 wǒ shí wǔ nián méi shàng dú mù zhōu le.
   yǒu qí tā zhèng zhuàng ma?
   shì nǐ men lái jiē dài wǒ ne, hái shì ràng wǒ bǎ hái zi men fàng kāi?
   duì ā luó lái shuō, zǎo shàng shì yī tiān zhōng zuì zāo gāo de shí hou.

动画九

01 你等多久了？
我们一直到九月份才回学校！
再看一眼那个地址。
我在这儿吃块蛋糕。

02 不，你不能借我的刀！
别长啦！
你肯定 "不" 是你最后的回答吗？
你坐错火车啦。

03 我肯定我的票放在什么地方。
亲爱的，早饭好了吗？
如果它撞了船，那我们就完啦。
你们不再因为我照看孩子们而欠我的了，我从他们那儿赢了二十美元。

04 你怎么理解 "同类相食"？
我猜我应该把它多煮一会儿。
别超过二十个字，你家里怎么样？
噢，我忘了告诉你，今天我碰到张生啦，英英病啦，他们取消了聚会。

05 我来啦！我来啦！
把那个大铁家伙递给我。
好吧，不管这叫什么，我也要来一点！
不要被那些法律术语迷惑，简单地说，就是你蹲二十年监狱。

06 你需要理发啦。
观众里会有人愿意把手表借给我吗？
我把船划到好一点的位置，你拿着这个。
晚餐他们会上……

07 天哪！我走的时候忘关电视机了吗？开了一整天了吧？
你先告诉我他干了什么，我再告诉你他是不是我的孩子。
干得好，小史，可是着火的是隔壁那家。
要出租车吗，先生？

08 噢，太好啦！你找到它啦！
现在很好用啦！
击球？你的意思是像那样吗？
假期怎么样？

09 我说了，我的喇叭老响，问题看来就在那儿！
爸，我能借用一下车吗？
来福，你太卖力啦。
我不明白，你有四个孩子，可你的房子怎么保持得这么干净。

17-09

動畫九

01 你等多久了？
我們一直到九月份才回學校！
再看一眼那個地址。
我在這兒喫塊蛋糕。

02 不，你不能借我的刀！
別長啦！
你肯定 "不" 是你最後的回答嗎？
你坐錯火車啦。

03 我肯定我的票放在什麼地方。
親愛的，早飯好了嗎？
如果牠撞了船，那我們就完啦。
你們不再因為我照看孩子們而欠我的了，我從他們那兒贏了二十美元。

04 你怎麼理解 "同類相食"？
我猜我應該把牠多煮一會兒。
別超過二十個字，你家裡怎麼樣？
噢，我忘了告訴你，今天我碰到張生啦，英英病啦，他們取消了聚會。

05 我來啦！我來啦！
把那個大鐵家伙遞給我。
好吧，不管這叫什麼，我也要來一點！
不要被那些法律術語迷惑，簡單地說，就是你蹲二十年監獄。

06 你需要理髮啦。
觀眾裡會有人願意把手錶借給我嗎？
我把船划到好一點的位置，你拿着這個。
晚餐他們會上……

07 天哪！我走的時候忘關電視機了嗎？開了一整天了吧？
你先告訴我他幹了什麼，我再告訴你他是不是我的孩子。
幹得好，小史，可是着火的是隔壁那家。
要出租車嗎，先生？

08 噢，太好啦！你找到它啦！
現在很好用啦！
擊球？你的意思是像那樣嗎？
假期怎麼樣？

09 我説了，我的喇叭老響，問題看來就在那兒！
爸，我能借用一下車嗎？
來福，你太賣力啦。
我不明白，你有四個孩子，可你的房子怎麼保持得這麼乾淨。

（继续）

17-09

dòng huà jiǔ

01 nǐ děng duō jiǔ le?
wǒ men yī zhí dào jiǔ yuè fèn cái huí xué xiào!
zài kàn yī yǎn nà gè dì zhǐ.
wǒ zài zhèr chī kuài dàn gāo.

02 bù, nǐ bù néng jiè wǒ de dāo!
bié zhǎng la!
nǐ kěn dìng "bù "shì nǐ zuì hòu de huí dá ma?
nǐ zuò cuò huǒ chē la.

03 wǒ kěn dìng wǒ de piào fàng zài shén me dì fāng.
qīn ài de, zǎo fàn hǎo le ma?
rú guǒ tā zhuàng le chuán, nà wǒ men jiù wán la.
nǐ men bù zài yīn wéi wǒ zhào kàn hái zi men ér qiàn wǒ le, wǒ cóng tā men nàr yíng le èr shí měi yuán.

04 nǐ zěn me lǐ jiě "tóng lèi xiāng shí"?
wǒ cāi wǒ yīng gāi bǎ tā duō zhǔ yī huì ér.
bié chāo guò èr shí gè zì, nǐ jiā lǐ zěn me yàng?
ō, wǒ wàng le gào sù nǐ, jīn tiān wǒ pèng dào zhāng shēng la, yīng yīng bìng la, tā men qǔ xiāo le jù huì.

05 wǒ lái la! wǒ lái la!
bǎ nà gè dà tiě jiā huo dì gěi wǒ.
hǎo ba, bù guǎn zhè jiào shén me, wǒ yě yào lái yī diǎn!
bù yào bèi nà xiē fǎ lǜ shù yǔ mí huò, jiǎn dān de shuō, jiù shì nǐ dūn èr shí nián jiān yù.

06 nǐ xū yào lǐ fà la.
guān zhòng lǐ huì yǒu rén yuàn yì bǎ shǒu biǎo jiè gěi wǒ ma?
wǒ bǎ chuán huá dào hǎo yī diǎn de wèi zhì, nǐ ná zhe zhè gè.
wǎn cān tā men huì shàng......

07 tiān na! wǒ zǒu de shí hou wàng guān diàn shì jī le ma? kāi le yī zhěng tiān le ba?
nǐ xiān gào sù wǒ tā gàn le shén me, wǒ zài gào sù nǐ tā shì bù shì wǒ de hái zi.
gàn de hǎo, xiǎo shǐ, kě shì zháo huǒ de shì gé bì nà jiā.
yào chū zū chē ma, xiān sheng?

08 ō, tài hǎo la! nǐ zhǎo dào tā la!
xiàn zài hěn hǎo yòng la!
jī qiú? nǐ de yì si shì xiàng nà yàng ma?
jià qī zěn me yàng?

09 wǒ shuō le, wǒ de lǎ ba lǎo xiǎng, wèn tí kàn lái jiù zài nàr!
bà, wǒ néng jiè yòng yī xià chē ma?
lái fú, nǐ tài mài lì la.
wǒ bù míng bai, nǐ yǒu sì gè hái zi, kě nǐ de fáng zi zěn me bǎo chí de zhè me gān jìng.

(jì xù)

10 小猫怎么叫？对！小狗怎么叫？爸爸的乖儿子又说对
    啦！鸟怎么叫？
    再告诉我一遍我们攒了多少钱。
    他是个优秀的水暖工，但我不太在乎他的助手。
    孩子们会喜欢我们最新的玩具。

10 小貓怎麼叫？對！小狗怎麼叫？爸爸的乖兒子又說對
    啦！鳥怎麼叫？
    再告訴我一遍我們攢了多少錢。
    他是個優秀的水暖工，但我不太在乎他的助手。
    孩子們會喜歡我們最新的玩具。

17-09

10 xiǎo māo zěn me jiào? duì! xiǎo gǒu zěn me jiào? bà ba de guāi ér zi yòu shuō duì la! niǎo zěn me jiào?
zài gào sù wǒ yī biàn wǒ men zǎn le duō shǎo qián.
tā shì gè yōu xiù de shuǐ nuǎn gōng, dàn wǒ bù tài zài hu tā de zhù shǒu.
hái zi men huì xǐ huān wǒ men zuì xīn de wán jù.

动画十

01 让它知道你不怕它。
一点也不疼，你刚才给我的玩具熊打了针。
给他点鼻药水，为什么？
不管你在做什么，对着干。

02 噢，她很好，谢谢！管理员，我打电话是为了别的！
来，潘先生，你该吃药啦。
妈妈，我能把它留在家里吗？
伪造的诱惑在于一支二十九分的圆珠笔能让你做成生意。

03 我会干得很晚，亲爱的，这儿有些变化。
注意到你穿条纹西装显高吗？
顺便提一下，我对房东说了要一套大一点的公寓。
是你老板寄来的康复卡，听上去像命令。

04 星期一早上他总需要很久才能出门。
你不能因为晚会结束了就走！你就住在这儿！
你不觉得你妈把他宠坏了吗？
祝贺您，先生！您是我第一位顾客。

05 佳勤是个好职工，他四十一年来没有一天缺勤。
不再看恐怖电影了，那是最后一部。
没有，你不在时我没有和任何男人约会。
那是让你看看刹车的作用！现在我们开它出去测速。

06 坦率地说，美蓉，过去我们有老鼠的时候，我更高兴点。
是的，她在等你，不过，反正她在家。
我们扯平啦！这是我第一次给人打针。
我在想把这变成我最后一次旅行。

07 他只是个毛手毛脚、本性善良的乡村小伙子。马棚后面是一个油田。
他并不重，爸爸，你站在他的滑雪板上啦。
他四十六岁，但他的精力与年龄比他大一倍的人一样。
求求你啦，小宝！大家都在看你！

08 我们订一个协议，你别把你一天的事告诉我，我也不告诉你我的。
莫太太，我们停一下，把这事想清楚。
它为什么不能像其它狗一样躲在床底下呢？
别担心，是个烂苹果！

09 阿福，你把我们难住了，不过，以后尸体解剖时我们会发现哪儿出了毛病！
凡克，你打保龄球多久了？
九乘以六等于七十二！妈妈在算账时，你别打扰，行吗？
其实，我想象中的人更年轻。

17-10

動畫十

01 讓牠知道你不怕牠。
一點也不疼，你剛纔給我的玩具熊打了針。
給他點鼻藥水，為什麼？
不管你在做什麼，對着幹。

02 噢，她很好，謝謝！管理員，我打電話是為了別的！
來，潘先生，你該喫藥啦。
媽媽，我能把牠留在家裡嗎？
偽造的誘惑在於一支二十九分的圓珠筆能讓你做成生意。

03 我會幹得很晚，親愛的，這兒有些變化。
注意到你穿條紋西裝顯高嗎？
順便提一下，我對房東說了要一套大一點的公寓。
是你老闆寄來的康復卡，聽上去像命令。

04 星期一早上他總需要很久才能出門。
你不能因為晚會結束了就走！你就住在這兒！
你不覺得你媽把他寵壞了嗎？
祝賀您，先生！您是我第一位顧客。

05 佳勤是個好職工，他四十一年來沒有一天缺勤。
不再看恐怖電影了，那是最後一部。
沒有，你不在時我沒有和任何男人約會。
那是讓你看看剎車的作用！現在我們開它出去測速。

06 坦率地說，美蓉，過去我們有老鼠的時候，我更高興點。
是的，她在等你，不過，反正她在家。
我們扯平啦！這是我第一次給人打針。
我在想把這變成我最後一次旅行。

07 他衹是個毛手毛腳、本性善良的鄉村小伙子。馬棚後面是一個油田。
他並不重，爸爸，你站在他的滑雪板上啦。
他四十六歲，但他的精力與年齡比他大一倍的人一樣。
求求你啦，小寶！大家都在看你！

08 我們訂一個協議，你別把你一天的事告訴我，我也不告訴你我的。
莫太太，我們停一下，把這事想清楚。
牠為什麼不能像其牠狗一樣躲在床底下呢？
別擔心，是個爛蘋果！

09 阿福，你把我們難住了，不過，以後屍體解剖時我們會發現哪兒出了毛病！
凡克，你打保齡球多久了？
九乘以六等於七十二！媽媽在算賬時，你別打擾，行嗎？
其實，我想象中的人更年輕。

（继续）

17-10

dòng huà shí

01 ràng tā zhī dào nǐ bù pà tā.
yī diǎn yě bù téng, nǐ gāng cái gěi wǒ de wán jù xióng dǎ le zhēn.
gěi tā diǎn bí yào shuǐ. wèi shén me?
bù guǎn nǐ zài zuò shén me, duì zhe gàn.

02 ō, tā hěn hǎo, xiè xiè! guǎn lǐ yuán, wǒ dǎ diàn huà shì wèi le bié de!
lái, pān xiān sheng, nǐ gāi chī yào la.
mā ma, wǒ néng bǎ tā liú zài jiā lǐ ma?
wěi zào de yòu huò zài yú yī zhī èr shí jiǔ fēn de yuán zhū bǐ néng ràng nǐ zuò chéng shēng yì.

03 wǒ huì gàn de hěn wǎn, qīn ài de, zhèr yǒu xiē biàn huà.
zhù yì dào nǐ chuān tiáo wén xī zhuāng xiǎn gāo ma?
shùn biàn tí yī xià, wǒ duì fáng dōng shuō le yào yī tào dà yī diǎn de gōng yù.
shì nǐ lǎo bǎn jì lái de kāng fù kǎ, tīng shàng qù xiàng mìng lìng.

04 xīng qī yī zǎo shàng tā zǒng xū yào hěn jiǔ cái néng chū mén.
nǐ bù néng yīn wéi wǎn huì jié shù le jiù zǒu! nǐ jiù zhù zài zhèr!
nǐ bù jué de nǐ mā bǎ tā chǒng huài le ma?
zhù hè nín, xiān sheng! nín shì wǒ dì yī wèi gù kè.

05 jiā qín shì gè hǎo zhí gōng, tā sì shí yī nián lái méi yǒu yī tiān quē qín.
bù zài kàn kǒng bù diàn yǐng le, nà shì zuì hòu yī bù.
méi yǒu, nǐ bù zài shí wǒ méi yǒu hé rèn hé nán rén yuē huì.
nà shì ràng nǐ kàn kàn chā chē de zuò yòng! xiàn zài wǒ men kāi tā chū qù cè sù.

06 tǎn shuài de shuō, měi róng, guò qù wǒ men yǒu lǎo shǔ de shí hou, wǒ gèng gāo xìng diǎn.
shì de, tā zài děng nǐ, bù guò, fǎn zhèng tā zài jiā.
wǒ men chě píng la! zhè shì wǒ dì yī cì gěi rén dǎ zhēn.
wǒ zài xiǎng bǎ zhè biàn chéng wǒ zuì hòu yī cì lǚ xíng.

07 tā zhǐ shì gè máo shǒu máo jiǎo, běn xìng shàn liáng de xiāng cūn xiǎo huǒ zi. mǎ péng hòu miàn shì yī
   gè yóu tián.
tā bìng bù zhòng, bà ba, nǐ zhàn zài tā de huá xuě bǎn shàng la.
tā sì shí liù suì, dàn tā de jīng lì yǔ nián líng bǐ tā dà yī bèi de rén yī yàng.
qiú qiú nǐ la, xiǎo bǎo! dà jiā dōu zài kàn nǐ!

08 wǒ men dìng yī gè xié yì, nǐ bié bǎ nǐ yī tiān de shì gào sù wǒ, wǒ yě bù gào sù nǐ wǒ de.
mò tài tai, wǒ men tíng yī xià, bǎ zhè shì xiǎng qīng chǔ.
tā wèi shén me bù néng xiàng qí tā gǒu yī yàng duǒ zài chuáng dǐ xià ne?
bié dān xīn, shì gè làn píng guǒ!

09 ā fú, nǐ bǎ wǒ men nán zhù le, bù guò, yǐ hòu shī tǐ jiě pōu shí wǒ men huì fā xiàn nǎr chū le máo bìng!
fán kè, nǐ dǎ bǎo líng qiú duō jiǔ le?
jiǔ chéng yǐ liù děng yú qī shí èr! mā ma zài suàn zhàng shí, nǐ bié dǎ rǎo, xíng ma?
qí shí, wǒ xiǎng xiàng zhōng de rén gèng nián qīng.

(jì xù)

10 因为金钱带给我没有别的，只有痛苦和不幸，我又不
    希望把这些负担留给后人，所以我决定把钱带走。
    这太漂亮啦，姑妈，现在我们能否为它找个合适的地
    方。
    某个冬天，我将一直醒着看着那些树叶是怎么回到树
    上的。
    我认为你错了，那些从树上给我们扔下果子的动物要
    小些，而且还有尾巴。

10 因為金錢帶給我沒有別的，祇有痛苦和不幸，我又不
    希望把這些負擔留給後人，所以我決定把錢帶走。
    這太漂亮啦，姑媽，現在我們能否為它找個合適的地
    方。
    某個冬天，我將一直醒着看着那些樹葉是怎麼回到樹
    上的。
    我認為你錯了，那些從樹上給我們扔下果子的動物要
    小些，而且還有尾巴。

10 yīn wéi jīn qián dài gěi wǒ méi yǒu bié de, zhǐ yǒu tòng kǔ hé bù xìng, wǒ yòu bù xī wàng bǎ zhè xiē fù
dān liú gěi hòu rén, suǒ yǐ wǒ jué dìng bǎ qián dài zǒu.

zhè tài piāo liàng la, gū mā, xiàn zài wǒ men néng fǒu wèi tā zhǎo gè hé shì de dì fāng.

mǒu gè dōng tiān, wǒ jiāng yī zhí xǐng zhe kàn zhe nà xiē shù yè shì zěn me huí dào shù shàng de.

wǒ rèn wéi nǐ cuò le, nà xiē cóng shù shàng gěi wǒ men rēng xià guǒ zi de dòng wù yào xiǎo xiē, ér qiě
hái yǒu wěi ba.

18-01

学校

01 教室
    黑板
    老师
    学生

02 操场
    蹦蹦床
    秋千
    滑梯

03 橡皮
    尺
    笔记本
    课本

04 投影机
    幻灯放映机
    一支粉笔
    黑板擦

05 走廊
    柜子
    校舍
    锁

06 小号
    小提琴
    钢琴
    笛

07 篮球场
    足球场
    游泳池
    网球场

08 音乐课
    美术课
    数学课
    物理课

09 体育课
    化学实验室
    自助餐厅
    地理课

10 校车
    背包
    考试
    书桌

18-01

學校

01 教室
    黑板
    老師
    學生

02 操場
    蹦蹦床
    秋千
    滑梯

03 橡皮
    尺
    筆記本
    課本

04 投影機
    幻燈放映機
    一支粉筆
    黑板擦

05 走廊
    櫃子
    校舍
    鎖

06 小號
    小提琴
    鋼琴
    笛

07 籃球場
    足球場
    游泳池
    網球場

08 音樂課
    美術課
    數學課
    物理課

09 體育課
    化學實驗室
    自助餐廳
    地理課

10 校車
    背包
    考試
    書桌

18-01

xué xiào

01 jiào shì
   hēi bǎn
   lǎo shī
   xué shēng

02 cāo chǎng
   bèng bèng chuáng
   qiū qiān
   huá tī

03 xiàng pí
   chǐ
   bǐ jì běn
   kè běn

04 tóu yǐng jī
   huàn dēng fàng yìng jī
   yī zhī fěn bǐ
   hēi bǎn cā

05 zǒu láng
   guì zi
   xiào shè
   suǒ

06 xiǎo hào
   xiǎo tí qín
   gāng qín
   dí

07 lán qiú chǎng
   zú qiú chǎng
   yóu yǒng chí
   wǎng qiú chǎng

08 yīn yuè kè
   měi shù kè
   shù xué kè
   wù lǐ kè

09 tǐ yù kè
   huà xué shí yàn shì
   zì zhù cān tīng
   dì lǐ kè

10 xiào chē
   bēi bāo
   kǎo shì
   shū zhuō

18-02

家用电器

01 电视机
    电脑
    收音机
    录像机

02 录音带
    录放机
    激光唱盘
    激光唱机

03 微波炉
    冰箱
    炉子
    搅拌机

04 烤面包机
    吸尘器
    熨斗
    电动咖啡壶

05 唱片
    电唱机
    扩音器
    麦克风

06 手提立体声
    吹风机
    电动剃须刀
    电吉他

07 键盘
    鼠标
    屏幕
    电线

08 遥控器
    手提电话
    打印机
    天线

09 电插座
    软盘
    表
    电子表

10 卫星天线
    打字机
    耳机
    电池

18-02

家用電器

01 電視機
    電腦
    收音機
    錄像機

02 錄音帶
    錄放機
    激光唱盤
    激光唱機

03 微波爐
    冰箱
    爐子
    攪拌機

04 烤麵包機
    吸塵器
    熨斗
    電動咖啡壺

05 唱片
    電唱機
    擴音器
    麥克風

06 手提立體聲
    吹風機
    電動剃鬚刀
    電吉他

07 鍵盤
    鼠標
    屏幕
    電線

08 遙控器
    手提電話
    打印機
    天線

09 電插座
    軟盤
    錶
    電子錶

10 衛星天線
    打字機
    耳機
    電池

18-02

jiā yòng diàn qì

01 diàn shì jī
   diàn nǎo
   shōu yīn jī
   lù xiàng jī

02 lù yīn dài
   lù fàng jī
   jī guāng chàng pán
   jī guāng chàng jī

03 wēi bō lú
   bīng xiāng
   lú zi
   jiǎo bàn jī

04 kǎo miàn bāo jī
   xī chén qì
   yùn dǒu
   diàn dòng kā fēi hú

05 chàng piān
   diàn chàng jī
   kuò yīn qì
   mài kè fēng

06 shǒu tí lì tǐ shēng
   chuī fēng jī
   diàn dòng tì xū dāo
   diàn jí tā

07 jiàn pán
   shǔ biāo
   píng mù
   diàn xiàn

08 yáo kòng qì
   shǒu tí diàn huà
   dǎ yìn jī
   tiān xiàn

09 diàn chā zuò
   ruǎn pán
   biǎo
   diàn zi biǎo

10 wèi xīng tiān xiàn
   dǎ zì jī
   ěr jī
   diàn chí

18-03

家具和房间

01 地板
　　天花板
　　墙
　　门

02 窗帘
　　衣柜
　　桌子
　　书架

03 吊灯
　　壁炉
　　台灯
　　电灯开关

04 衣架
　　阳台
　　洗衣机
　　窗户

05 五斗橱
　　地毯
　　床
　　镜子

06 阁楼
　　地窖
　　车库
　　车道

07 淋浴间
　　水池
　　抽水马桶
　　浴缸

08 安乐椅
　　高凳
　　长椅
　　沙发

09 衣橱
　　楼梯
　　卧室
　　餐厅

10 客厅
　　厨房
　　卫生间
　　烟囱

18-03

家具和房間

01 地板
　　天花板
　　牆
　　門

02 窗帘
　　衣櫃
　　桌子
　　書架

03 弔燈
　　壁爐
　　臺燈
　　電燈開關

04 衣架
　　陽臺
　　洗衣機
　　窗戶

05 五斗櫥
　　地毯
　　床
　　鏡子

06 閣樓
　　地窖
　　車庫
　　車道

07 淋浴間
　　水池
　　抽水馬桶
　　浴缸

08 安樂椅
　　高凳
　　長椅
　　沙發

09 衣櫥
　　樓梯
　　臥室
　　餐廳

10 客廳
　　廚房
　　衛生間
　　煙囪

18-03

jiā jù hé fáng jiān

01 dì bǎn
    tiān huā bǎn
    qiáng
    mén

02 chuāng lián
    yī guì
    zhuō zi
    shū jià

03 diào dēng
    bì lú
    tái dēng
    diàn dēng kāi guān

04 yī jià
    yáng tái
    xǐ yī jī
    chuāng hu

05 wǔ dǒu chú
    dì tǎn
    chuáng
    jìng zi

06 gé lóu
    dì jiào
    chē kù
    chē dào

07 lín yù jiān
    shuǐ chí
    chōu shuǐ mǎ tǒng
    yù gāng

08 ān lè yǐ
    gāo dèng
    cháng yǐ
    shā fā

09 yī chú
    lóu tī
    wò shì
    cān tīng

10 kè tīng
    chú fáng
    wèi shēng jiān
    yān cōng

18-04

身体各部位

01 胳膊
　　背
　　腿
　　头发

02 心
　　肺
　　脑
　　胃

03 手腕
　　肘
　　肩膀
　　手

04 食指
　　手掌
　　手背
　　拳头

05 脖子
　　大拇指
　　脸
　　头

06 踝
　　大脚趾
　　脚
　　脚跟

07 膝盖
　　大腿
　　肚子
　　小腿肚

08 颚
　　面颊
　　下巴
　　鼻子

09 牙齿
　　嘴唇
　　舌头
　　嘴

10 前额
　　眉毛
　　耳朵
　　眼睛

18-04

身體各部位

01 胳膊
　　背
　　腿
　　頭髮

02 心
　　肺
　　腦
　　胃

03 手腕
　　肘
　　肩膀
　　手

04 食指
　　手掌
　　手背
　　拳頭

05 脖子
　　大拇指
　　臉
　　頭

06 踝
　　大腳趾
　　腳
　　腳跟

07 膝蓋
　　大腿
　　肚子
　　小腿肚

08 顎
　　面煩
　　下巴
　　鼻子

09 牙齒
　　嘴脣
　　舌頭
　　嘴

10 前額
　　眉毛
　　耳朵
　　眼睛

18-04

shēn tǐ gè bù wèi

01 gē bo
    bèi
    tuǐ
    tóu fà

02 xīn
    fèi
    nǎo
    wèi

03 shǒu wàn
    zhǒu
    jiān bǎng
    shǒu

04 shí zhǐ
    shǒu zhǎng
    shǒu bèi
    quán tou

05 bó zi
    dà mǔ zhǐ
    liǎn
    tóu

06 huái
    dà jiǎo zhǐ
    jiǎo
    jiǎo gēn

07 xī gài
    dà tuǐ
    dù zi
    xiǎo tuǐ dù

08 è
    miàn jiá
    xià ba
    bí zi

09 yá chǐ
    zuǐ chún
    shé tou
    zuǐ

10 qián é
    méi máo
    ěr duo
    yǎn jing

18-05

建筑物

01　监狱
　　银行
　　工厂
　　寺庙

02　图书馆
　　电影院
　　机场
　　面包店

03　市内公寓
　　公寓楼
　　停车场
　　马棚

04　金字塔
　　大教堂
　　城堡
　　房子

05　加油站
　　地铁
　　马戏场
　　塔

06　清真寺
　　大学
　　教堂
　　犹太教堂

07　超级商场
　　医院
　　警察局
　　药店

08　百货商店
　　帐篷
　　理发店
　　餐馆

09　桥
　　水塔
　　体育场
　　路

10　平房
　　两层楼房
　　三层楼房
　　摩天大楼

18-05

建築物

01　監獄
　　銀行
　　工廠
　　寺廟

02　圖書館
　　電影院
　　機場
　　麵包店

03　市內公寓
　　公寓樓
　　停車場
　　馬棚

04　金字塔
　　大教堂
　　城堡
　　房子

05　加油站
　　地鐵
　　馬戲場
　　塔

06　清真寺
　　大學
　　教堂
　　猶太教堂

07　超級商場
　　醫院
　　警察局
　　藥店

08　百貨商店
　　帳篷
　　理髮店
　　餐館

09　橋
　　水塔
　　體育場
　　路

10　平房
　　兩層樓房
　　三層樓房
　　摩天大樓

18-05

jiàn zhù wù

01 jiān yù
yín háng
gōng chǎng
sì miào

02 tú shū guǎn
diàn yǐng yuàn
jī chǎng
miàn bāo diàn

03 shì nèi gōng yù
gōng yù lóu
tíng chē chǎng
mǎ péng

04 jīn zì tǎ
dà jiào táng
chéng bǎo
fáng zi

05 jiā yóu zhàn
dì tiě
mǎ xì chǎng
tǎ

06 qīng zhēn sì
dà xué
jiào táng
yóu tài jiào táng

07 chāo jí shāng chǎng
yī yuàn
jǐng chá jú
yào diàn

08 bǎi huò shāng diàn
zhàng péng
lǐ fà diàn
cān guǎn

09 qiáo
shuǐ tǎ
tǐ yù chǎng
lù

10 píng fáng
liǎng céng lóu fáng
sān céng lóu fáng
mó tiān dà lóu

服装

01 女衬衫
　　裙子
　　长统袜
　　高跟鞋

02 手镯
　　项链
　　戒指
　　耳环

03 领
　　袖
　　钮扣
　　皮带

04 鞋
　　靴子
　　凉鞋
　　袜子

05 拖鞋
　　牛仔裤
　　西装
　　浴衣

06 茄克
　　大衣
　　雨衣
　　毛衣

07 衬裙
　　头纱
　　发夹
　　帽子

08 裤子
　　领带
　　旅游鞋
　　皮鞋

09 手套
　　连指手套
　　围巾
　　背带裤

10 手提包
　　汗衫
　　短裤
　　圆领长袖运动衫

18-06

服装

01 女襯衫
　　裙子
　　長統襪
　　高跟鞋

02 手鐲
　　項鏈
　　戒指
　　耳環

03 領
　　袖
　　鈕扣
　　皮帶

04 鞋
　　靴子
　　涼鞋
　　襪子

05 拖鞋
　　牛仔褲
　　西裝
　　浴衣

06 茄克
　　大衣
　　雨衣
　　毛衣

07 襯裙
　　頭紗
　　髮夾
　　帽子

08 褲子
　　領帶
　　旅遊鞋
　　皮鞋

09 手套
　　連指手套
　　圍巾
　　背帶褲

10 手提包
　　汗衫
　　短褲
　　圓領長袖運動衫

18-06

fú zhuāng

01 nǚ chèn shān
   qún zi
   cháng tǒng wà
   gāo gēn xié

02 shǒu zhuó
   xiàng liàn
   jiè zhi
   ěr huán

03 lǐng
   xiù
   niǔ kòu
   pí dài

04 xié
   xuē zi
   liáng xié
   wà zi

05 tuō xié
   niú zǎi kù
   xī zhuāng
   yù yī

06 jiā kè
   dà yī
   yǔ yī
   máo yī

07 chèn qún
   tóu shā
   fà jiā
   mào zi

08 kù zi
   lǐng dài
   lǚ yóu xié
   pí xié

09 shǒu tào
   lián zhǐ shǒu tào
   wéi jīn
   bēi dài kù

10 shǒu tí bāo
   hàn shān
   duǎn kù
   yuán lǐng cháng xiù yùn dòng shān

18-07

国家

01　印度尼西亚
　　哥伦比亚
　　委内瑞拉
　　秘鲁

02　波兰
　　瑞典
　　土耳其
　　俄国

03　美国
　　加拿大
　　墨西哥
　　巴西

04　英国
　　爱尔兰
　　比利时
　　荷兰

05　法国
　　意大利
　　德国
　　西班牙

06　印度
　　伊拉克
　　巴基斯坦
　　沙特阿拉伯

07　以色列
　　尼日利亚
　　扎伊尔
　　南非

08　南韩和北朝鲜
　　越南
　　中国
　　日本

09　阿尔及利亚
　　利比亚
　　埃及
　　澳大利亚

10　葡萄牙
　　瑞士
　　挪威
　　芬兰

18-07

國家

01　印度尼西亞
　　哥倫比亞
　　委內瑞拉
　　秘魯

02　波蘭
　　瑞典
　　土耳其
　　俄國

03　美國
　　加拿大
　　墨西哥
　　巴西

04　英國
　　愛爾蘭
　　比利時
　　荷蘭

05　法國
　　意大利
　　德國
　　西班牙

06　印度
　　伊拉克
　　巴基斯坦
　　沙特阿拉伯

07　以色列
　　尼日利亞
　　扎伊爾
　　南非

08　南韓和北朝鮮
　　越南
　　中國
　　日本

09　阿爾及利亞
　　利比亞
　　埃及
　　澳大利亞

10　葡萄牙
　　瑞士
　　挪威
　　芬蘭

18-07

guó jiā

01 yìn dù ní xī yà
gē lún bǐ yà
wěi nèi ruì lā
bì lǔ

02 bō lán
ruì diǎn
tǔ ěr qí
é guó

03 měi guó
jiā ná dà
mò xī gē
bā xī

04 yīng guó
ài ěr lán
bǐ lì shí
hé lán

05 fǎ guó
yì dà lì
dé guó
xī bān yá

06 yìn dù
yī lā kè
bā jī sī tǎn
shā tè ā lā bó

07 yǐ sè liè
ní rì lì yà
zā yī ěr
nán fēi

08 nán hán hé běi cháo xiǎn
yuè nán
zhōng guó
rì běn

09 ā ěr jí lì yà
lì bǐ yà
āi jí
ào dà lì yà

10 pú táo yá
ruì shì
nuó wēi
fēn lán

18-08

动物

01	昆虫 哺乳动物 鸟 爬行动物
02	蜘蛛 熊猫 猫头鹰 鱼
03	长颈鹿 鹦鹉 犀牛 松鼠
04	狼 鹿 奶牛 马
05	蜥蜴 鸭 天鹅 鸡
06	龙 独角兽 小精灵 美人鱼
07	人 熊 大猩猩 猴
08	狮子 羊 火鸡 鲸鱼
09	公鸡 青蛙 狗 猫
10	蝴蝶 鳄鱼 蛇 猪

18-08

動物

01	昆蟲 哺乳動物 鳥 爬行動物
02	蜘蛛 熊貓 貓頭鷹 魚
03	長頸鹿 鸚鵡 犀牛 松鼠
04	狼 鹿 奶牛 馬
05	蜥蜴 鴨 天鵝 雞
06	龍 獨角獸 小精靈 美人魚
07	人 熊 大猩猩 猴
08	獅子 羊 火雞 鯨魚
09	公雞 青蛙 狗 貓
10	蝴蝶 鱷魚 蛇 豬

18-08

dòng wù

01 kūn chóng
   bǔ rǔ dòng wù
   niǎo
   pá xíng dòng wù

02 zhī zhū
   xióng māo
   māo tóu yīng
   yú

03 cháng jǐng lù
   yīng wǔ
   xī niú
   sōng shǔ

04 láng
   lù
   nǎi niú
   mǎ

05 xī yì
   yā
   tiān é
   jī

06 lóng
   dú jiǎo shòu
   xiǎo jīng líng
   měi rén yú

07 rén
   xióng
   dà xīng xīng
   hóu

08 shī zi
   yáng
   huǒ jī
   jīng yú

09 gōng jī
   qīng wā
   gǒu
   māo

10 hú dié
   è yú
   shé
   zhū

植物

01　花
　　树
　　灌木
　　杂草

02　球茎
　　种子
　　根
　　树干

03　树枝
　　叶
　　刺
　　蒲公英

04　松树
　　苹果树
　　橡树
　　竹

05　菊花
　　蝴蝶花
　　仙人掌
　　牧场

06　苔藓
　　蘑菇
　　地衣
　　蕨

07　郁金香
　　草
　　水莲
　　玫瑰

08　树皮
　　长青藤
　　冬青
　　树桩

09　松果
　　盆景
　　橡树果
　　三叶草

10　万年青
　　森林
　　坚果
　　莓

18-09

植物

01　花
　　樹
　　灌木
　　雜草

02　球莖
　　種子
　　根
　　樹幹

03　樹枝
　　葉
　　刺
　　蒲公英

04　松樹
　　蘋果樹
　　橡樹
　　竹

05　菊花
　　蝴蝶花
　　仙人掌
　　牧場

06　苔蘚
　　蘑菇
　　地衣
　　蕨

07　鬱金香
　　草
　　水蓮
　　玫瑰

08　樹皮
　　長青藤
　　冬青
　　樹椿

09　松果
　　盆景
　　橡樹果
　　三葉草

10　萬年青
　　森林
　　堅果
　　莓

18-09

zhí wù

01 huā
   shù
   guàn mù
   zá cǎo

02 qiú jīng
   zhǒng zi
   gēn
   shù gàn

03 shù zhī
   yè
   cì
   pú gōng yīng

04 sōng shù
   píng guǒ shù
   xiàng shù
   zhú

05 jú huā
   hú dié huā
   xiān rén zhǎng
   mù chǎng

06 tái xiǎn
   mó gu
   dì yī
   jué

07 yù jīn xiāng
   cǎo
   shuǐ lián
   méi gui

08 shù pí
   cháng qīng téng
   dōng qīng
   shù zhuāng

09 sōng guǒ
   pén jǐng
   xiàng shù guǒ
   sān yè cǎo

10 wàn nián qīng
   sēn lín
   jiān guǒ
   méi

18-10

食物和饮料

01 水果
蔬菜
肉
牛奶

02 咖啡
茶
糖
奶油

03 果酱
面包
黄油
鸡蛋

04 甜饼
烤面包片
意大利面条
比萨饼

05 蛋糕
馅饼
烤土豆
汤

06 饮料
饼干
奶酪
果仁

07 熏肉
火腿
牛排
鸡

08 沙拉
沙拉酱
谷类食物
橙汁

09 盐
胡椒粉
番茄酱
芥茉酱

10 热狗
汉堡包
土豆条
土豆片

18-10

食物和飲料

01 水果
蔬菜
肉
牛奶

02 咖啡
茶
糖
奶油

03 果醬
麵包
黃油
雞蛋

04 甜餅
烤麵包片
意大利麵條
比薩餅

05 蛋糕
餡餅
烤土豆
湯

06 飲料
餅乾
奶酪
果仁

07 熏肉
火腿
牛排
雞

08 沙拉
沙拉醬
谷類食物
橙汁

09 鹽
胡椒粉
番茄醬
芥茉醬

10 熱狗
漢堡包
土豆條
土豆片

18-10

shí wù hé yǐn liào

01 shuǐ guǒ
   shū cài
   ròu
   niú nǎi

02 kā fēi
   chá
   táng
   nǎi yóu

03 guǒ jiàng
   miàn bāo
   huáng yóu
   jī dàn

04 tián bǐng
   kǎo miàn bāo piàn
   yì dà lì miàn tiáo
   bǐ sà bǐng

05 dàn gāo
   xiàn bǐng
   kǎo tǔ dòu
   tāng

06 yǐn liào
   bǐng gān
   nǎi lào
   guǒ rén

07 xūn ròu
   huǒ tuǐ
   niú pái
   jī

08 shā lā
   shā lā jiàng
   gǔ lèi shí wù
   chéng zhī

09 yán
   hú jiāo fěn
   fān qié jiàng
   jiè mò jiàng

10 rè gǒu
   hàn bǎo bāo
   tǔ dòu tiáo
   tǔ dòu piàn

19-01

汽车配件

01 汽车行李箱
前车盖
车顶
挡风玻璃

02 档
刹车
油门
离合器

03 方向盘
速度表
里程表
油量显示表

04 温度计
轮胎
发动机
电池

05 安全带
轮盖
油盖
车牌

06 保险杠
雨刷
车轮
收音机

07 前排座位
后排座位
婴儿座位
备用轮胎

08 消音器
后视镜
小柜子
散热器

09 烟灰盒
点烟器
手闸
天线

10 音箱
前灯
尾灯
火花塞

19-01

汽車配件

01 汽車行李箱
前車蓋
車頂
擋風玻璃

02 檔
刹車
油門
離合器

03 方向盤
速度表
里程表
油量顯示表

04 溫度計
輪胎
發動機
電池

05 安全帶
輪蓋
油蓋
車牌

06 保險槓
雨刷
車輪
收音機

07 前排座位
後排座位
嬰兒座位
備用輪胎

08 消音器
後視鏡
小櫃子
散熱器

09 煙灰盒
點煙器
手閘
天線

10 音箱
前燈
尾燈
火花塞

19-01

qì chē pèi jiàn

01 qì chē xíng li xiāng
   qián chē gài
   chē dǐng
   dǎng fēng bō li

02 dàng
   shā chē
   yóu mén
   lí hé qì

03 fāng xiàng pán
   sù dù biǎo
   lǐ chéng biǎo
   yóu liàng xiǎn shì biǎo

04 wēn dù jì
   lún tāi
   fā dòng jī
   diàn chí

05 ān quán dài
   lún gài
   yóu gài
   chē pái

06 bǎo xiǎn gàng
   yǔ shuā
   chē lún
   shōu yīn jī

07 qián pái zuò wèi
   hòu pái zuò wèi
   yīng ér zuò wèi
   bèi yòng lún tāi

08 xiāo yīn qì
   hòu shì jìng
   xiǎo guì zi
   sàn rè qì

09 yān huī hé
   diǎn yān qì
   shǒu zhá
   tiān xiàn

10 yīn xiāng
   qián dēng
   wěi dēng
   huǒ huā sāi

地理

01	印度洋 大西洋 北冰洋 太平洋
02	地中海 中国南海 日本海 亚得利亚海
03	密西西比河 尼罗河 亚马逊河 苏伊士运河
04	北美洲 南美洲 欧洲 亚洲
05	大洋洲 南极洲 非洲 北极圈
06	北极 南极 赤道 世界
07	安第斯山脉 阿尔卑斯山脉 喜马拉雅山脉 落基山脉
08	河 小溪 湖 海洋
09	火山 沙漠 山 山谷
10	岛 半岛 陆地 海湾

19-02

地理

01 印度洋
大西洋
北冰洋
太平洋

02 地中海
中國南海
日本海
亞得利亞海

03 密西西比河
尼羅河
亞馬遜河
蘇伊士運河

04 北美洲
南美洲
歐洲
亞洲

05 大洋洲
南極洲
非洲
北極圈

06 北極
南極
赤道
世界

07 安第斯山脈
阿爾卑斯山脈
喜馬拉雅山脈
落基山脈

08 河
小谿
湖
海洋

09 火山
沙漠
山
山谷

10 島
半島
陸地
海灣

19-02

dì lǐ

01 yìn dù yáng
    dà xī yáng
    běi bīng yáng
    tài píng yáng

02 dì zhōng hǎi
    zhōng guó nán hǎi
    rì běn hǎi
    yà dé lì yà hǎi

03 mì xī xī bǐ hé
    ní luó hé
    yà mǎ xùn hé
    sū yī shì yùn hé

04 běi měi zhōu
    nán měi zhōu
    ōu zhōu
    yà zhōu

05 dà yáng zhōu
    nán jí zhōu
    fēi zhōu
    běi jí quān

06 běi jí
    nán jí
    chì dào
    shì jiè

07 ān dì sī shān mài
    ā ěr bēi sī shān mài
    xǐ mǎ lā yǎ shān mài
    luò jī shān mài

08 hé
    xiǎo xī
    hú
    hǎi yáng

09 huǒ shān
    shā mò
    shān
    shān gǔ

10 dǎo
    bàn dǎo
    lù dì
    hǎi wān

厨房用具

廚房用具

	简体	繁体
01	盘子 刀 叉子 勺	盤子 刀 叉子 勺
02	盐瓶 胡椒罐 开罐器 餐巾	鹽瓶 胡椒罐 開罐器 餐巾
03	冰箱 公用勺 刮铲 炒锅	冰箱 公用勺 刮鏟 炒鍋
04	搅拌盆 碗橱 冷冻柜 杯子	攪拌盆 碗櫥 冷凍櫃 盃子
05	茶杯 玻璃杯 茶壶 炉子	茶盃 玻璃盃 茶壺 爐子
06	锅 量勺 洗碗布 洗碗机	鍋 量勺 洗碗布 洗碗機
07	切菜板 深底锅 量杯 抽屉	切菜板 深底鍋 量盃 抽屜
08	桌布 切肉刀 银具 厨房	桌布 切肉刀 銀具 廚房
09	烤箱 擀面杖 黄油刀 面包刀	烤箱 **擀**麵杖 黃油刀 麵包刀
10	开塞钻 筷子 酒杯 碗	開塞鑽 筷子 酒盃 碗

19-03

chú fáng yòng jù

01 pán zi
   dāo
   chā zi
   sháo

02 yán píng
   hú jiāo guàn
   kāi guàn qì
   cān jīn

03 bīng xiāng
   gōng yòng sháo
   guā chǎn
   chǎo guō

04 jiǎo bàn pén
   wǎn chú
   lěng dòng guì
   bēi zi

05 chá bēi
   bō li bēi
   chá hú
   lú zi

06 guō
   liáng sháo
   xǐ wǎn bù
   xǐ wǎn jī

07 qiē cài bǎn
   shēn dǐ guō
   liáng bēi
   chōu tì

08 zhuō bù
   qiē ròu dāo
   yín jù
   chú fáng

09 kǎo xiāng
   gǎn miàn zhàng
   huáng yóu dāo
   miàn bāo dāo

10 kāi sāi zuàn
   kuài zi
   jiǔ bēi
   wǎn

职业

01	潜水员 建筑工人 男服务员 农民
02	裁判 牧羊人 牙医 消防队员
03	外科医生 护士 乐队指挥 艺术家
04	厨师 杂技演员 舞蹈演员 机械师
05	飞行员 秘书 行李员 教师
06	警察 面包师 士兵 音乐家
07	医生 理发师 牧师 宇航员
08	科学家 记者 摄影师 军官
09	卡车司机 建筑师 牛仔 裁缝
10	电脑修理工 线路工 小丑 邮递员

職業

01	潛水員 建築工人 男服務員 農民
02	裁判 牧羊人 牙醫 消防隊員
03	外科醫生 護士 樂隊指揮 藝術家
04	廚師 雜技演員 舞蹈演員 機械師
05	飛行員 秘書 行李員 教師
06	警察 麵包師 士兵 音樂家
07	醫生 理髮師 牧師 宇航員
08	科學家 記者 攝影師 軍官
09	卡車司機 建築師 牛仔 裁縫
10	電腦修理工 線路工 小醜 郵遞員

19-04

zhí yè

01 qián shuǐ yuán
   jiàn zhù gōng rén
   nán fú wù yuán
   nóng mín

02 cái pàn
   mù yáng rén
   yá yī
   xiāo fáng duì yuán

03 wài kē yī shēng
   hù shì
   yuè duì zhǐ huī
   yì shù jiā

04 chú shī
   zá jì yǎn yuán
   wǔ dǎo yǎn yuán
   jī xiè shī

05 fēi xíng yuán
   mì shū
   xíng li yuán
   jiào shī

06 jǐng chá
   miàn bāo shī
   shì bīng
   yīn yuè jiā

07 yī shēng
   lǐ fà shī
   mù shī
   yǔ háng yuán

08 kē xué jiā
   jì zhě
   shè yǐng shī
   jūn guān

09 kǎ chē sī jī
   jiàn zhù shī
   niú zǎi
   cái feng

10 diàn nǎo xiū lǐ gōng
   xiàn lù gōng
   xiǎo chǒu
   yóu dì yuán

19-05

体育活动

01 篮球
   滑雪橇
   桌球
   马球

02 飞镖
   足球
   橄榄球
   跳高

03 网球
   铅球
   跳水
   体操

04 摔跤
   滑雪
   拳击
   击剑

05 高尔夫球
   冰球
   举重
   跑步

06 象棋
   跳棋
   骨牌
   扑克牌

07 赛车
   赛马
   射剑
   游泳

08 爬山
   滑冰
   摩托车赛
   棒球

09 帆船运动
   冲浪
   滑水
   撑杆跳高

10 色子
   十五子游戏
   排球
   乒乓球

19-05

體育活動

01 籃球
   滑雪橇
   桌球
   馬球

02 飛鏢
   足球
   橄欖球
   跳高

03 網球
   鉛球
   跳水
   體操

04 摔跤
   滑雪
   拳擊
   擊劍

05 高爾夫球
   冰球
   舉重
   跑步

06 象棋
   跳棋
   骨牌
   撲克牌

07 賽車
   賽馬
   射劍
   游泳

08 爬山
   滑冰
   摩托車賽
   棒球

09 帆船運動
   衝浪
   滑水
   撐桿跳高

10 色子
   十五子游戲
   排球
   乒乓球

19-05

tǐ yù huó dòng

01 lán qiú
huá xuě qiāo
zhuō qiú
mǎ qiú

02 fēi biāo
zú qiú
gǎn lǎn qiú
tiào gāo

03 wǎng qiú
qiān qiú
tiào shuǐ
tǐ cāo

04 shuāi jiāo
huá xuě
quán jī
jī jiàn

05 gāo ěr fū qiú
bīng qiú
jǔ zhòng
pǎo bù

06 xiàng qí
tiào qí
gǔ pái
pū kè pái

07 sài chē
sài mǎ
shè jiàn
yóu yǒng

08 pá shān
huá bīng
mó tuō chē sài
bàng qiú

09 fān chuán yùn dòng
chōng làng
huá shuǐ
chēng gān tiào gāo

10 shǎi zi
shí wǔ zi yóu xì
pái qiú
pīng pāng qiú

工具

01 榔头
钉子
镙丝
起子

02 电锯
手锯
电钻
手钻

03 灯
活动扳手
加油器
千斤顶

04 直角尺
水平测量器
钢锯
折叠小刀

05 钳子
扳手
卷尺
工具箱

06 独轮车
铁锹
锄头
钉耙

07 台钳
撬棍
斧
短柄小斧

08 大砍刀
抹子
油漆刷
铁链

09 梯子
绳子
刨
割草机

10 缝纫机
顶针
剪刀
线

19-06

工具

01 榔頭
釘子
鏍絲
起子

02 電鋸
手鋸
電鑽
手鑽

03 燈
活動扳手
加油器
千斤頂

04 直角尺
水平測量器
鋼鋸
折疊小刀

05 鉗子
扳手
卷尺
工具箱

06 獨輪車
鐵枚
鋤頭
釘耙

07 臺鉗
撬棍
斧
短柄小斧

08 大砍刀
抹子
油漆刷
鐵鏈

09 梯子
繩子
鉋
割草機

10 縫紉機
頂針
剪刀
線

19-06

gōng jù

01 láng tou
   dīng zi
   luó sī
   qǐ zi

02 diàn jù
   shǒu jù
   diàn zuàn
   shǒu zuàn

03 dēng
   huó dòng bān shǒu
   jiā yóu qì
   qiān jīn dǐng

04 zhí jiǎo chǐ
   shuǐ píng cè liáng qì
   gāng jù
   zhé dié xiǎo dāo

05 qián zi
   bān shǒu
   juǎn chǐ
   gōng jù xiāng

06 dú lún chē
   tiě xiān
   chú tou
   dīng pá

07 tái qián
   qiào gùn
   fǔ
   duǎn bǐng xiǎo fǔ

08 dà kǎn dāo
   mǒ zi
   yóu qī shuā
   tiě liàn

09 tī zi
   shéng zi
   bào
   gē cǎo jī

10 féng rèn jī
   dǐng zhēn
   jiǎn dāo
   xiàn

农产品

01 胡萝卜
  菜花
  生菜
  圆白菜

02 米
  玉米
  青豆
  土豆

03 菠萝
  西红柿
  豆角
  青椒

04 苹果
  桔子
  香蕉
  葡萄

05 草莓
  椰子
  枣
  樱桃

06 蘑菇
  花生
  黄瓜
  小萝卜

07 南瓜
  白萝卜
  橄榄
  西瓜

08 麦
  面粉
  面包
  燕麦

09 柚子
  柠檬
  酸橙
  山莓

10 桃
  梨
  洋葱
  茄子

19-07

農產品

01 胡蘿蔔
  菜花
  生菜
  圓白菜

02 米
  玉米
  青豆
  土豆

03 菠蘿
  西紅柿
  豆角
  青椒

04 蘋果
  橘子
  香蕉
  葡萄

05 草莓
  椰子
  棗
  櫻桃

06 蘑菇
  花生
  黃瓜
  小蘿蔔

07 南瓜
  白蘿蔔
  橄欖
  西瓜

08 麥
  麵粉
  麵包
  燕麥

09 柚子
  檸檬
  酸橙
  山莓

10 桃
  梨
  洋蔥
  茄子

19-07

nóng chǎn pǐn

01 hú luó bo
   cài huā
   shēng cài
   yuán bái cài

02 mǐ
   yù mǐ
   qīng dòu
   tǔ dòu

03 bō luó
   xī hóng shì
   dòu jiǎo
   qīng jiāo

04 píng guǒ
   jú zi
   xiāng jiāo
   pú tao

05 cǎo méi
   yē zi
   zǎo
   yīng táo

06 mó gu
   huā shēng
   huáng guā
   xiǎo luó bo

07 nán guā
   bái luó bo
   gǎn lǎn
   xī guā

08 mài
   miàn fěn
   miàn bāo
   yàn mài

09 yòu zi
   níng méng
   suān chéng
   shān méi

10 táo
   lí
   yáng cōng
   qié zi

19-08

车辆及其他运载工具

01 公共汽车
    火车
    汽车
    卡车

02 敞篷汽车
    客货两用车
    运输车
    面包车

03 拖拉机
    大运输车
    单轨列车
    地铁

04 摩托车
    自行车
    三轮摩托车
    轮椅

05 帆船
    划艇
    独木舟
    潜水艇

06 飞机
    直升飞机
    火箭
    警车

07 缆车
    雪橇
    热气球
    婴儿车

08 大轿车
    出租车
    月球漫游车
    脚踏船

09 马车
    消防车
    救护车
    吉普车

10 皮划艇
    快艇
    喷气式飞机
    螺旋桨式飞机

19-08

車輛及其他運載工具

01 公共汽車
    火車
    汽車
    卡車

02 敞篷汽車
    客貨兩用車
    運輸車
    麵包車

03 拖拉機
    大運輸車
    單軌列車
    地鐵

04 摩托車
    自行車
    三輪摩托車
    輪椅

05 帆船
    划艇
    獨木舟
    潛水艇

06 飛機
    直升飛機
    火箭
    警車

07 纜車
    雪橇
    熱氣球
    嬰兒車

08 大轎車
    出租車
    月球漫遊車
    腳踏船

09 馬車
    消防車
    救護車
    吉普車

10 皮划艇
    快艇
    噴氣式飛機
    螺旋槳式飛機

19-08

che liàng jí qí tā yùn zài gōng jù

01 gōng gòng qì chē
    huǒ chē
    qì chē
    kǎ chē

02 chǎng péng qì chē
    kè huò liǎng yòng chē
    yùn shū chē
    miàn bāo chē

03 tuō lā jī
    dà yùn shū chē
    dān guǐ liè chē
    dì tiě

04 mó tuō chē
    zì xíng chē
    sān lún mó tuō chē
    lún yǐ

05 fān chuán
    huá tǐng
    dú mù zhōu
    qián shuǐ tǐng

06 fēi jī
    zhí shēng fēi jī
    huǒ jiàn
    jǐng chē

07 lǎn chē
    xuě qiāo
    rè qì qiú
    yīng ér chē

08 dà jiào chē
    chū zū chē
    yuè qiú màn yóu chē
    jiǎo tà chuán

09 mǎ chē
    xiāo fáng chē
    jiù hù chē
    jí pǔ chē

10 pí huá tǐng
    kuài tǐng
    pēn qì shì fēi jī
    luó xuán jiǎng shì fēi jī

办公用品

01 商人
公文包
图表
布告栏

02 西装
传真机
复印机
办公室

03 电梯
笔记本
手提电话
曲别针

04 文件夹
活页夹
笔
办公桌

05 表格
胶带
钉书器
图钉

06 秘书
老板
抽屉
商业信件

07 邮票
地址
拆信刀
压纸器

08 收款机
打孔器
电话
剪刀

09 文件柜
废纸篓
橡皮筋
打印机

10 灭火器
椅子
电动咖啡壶
台历

19-09

辦公用品

01 商人
公文包
圖表
佈告欄

02 西裝
傳真機
復印機
辦公室

03 電梯
筆記本
手提電話
曲別針

04 文件夾
活頁夾
筆
辦公桌

05 表格
膠帶
釘書器
圖釘

06 秘書
老闆
抽屜
商業信件

07 郵票
地址
拆信刀
壓紙器

08 收款機
打孔器
電話
剪刀

09 文件櫃
廢紙簍
橡皮筋
打印機

10 滅火器
椅子
電動咖啡壺
臺曆

19-09

bàn gōng yòng pǐn

01 shāng rén
    gōng wén bāo
    tú biǎo
    bù gào lán

02 xī zhuāng
    chuán zhēn jī
    fù yìn jī
    bàn gōng shì

03 diàn tī
    bǐ jì běn
    shǒu tí diàn huà
    qū bié zhēn

04 wén jiàn jiā
    huó yè jiā
    bǐ
    bàn gōng zhuō

05 biǎo gé
    jiāo dài
    dìng shū qì
    tú dīng

06 mì shū
    lǎo bǎn
    chōu tì
    shāng yè xìn jiàn

07 yóu piào
    dì zhǐ
    chāi xìn dāo
    yā zhǐ qì

08 shōu kuǎn jī
    dǎ kǒng qì
    diàn huà
    jiǎn dāo

09 wén jiàn guì
    fèi zhǐ lǒu
    xiàng pí jīn
    dǎ yìn jī

10 miè huǒ qì
    yǐ zi
    diàn dòng kā fēi hú
    tái lì

数学

01 圆形
   正方形
   三角形
   五边形

02 平行线
   垂直线
   分数
   整数

03 加法
   减法
   乘法
   除法

04 等式
   曲线图
   正方体
   圆球

05 半径
   直径
   正数
   负数

06 算术
   几何
   代数
   微积分

07 直线
   面积
   边长
   椭圆

08 角
   指数
   平方根
   百分比

09 长方形
   锐角
   钝角
   直角

10 小于九十度的角
   九十度角
   大于九十度的角
   数字

19-10

數學

01 圓形
   正方形
   三角形
   五邊形

02 平行線
   垂直線
   分數
   整數

03 加法
   減法
   乘法
   除法

04 等式
   曲線圖
   正方體
   圓球

05 半徑
   直徑
   正數
   負數

06 算術
   幾何
   代數
   微積分

07 直線
   面積
   邊長
   橢圓

08 角
   指數
   平方根
   百分比

09 長方形
   銳角
   鈍角
   直角

10 小於九十度的角
   九十度角
   大於九十度的角
   數字

19-10

shù xué

01 yuán xíng
   zhèng fāng xíng
   sān jiǎo xíng
   wǔ biān xíng

02 píng xíng xiàn
   chuí zhí xiàn
   fēn shù
   zhěng shù

03 jiā fǎ
   jiǎn fǎ
   chéng fǎ
   chú fǎ

04 děng shì
   qū xiàn tú
   zhèng fāng tǐ
   yuán qiú

05 bàn jìng
   zhí jìng
   zhèng shù
   fù shù

06 suàn shù
   jǐ hé
   dài shù
   wēi jī fēn

07 zhí xiàn
   miàn jī
   biān cháng
   tuǒ yuán

08 jiǎo
   zhǐ shù
   píng fāng gēn
   bǎi fēn bǐ

09 cháng fāng xíng
   ruì jiǎo
   dùn jiǎo
   zhí jiǎo

10 xiǎo yú jiǔ shí dù de jiǎo
   jiǔ shí dù jiǎo
   dà yú jiǔ shí dù de jiǎo
   shù zì